D0610356

Des pas dans la neige

Gardienne d'un secret

JOANNA WAYNE

Des pas dans la neige

BLACK *ROSE*

éditions HARLEQUIN

Collection : BLACK ROSE

Titre original : SON OF A GUN

Traduction française de FRANÇOISE DORIS

HARLEQUIN®
est une marque déposée par le Groupe Harlequin

BLACK ROSE®
est une marque déposée par Harlequin S.A.

Photos de couverture
Mère-enfant : © PASCAL BROZE / ONOKY / CORBIS
Paysage : © BOBBY MODEL / NATIONAL GEOGRAPHIC

83-85, boulevard Vincent-Auriol, 75646 PARIS CEDEX 13.
Service Lectrices — Tél. : 01 45 82 47 47
www.harlequin.fr
ISBN 978-2-2802-8041-9 — ISSN 1950-2753

Prologue

D'un geste circulaire, Damien Lambert passait l'étrille sur le poil brillant de l'étalon noir tout en lui murmurant des paroles enjôleuses. King se laissait brosser avec un plaisir manifeste, sans broncher, malgré le grondement incessant du tonnerre et les éclairs qui zébraient le ciel par-delà la porte grande ouverte de l'écurie.

Les autres chevaux semblaient également rassurés par la présence de Damien et sa voix apaisante. Seule Jolie, la jument grise de sa mère, piaffait nerveusement, comme si elle pressentait un danger.

En temps ordinaire, Damien n'avait rien contre les orages. Ils irriguaient les prairies et grossissaient les ruisseaux. Leur violence semblait en quelque sorte purifier l'atmosphère, comme si, du même coup, elle dissipait la tension qui s'installait parfois entre son père et lui. Par moments, ils s'affrontaient avec une telle âpreté, tous les deux, que Damien ne voyait pas comment ils allaient pouvoir continuer à travailler ensemble.

Hugh Lambert. Un personnage hors du commun, qui jurait comme un charretier, buvait sec, et qui, avec son éloquence, son influence et sa fortune, n'hésitait pas à s'opposer à tout politicien qui prétendrait l'empêcher de gérer ses terres ou sa compagnie pétrolière à sa guise.

Mais Hugh était également prêt à renvoyer dans la seconde son meilleur cow-boy, voire son contremaître, s'il découvrait qu'ils avaient maltraité un animal. Et, même dans le monde impitoyable des affaires, c'était un homme dont la parole et la poignée de main avaient valeur de contrat.

Avec l'âge, Damien en était arrivé à apprécier de plus en plus ces qualités. Et il avait conscience de la chance qui était la sienne d'avoir un tel père — du moins, quand Hugh n'était pas en train de lui passer un savon. C'était grâce à lui qu'il était devenu l'homme qu'il était : indépendant, tenace, résistant.

Un coup de tonnerre retentit tout près de là, pareil à une explosion, et une soudaine appréhension s'empara de lui. Son père et quelques-uns de ses amis éleveurs s'étaient rendus dans l'Arizona à bord d'un jet privé pour assister à un match de football. Leur vol de retour allait se dérouler en pleine tempête.

Mais ces intempéries étaient suffisamment fréquentes pour que chacun en connaisse les risques. Au besoin, le pilote se poserait sur le premier aérodrome qu'il trouverait sur sa route, ou bien il repousserait le départ jusqu'au lendemain.

Damien finissait de panser King quand il entendit son frère Tague l'appeler à grands cris. Se ruant vers la porte, il le découvrit sur le seuil de l'écurie, hors d'haleine, l'air paniqué.

— C'est papa, murmura Tague d'une voix tremblante, à peine audible.

— Que s'est-il passé ? demanda Damien, l'estomac noué par l'anxiété.

— L'avion s'est écrasé, répondit son frère en s'affaissant contre le battant.

— Où ?

— Quelque part dans l'ouest du Texas.

Damien sentit quelque chose se briser en lui et il s'appuya contre un poteau pour ne pas vaciller.

— Comment l'as-tu appris ?

— Le shérif Garcia est à la maison. Papa est mort,

Damien. Maman est comme sonnée. Elle ne pleure même pas, mais ses yeux… On dirait qu'ils sont morts, eux aussi.

Une brusque poussée d'adrénaline sortit Damien de la torpeur provoquée par le choc. Il se mit à courir à toutes jambes vers la maison. Il crut entendre les pas de Tague derrière lui, mais il ne ralentit pas l'allure. Son père ne pouvait pas être mort ! Il s'agissait sûrement d'une terrible erreur. Ils verraient cela plus tard. Dans l'immédiat, sa mère avait besoin de lui.

1

Trois mois plus tard

Le camion cahotait le long de ce qui avait l'air d'être le lit d'un torrent asséché. Ballottée contre les corps en sueur entassés à l'arrière du véhicule, Emma Muran sentit son estomac se soulever.

Un froid mordant régnait à l'extérieur, mais, à l'intérieur de la remorque surpeuplée, l'air était lourd, chargé d'une odeur nauséabonde d'urine et de transpiration. Des bébés pleuraient. Un enfant sanglotait, gémissant qu'il voulait rentrer à la maison. Une vieille femme se lamentait en égrenant son chapelet.

La voisine d'Emma s'effondra contre elle, tandis que son bébé se détachait de son sein à demi dénudé pour se remettre à crier.

— Voulez-vous que je le tienne un instant ? proposa Emma, en évitant de la regarder en face.

Echanger un regard aurait créé un lien entre elles, si ténu soit-il. Et cela, Emma ne pouvait se le permettre.

— C'est une fille, dit la jeune femme en écartant l'écharpe en coton dont elle s'était servie pour préserver sa pudeur, de façon qu'Emma puisse voir la petite robe blanche et les minuscules chaussons bordés de jaune. Elle a huit semaines. Elle se prénomme Belle.

Sa voix était faible, ses yeux vitreux, comme recouverts d'une gaze transparente.

— Elle est très belle, répondit Emma, et sa robe est ravissante.

— Je l'ai faite moi-même. Elle va voir son papa pour la première fois, à Dallas. J'ai économisé autant que j'ai pu sur l'argent qu'il nous envoie afin de pouvoir payer le voyage.

— Pourquoi pleure-t-elle ainsi ? Elle est malade ?

— Elle a faim.

— Vous venez pourtant de l'allaiter.

— Je n'ai pas assez de lait.

— Vous n'avez pas emporté de lait en poudre ? Vous pourriez lui donner un biberon en complément.

— *Ningun dinero.*

Pas d'argent. Sans doute la malheureuse avait-elle dépensé jusqu'à son dernier sou pour rejoindre le père de l'enfant. Emma avait elle-même payé trois mille dollars pour se voir traitée comme du bétail.

— Votre mari est-il prévenu de votre arrivée ?

La femme secoua la tête.

— Pas mariés. Mais Juan Perez est un brave homme. Il s'occupera de nous.

Comme les autres passagers, la jeune femme n'avait pas la nationalité américaine. Sinon, pourquoi aurait-elle déboursé une telle somme pour passer la frontière en fraude ? Emma était probablement la seule citoyenne des Etats-Unis dans ce groupe composé majoritairement de vieillards à bout d'espoir et de mères esseulées.

Toutefois, elle n'en était pas moins désespérée. Rester au Mexique aurait signifié pour elle une mort certaine. Mais le même sort l'attendait aux Etats-Unis, si le monstre la retrouvait.

Le bébé se mit à pleurer plus fort. Pauvre petite ! Emma hésita un instant, mais la détresse du bébé l'emporta sur ses propres peurs. Elle aurait préféré ne pas se faire remarquer, mais elle n'avait plus le choix.

— Le bébé a faim, cria-t-elle en espagnol, haussant la voix pour couvrir le bruit du moteur. Quelqu'un pourrait-il lui donner un peu de lait ? S'il vous plaît…

Finalement, une jeune maman qu'Emma avait vue un peu plus tôt donner le sein à un garçon d'environ six mois tendit les mains sans un mot. Une autre s'empara de Belle et la lui passa. Epuisée d'avoir trop pleuré, l'enfant téta pendant quelques minutes avant de s'endormir.

Entretemps, sa mère s'était effondrée contre l'épaule du jeune homme assis à côté d'elle et avait apparemment sombré dans un profond sommeil. Emma prit le nourrisson assoupi et le serra doucement contre sa poitrine.

Un fardeau précieux, mais dont elle se serait bien passée…

Le camion s'arrêta brusquement et les passagers furent projetés les uns contre les autres. La porte arrière s'ouvrit, et tous haletèrent avec force, comme suffoqués par l'air frais que leurs poumons réclamaient avec insistance.

Le passeur, dont ils ne connaissaient que le prénom, Julio, grimpa à bord de la remorque.

— Nous avons traversé la frontière. Vous êtes arrivés au Texas.

De faibles acclamations montèrent de la troupe dépenaillée.

Emma sentit ses yeux se mouiller de larmes. Elle était de retour chez elle, alors que, la semaine précédente, elle croyait encore ne jamais revoir sa patrie. Malheureusement, même ici, elle allait devoir changer d'identité. Emma Muran devait cesser d'exister.

— Si vous voulez descendre maintenant, allez-y, poursuivit Julio. Mais vous allez vous retrouver au milieu de nulle part. Si vous restez, je vous emmènerai jusqu'à Dallas, comme je vous l'ai promis quand vous avez payé.

La moitié des clandestins se précipitèrent vers la sortie en se bousculant. Ils savaient que plus longtemps ils resteraient dans le camion, plus ils auraient de risques d'être interceptés par une patrouille et renvoyés au Mexique.

Pour la plupart, ceux qui choisirent de rester à bord étaient accompagnés de jeunes enfants, ou en si mauvaise condition physique qu'ils n'auraient pas pu aller bien loin sur ce terrain rocailleux, dans la nuit et le froid glacial. Même si on était en janvier, la température était exceptionnellement basse pour la région.

Emma considéra les choix qui s'offraient à elle et décida de partir, bien qu'elle n'ait aucune idée de l'endroit où elle se trouvait. Si des policiers l'arrêtaient, ils découvriraient immédiatement qu'elle était américaine. Elle serait obligée de leur expliquer pourquoi elle avait dû rentrer frauduleusement dans son pays en recourant à ce répugnant réseau de trafiquants.

Ils prendraient ses empreintes digitales et auraient vite fait de l'identifier. Et il lui serait alors impossible d'échapper à l'effervescence médiatique que déclencherait sa réapparition. Caudillo lancerait aussitôt une centaine d'hommes à ses trousses et aucun dispositif de sécurité ne parviendrait à la protéger.

Le bébé s'agita entre ses bras. Elle se tourna vers la mère pour le lui rendre, mais celle-ci gisait à plat ventre sur le sol de la remorque, bras et jambes de guingois, telle une poupée de chiffon abandonnée.

— Qu'est-ce qu'elle a, celle-là ? demanda Julio.

Les autres haussèrent les épaules et secouèrent la tête. Julio s'avança et retourna la jeune femme, qui le contempla fixement d'un regard dénué de vie.

— Il y avait quelqu'un avec elle ? s'enquit le passeur.

Emma s'apprêtait à répondre, mais le regard d'avertissement de la passagère qui avait allaité Belle la réduisit au silence.

— Pas la peine de s'encombrer d'un macchabée, maugréa Julio, soulevant le cadavre pour le jeter au-dehors. Est-ce qu'il y en a d'autres qui ne se sentent pas bien ? ajouta-t-il, riant tout seul de cette plaisanterie macabre.

Belle recommença à pleurer bruyamment.

Julio se retourna et dévisagea Emma comme s'il la voyait pour la première fois. Il lui décocha un regard ouvertement lubrique, puis lui adressa un sourire entendu. Savait-il que le bébé qu'elle tenait n'était pas le sien ?

Berçant doucement l'enfant pour la calmer, elle se détourna pour échapper à ses yeux concupiscents.

Julio sortit son pistolet de l'étui attaché à sa ceinture et l'agita devant eux pour affirmer son autorité.

— Vous avez cinq minutes pour vous soulager et vous détendre les jambes. Je vous donnerai à manger quand vous reviendrez dans ce trou puant.

La femme qui avait allaité Belle fit signe à Emma de la suivre dans un épais taillis leur garantissant un minimum d'intimité. Elles se relayèrent, l'une tenant les bébés pendant que l'autre satisfaisait ses besoins naturels.

— Que vas-tu faire de l'enfant ? lui demanda sa compagne en espagnol.

— Je ne sais pas, répondit Emma, prenant brusquement conscience de l'énorme responsabilité qu'elle venait d'endosser.

— Julio la jettera dehors comme un déchet s'il apprend que c'était la fille de la morte.

— Mais que suis-je censée faire ?

— Américaine ? s'enquit la femme, en plissant les yeux d'un air soupçonneux.

Emma secoua la tête, puis frissonna et tira son *rebozo* coloré plus bas sur son front, de manière à dissimuler le plus possible son affreuse perruque, tandis qu'elle revenait vers le camion.

Elle s'était fait passer pour une Mexicaine, comptant sur ses vêtements, son postiche et sa maîtrise de l'espagnol pour rendre l'imposture crédible. Sinon, Julio et les passagers l'auraient prise pour une policière infiltrée ou une journaliste en mal de scoop. Dans un cas comme dans l'autre, elle aurait été jetée dehors avec perte et fracas.

Julio leur distribua des bouteilles d'eau et des tortillas garnies de purée de haricots. Emma ne prit que l'eau. Elle avait acheté des churros et des tortillas dans le petit village où ils avaient commencé leur voyage. Ces provisions lui suffiraient jusqu'à Dallas.

Elle avait effectué ses autres achats dans la ville où le bateau à bord duquel elle s'était évadée avait jeté l'ancre. Le tout premier, ç'avait été cette perruque noire et rêche dont elle était affublée. Elle avait trouvé sa longue jupe bariolée et sa blouse blanche brodée dans le même grand magasin, ainsi que des sous-vêtements et des articles d'hygiène.

Elle s'était vite défaite de la longue robe de soie qu'elle portait lors de son évasion. Mieux elle se fondrait à la population, plus elle aurait de chances de rester en vie.

Elle avait acheté son *rebozo*, son châle en coton, dans le dernier village qu'ils avaient traversé afin de se couvrir la tête et moins attirer l'attention sur sa perruque. C'était sa seule protection contre le vent glacé.

Quand elle remonta dans la remorque, Julio l'empoigna par le bras et la força à lui faire face pendant quelques secondes avant de la libérer. Son regard salace lui donna la chair de poule.

— Bon, on repart, déclara-t-il, avant de sauter à bas de la remorque et de refermer bruyamment la porte.

Quelques minutes plus tard, le moteur se remit en marche et ils reprirent leur route en cahotant. Mais, à présent, Emma tenait dans ses bras le bébé d'une morte. Comment allait-elle pouvoir s'occuper d'un nourrisson alors qu'elle-même était en fuite ?

Belle remua et serra ses minuscules poings pour les agiter dans l'air, tordant les lèvres dans une moue pitoyable. Emma passa un doigt sur sa joue veloutée et cette caresse parut apaiser le bébé.

Emma sentit naître en elle une émotion étrange, comme si l'enfant s'était emparée de son cœur.

De la fumée sortait de la cheminée, et son odeur emplit les narines de Damien tandis qu'il tapait du pied pour ôter la boue sur ses bottes puis gravissait le perron à l'arrière de la maison. Comme il atteignait le seuil, son frère Durk apparut, chargé d'une brassée de bois de chauffage.

— Je me demandais quand tu allais te décider à rentrer, dit Durk.

— J'ai dû transférer le bétail dans un pré plus proche d'ici, au cas où la neige annoncée par la météo tomberait effectivement.

— N'aurais-tu pas pu demander aux ouvriers de s'en occuper ?

— Ils ont travaillé toute la journée, eux aussi. Nous sommes dans un ranch, frangin, pas dans tes luxueux bureaux.

— Je le sais parfaitement. Crois-moi, j'aimerais mieux m'occuper des vaches que de la politique de l'entreprise et des réglementations.

Durk était PDG de la compagnie pétrolière Lambert Incorporated et ne venait au ranch que le week-end.

— Ne t'en fais pas, s'il neige cette nuit, je te recruterai comme vacher demain matin, répliqua Damien. Quand es-tu arrivé ?

— Il y a une heure environ. J'aurais pu arriver plus tôt s'il n'y avait pas eu un énorme bouchon à la sortie de

Dallas. Les ponts et les voies suspendues sont déjà couverts de verglas. C'est un temps à ne pas mettre le nez dehors.

— C'est drôlement calme, ici, reprit Damien en entrant dans la cuisine. Où est passé le reste de la famille ?

— Grand-mère est dans son appartement et tante Sybil dans sa chambre, en train de regarder la télé en sirotant son sherry. Et Tague sert de chauffeur à maman. Je lui ai dit de conduire prudemment.

— Où sont-ils allés ?

— Au ranch du Double R.

— Par ce temps ? Pour quoi faire ?

— Apporter à Mildred et Hank Ross un peu de la soupe aux légumes et au bœuf que maman a préparée cet après-midi. Apparemment, Mildred est malade, et tu connais notre mère. Elle croit de son devoir de prendre soin de tout le comté.

— Quand sont-ils partis ?

— Juste après mon arrivée. Mais ils devaient s'arrêter en route pour tenter de convaincre Karen Legasse de venir habiter chez nous jusqu'à ce que le temps s'améliore.

— Ce serait intéressant, fit observer Damien d'une voix narquoise. Toi et ton ex-petite amie coincés ici par une tempête de neige…

— « Ex » est bien le mot qui convient. Elle est mariée à présent, et elle a un bébé. Même si la flamme n'était pas complètement éteinte, il ne serait pas question pour moi de tenter de la ranimer.

— C'est peut-être terminé entre vous, mais maman et elle sont plus proches que jamais. Karen passe nous voir presque aussi souvent que le facteur.

Damien prit la cafetière et se servit une tasse du breuvage bouillant.

— Et où est donc Mark le Magnifique ?

— Apparemment, son mari chéri s'est rendu à Los Angeles pour participer à une assemblée.

— Et éviter ainsi de changer les couches du bébé. Ces riches investisseurs, ils savent toujours comment se défiler !

Damien souleva le couvercle de l'énorme marmite posée sur la cuisinière. Un délicieux arôme d'oignons, de tomates et d'épices emplit la pièce. Son estomac se mit à gargouiller, et il se délecta d'avance de la fameuse soupe maison de sa mère.

— Je vais prendre une douche, annonça-t-il. A moins que tu n'aies besoin de moi pour rentrer du bois ?

La vaste demeure était dotée de trois cheminées et ils pouvaient brûler une grande quantité de bois au cours d'un week-end.

— Non, je m'en charge, répondit Durk. Et, ensuite, je descendrai les boîtes du grenier, comme maman me l'a demandé.

— Le grenier est rempli de caisses et de boîtes en tout genre. T'a-t-elle précisé lesquelles ?

— Oui. Celles qu'elle a rassemblées tout près de la trappe.

— Je vais m'en occuper, déclara Damien. La douche peut bien attendre quelques minutes de plus.

Il n'aimait guère l'idée que sa mère passe encore tout un week-end à se replonger dans ses souvenirs et à ressasser son chagrin. Depuis la mort de leur père, elle consacrait beaucoup trop de temps à fouiller dans les vieilles armoires et les malles. C'était comme si elle essayait de le retenir près d'elle en revivant chaque moment de leur passé.

Damien, quant à lui, n'avait pas besoin de photos ni de reliques. Son père faisait tellement partie du ranch qu'il y sentait sa présence à chaque minute. Cela n'atténuait pas sa douleur, ni son regret de n'avoir pu lui dire combien il l'aimait. Il y avait tellement de choses qui resteraient à jamais inexprimées…

Il finit son café, reposa la tasse sur le comptoir et monta à l'étage. Dans le couloir, il tira sur la poignée de la trappe et déplia l'échelle pour grimper dans le grenier poussiéreux. Le soir commençait à tomber et il alluma la lumière pour chasser les ténèbres.

Sa mère avait regroupé près de la trappe quatre cartons et une boîte en métal qui ressemblait à un coffre-fort. Il n'avait jamais encore remarqué sa présence dans cette pièce.

En promenant son regard alentour, il vit que la grande malle noire, dans un coin tout au fond du grenier, était restée ouverte, alors qu'elle avait toujours été fermée par un cadenas, d'aussi loin qu'il s'en souvienne.

En fait, quand ils étaient gamins, Durk et lui, et qu'ils jouaient à cache-cache dans le grenier, ils se racontaient pour se faire peur qu'il y avait un cadavre dissimulé dans cette vieille malle cabossée.

Sa curiosité réveillée, il se dirigea vers la malle. Elle était à moitié vide, et l'espace vacant correspondait aux dimensions du coffre-fort.

A part cela, elle contenait une demi-douzaine d'albums de photos. Il en prit un et l'ouvrit. Il ne reconnut personne sur la photo de la première page, mais l'un des hommes était incontestablement un Lambert — une version plus âgée de Hugh. Damien la retourna et lut les noms inscrits au dos. L'homme en salopette était son trisaïeul, Oliver Lambert, le fondateur du ranch.

Hugh avait veillé à ce que ses fils sachent tout de leurs ancêtres et combien il leur avait fallu de sang, de sueur et de larmes pour construire le domaine. Le jeune homme à côté d'Oliver était son arrière-grand-père.

Damien ouvrit un autre album, à l'aspect moins ancien que le précédent. Il retira une photo pour regarder les noms.

Son arrière-grand-père posait auprès d'un magnifique étalon noir. Le petit garçon assis en selle était son grand-père. La maison à l'arrière-plan était exactement la même que celle où il se trouvait à présent, même si plusieurs ailes y avaient été ajoutées depuis.

Mortes ou vivantes, les racines de la famille Lambert étaient profondément enfouies dans la terre du ranch. Ses ancêtres reposaient dans le cimetière adjacent à la chapelle que son trisaïeul avait fait construire pour son propre mariage. Depuis cette époque, tous les mariages, y compris celui des parents de Damien, avaient été célébrés dans cette même petite chapelle délabrée.

Si jamais il se mariait, il espérait perpétuer la tradition. Mais cette possibilité paraissait s'éloigner davantage chaque jour. Ce n'était pourtant pas les petites amies qui lui avaient manqué, mais il n'avait jamais éprouvé, auprès d'aucune d'elles, ce déclic qu'on était censé ressentir face à celle avec qui on souhaiterait passer le reste de sa vie.

Il referma la malle sans prendre la peine de remettre le cadenas. Il ne lui fallut pas longtemps pour transférer les boîtes dans la chambre de sa mère.

Quand ce fut fait, il gravit une dernière fois l'échelle et prit le coffre-fort. Mais celui-ci n'était pas fermé, et il ravala un juron lorsque des papiers et des dossiers se répandirent sur le sol, certains tombant même à travers l'ouverture, dans le couloir au-dessous de lui. Il contempla un instant le désordre et fut tenté de laisser les choses en l'état jusqu'au lendemain. Sa mère n'aurait de toute façon pas le temps d'inventorier toutes les boîtes ce soir.

Mais son père lui avait appris qu'il ne fallait jamais remettre un travail à plus tard.

S'accroupissant, il entreprit de ramasser les papiers. Il y avait là des certificats de baptême, de vieux bulletins scolaires, des contrats périmés et des classeurs remplis de documents jaunis. Il vérifia la date d'un reçu pour l'achat de cinquante têtes de bétail. Il avait payé davantage pour le dernier taureau qu'il avait acheté aux enchères.

Le reçu datait de trente et un ans, treize mois avant sa naissance. Il se dit que ces archives constitueraient une lecture intéressante par ce froid week-end.

Avec des gestes rapides, il finit de rassembler les paperasses et les remit pêle-mêle dans le coffre, sans essayer de les ranger dans leur dossier d'origine. Brusquement, son regard se posa sur un acte de naissance.

Le nom du bébé, un garçon, était Damien Briggs. Presque le même que le sien, sauf que lui s'appelait Damien Briggs Lambert, Briggs étant le nom de jeune fille de sa mère.

La date de naissance, elle, était identique. Intrigué, il poursuivit sa lecture.

La mère était désignée comme Melissa Briggs, le nom du père n'était pas mentionné. La Melissa en question devait être la sœur de sa mère. Celle-ci parlait rarement de sa famille, mais elle faisait parfois allusion à une sœur prénommée Melissa et décédée depuis longtemps.

Sans raisons précises, Damien avait eu l'impression que cette Melissa était morte quand elle était encore enfant, mais de toute évidence il s'était trompé, puisqu'elle avait donné naissance à un garçon le jour même où lui aussi était né.

Mais où était ce cousin dont il n'avait jamais entendu parler ? Etait-il mort dans l'accident qui avait coûté la vie à sa mère ?

Damien relut les noms et les dates. De troublantes hypothèses lui vinrent à l'esprit. Etait-il possible que Damien Briggs et lui ne fassent qu'un ? Que sa véritable mère soit Melissa Briggs ?

Non. Sa mère était Carolina et son père, Hugh. Il avait vu son acte de naissance.

Pourtant, il ne réussissait pas à chasser les soupçons de

son esprit. Se procurer un faux acte de naissance aurait été facile à quelqu'un d'aussi influent que Hugh Lambert…

Mais jamais celui-ci n'aurait donné son nom à un enfant qui n'était pas le sien. C'était impensable.

La voix de sa mère lui parvint de la cuisine. Elle était rentrée. Il allait lui montrer le document, et le problème serait résolu.

Mais si ses soupçons étaient justes, cela expliquerait pourquoi Hugh l'avait souvent traité comme un cheval sauvage qu'il aurait capturé sans vraiment vouloir l'intégrer à son troupeau.

Plus perturbé qu'il ne voulait l'admettre, Damien transporta le coffre au rez-de-chaussée et le déposa sur la table basse du salon. Puis il sortit de la maison, refermant la porte derrière lui.

Des flocons de neige tombèrent sur sa chemise et dans ses cheveux. Un froid mordant s'insinua jusque dans ses os mais, au lieu de retourner à l'intérieur pour chercher son blouson, il se dirigea vers l'écurie.

Il avait besoin d'être seul pour réfléchir. De s'échapper de cette demeure pour chevaucher à travers les vastes étendues de ce domaine dont il n'était peut-être pas l'héritier légitime.

2

Dans une brusque secousse, le camion s'arrêta soudain. Dans la remorque, les passagers s'étirèrent. Belle serra ses minuscules poings, comme si elle percevait l'agitation qui grandissait autour d'elle.

Les portes arrière s'ouvrirent en grinçant et une rafale d'air glacé emplit les poumons d'Emma. La nuit était tombée depuis leur dernier arrêt. Elle enveloppa plus étroitement le bébé dans les plis de son *rebozo*.

— *El fin de la linea*, cria Julio.

Le terminus. Ils étaient arrivés sans incident.

Un homme âgé passa sa tête au-dehors et fronça les sourcils.

— On n'est pas à Dallas.

— *Esto es Dallas, anciano*, insista Julio.

Mais ils n'étaient manifestement pas dans une ville. D'autres commencèrent à exprimer leurs craintes.

— *Estamos en Dallas* ?

— *Espero que no sea problemas.*

— *Tontos,* répliqua Julio. Si je vous débarquais en pleine ville, vous seriez arrêtés dans les minutes qui suivent. Vous pouvez voir l'autoroute d'ici. Trouvez une voiture pour vous emmener en ville, ou marchez. Dans moins de deux kilomètres, vous serez dans la banlieue de Dallas.

Emma ne formula aucune plainte. S'il disait vrai, elle y arriverait facilement, même en portant Belle. Dès qu'elle trouverait un magasin, elle appellerait un taxi et se ferait déposer dans un motel bon marché.

Les récriminations et les jurons fusaient de toutes parts. Manifestement, les passagers ne se fiaient pas à la parole de Julio. Mais que pouvaient-ils faire ?

Emma posa Belle sur ses genoux tandis qu'elle enroulait son châle autour d'elle et le nouait solidement, comme elle avait vu les autres mères le faire, de manière à pouvoir la porter blottie contre sa poitrine en gardant les mains libres.

La femme qui avait donné le sein à Belle lui tendit un sac en plastique contenant une tétine.

— Elle a été stérilisée. Pour calmer le bébé jusqu'à ce que tu aies trouvé du lait.

— *Gracias,* répondit Emma en rangeant la tétine dans les plis du *rebozo*, avant de s'emparer du sac en papier contenant ses achats.

Mais, quand elle voulut descendre, Julio l'attrapa par le bras et la repoussa violemment à l'intérieur.

— Toi, reste ici.

L'estomac d'Emma se contracta. Pas ça ! Pas une nouvelle fois !

— Le bébé, murmura-t-elle, comme si cela pouvait faire une différence pour cette brute.

D'une bourrade, il la plaqua contre la paroi.

— Fais ce que je te dis, ou tu ne sortiras pas d'ici vivante.

L'un des hommes se retourna et leur jeta un regard dans lequel on lisait sa honte de ne pas avoir la force ou le courage de la défendre. Elle baissa les yeux, ne voulant pas qu'il se fasse tuer à cause d'elle.

La terreur lui glaçait le sang. Ne serait-elle donc jamais libre ?

Quand la remorque fut vide, à l'exception de Belle et elle, Julio referma les portes. Quelques instants plus tard, le camion redémarrait à toute allure, les détritus laissés par les passagers roulant sur le sol en s'entrechoquant.

Bringuebalée de part et d'autre, Emma s'efforça de protéger la tête de Belle et d'éviter qu'elle ne heurte la paroi.

L'enfant se mit à pleurer et Emma lui tendit la tétine. Mais elle la repoussa et ses pleurs redoublèrent. Heureusement, elle referma ses lèvres autour de l'objet et finit par se calmer.

Emma luttait contre une panique croissante, tandis que le camion filait le long de la route. La seule idée de se faire violer la rendait malade de dégoût. Mais Julio pesait deux fois son poids et il était armé. Comment pourrait-elle lutter ?

N'avait-elle réussi à s'évader, après dix mois de captivité, que pour être violée et tuée par un voyou à moitié ivre sur une route déserte ? Et, dans ce cas, qu'arriverait-il à Belle ?

La réponse était trop terrifiante pour qu'elle puisse l'envisager. Elle devait à tout prix trouver un moyen de se sauver avec l'enfant.

Hélas, aucune idée ne lui venait à l'esprit.

Belle dormait quand le véhicule freina brutalement et s'immobilisa. Le cœur d'Emma fit un bond lorsque les portières s'ouvrirent. Et elle tressaillit quand Julio grimpa dans la remorque, le rayon de sa torche électrique projetant sur ses traits une lueur démoniaque.

Une chouette hulula au loin. Le vent sifflait à travers les cimes des arbres. Mais on n'entendait aucun bruit de circulation et elle ne distinguait aucune lumière derrière lui, aucun signe d'une route ou d'une habitation. Nul ne l'entendrait si elle appelait à l'aide.

Julio s'avança vers elle, et elle sentit une forte odeur de whisky émaner de lui.

— Pose le mioche par terre, ordonna-t-il, et étends-toi sur le dos.

— Vous ne pouvez pas faire ça, supplia-t-elle.

— Bien sûr que si, *mujerzuela*.

Elle secoua la tête face à l'insulte.

— Je ne suis pas une prostituée. Je vous en supplie, je suis une mère. Laissez-moi tranquille. Je vous ai payé.

— Je te laisserai tranquille une fois que j'en aurai fini avec toi. Fais ce que je te dis et je ne ferai pas de mal au bébé. Si tu fais des histoires, vous mourrez tous les deux. Maintenant, pose le mioche et écarte les jambes.

Essayer de résister était insensé. Elle ne réussirait qu'à se faire blesser ou tuer. Et, alors, ce monstre de Caudillo aurait gagné, sans même avoir eu besoin de la retrouver.

Elle était toujours debout quand Julio glissa une main sous sa jupe et la fit remonter le long de sa cuisse. Tout son corps se rebella, et son instinct prit alors le dessus. Elle plia la jambe et lui décocha un grand coup de genou dans le bas-ventre. Il poussa un cri et chancela. Elle se jeta sur lui et enfonça profondément ses ongles dans la chair juste au-dessous de l'œil gauche, y traçant deux sillons sanglants.

Marmonnant des jurons, il reprit son équilibre et la gifla si fort qu'elle eut l'impression que son cerveau vibrait à l'intérieur de son crâne. Belle se mit à hurler. Si elle continuait à résister, songea Emma, il ferait sans doute du mal à l'enfant…

Elle était sur le point de céder quand elle aperçut une lame effilée dans la main droite de Julio.

— Je vous en prie, non. Le bébé a besoin de moi.

Il cracha dans sa direction, mais visa trop court et le crachat tomba à ses pieds.

— Dois-je te trancher la gorge, ou me contenter de balafrer ton joli visage, afin que tu ne tentes plus jamais aucun homme ?

— Pitié ! Je vous en supplie. Pitié…

D'un revers de manche sale, il essuya le sang sur sa joue puis se rua vers elle. La lame entailla le bras d'Emma à quelques centimètres au-dessus du coude, ratant Belle de peu.

Julio leva de nouveau le bras mais, cette fois, il manqua complètement sa cible et perdit l'équilibre.

S'appuyant du bras gauche contre la paroi du camion, Emma lui envoya un violent coup de pied à l'arrière du genou. Il tomba à plat ventre sur le plancher couvert d'immondices.

Emma se rua vers la porte et sauta. Elle s'attendait à entendre d'une seconde à l'autre les pas de Julio derrière elle, ou même un coup de feu, et elle ne se retourna pas avant d'avoir atteint le couvert des arbres bordant l'étroite route où ils s'étaient garés. A sa stupéfaction, elle ne vit aucun signe du passeur.

Elle frissonna sous la morsure du vent glacial et sentit un filet de sang chaud ruisseler le long de son bras. Hâtivement, elle enroula son *rebozo* autour de la blessure, en espérant ralentir ainsi l'écoulement.

Belle se remit à pleurer, et Emma ravala ses propres larmes de peur et de rage. Elle n'avait aucune idée de la direction à prendre, mais elle continua néanmoins à avancer droit devant elle, vaguement consciente des flocons de neige tombant à travers la canopée pour venir fondre sur ses joues. Elle referma ses bras autour de l'enfant, dans un vain effort pour lui tenir chaud.

Finalement, elle déboucha dans une clairière et aperçut une clôture de barbelés. Le soulagement fit jaillir en elle un flot vivifiant d'adrénaline. S'il y avait une clôture, cela signifiait que la civilisation n'était pas loin. Elle accéléra le pas.

Prenant soin que les pointes n'effleurent pas la peau tendre du bébé, elle souleva le fil barbelé de façon à pouvoir se glisser dessous et pénétrer dans le pré parsemé d'arbres.

Quelque chose bruissa dans l'herbe derrière elle, et Emma détala à toute vitesse, redoutant de voir surgir Julio. Elle courut jusqu'à ce que le souffle lui manque et que ses jambes ne puissent plus la porter.

Le cœur battant à se rompre, elle s'appuya contre le tronc d'un immense pin. Belle recommença à s'agiter, et ses plaintes se transformèrent bientôt en pleurs stridents.

Le dos collé contre l'écorce rugueuse, Emma se laissa lentement glisser au sol. Ses doigts cherchèrent la tétine dans les plis du *rebozo*. Dès qu'elle l'eut trouvée, elle la glissa dans la bouche de Belle, qui se mit à téter avec avidité. Mais, quelques secondes plus tard, elle la recracha et se remit à hurler.

Emma ferma les yeux et s'imagina confortablement assise dans un fauteuil à bascule, berçant Belle tout en lui donnant un biberon. Tout près d'elles, des bûches brûlaient dans une cheminée en pierre, répandant une chaleur bienfaisante. L'image était si précise dans son esprit qu'elle pouvait presque sentir l'odeur du feu de bois.

Un bruit de sabots troubla soudain sa rêverie. Alarmée, elle rouvrit les yeux en sursaut. Mais il n'y avait aucun cheval en vue.

Comme le feu dans la cheminée et le fauteuil à bascule, ce n'était que le produit de son imagination. Personne ne se promènerait à cheval en pleine nuit, par un temps pareil. Aucun héros n'allait accourir à son secours.

Elle se contraignit à se relever. Si elle s'endormait ici, le bébé risquait de mourir de froid, sinon de faim, avant le matin.

Le vent était cinglant, même si la vieille veste en cuir que Damien avait prise dans la sellerie le protégeait en partie du froid.

Il avait chevauché longtemps, laissant King galoper à bride abattue sur les sentiers familiers. Heureusement, cette balade lui avait permis d'alléger, sinon de dissiper entièrement, sa contrariété et ses soupçons.

Mais les questions subsistaient, et seule sa mère pourrait

lui en fournir les réponses. Sans doute serait-elle en mesure de tout expliquer. Probablement avait-il réagi de manière excessive et tout cela n'avait-il rien à voir avec lui.

Des sœurs pouvaient très bien décider de donner le même prénom à leurs fils, s'ils étaient nés le même jour. Une chose était sûre : sa mère n'aurait jamais volontairement banni de sa vie le fils de sa sœur. Soit son cousin était mort, soit le père de celui-ci refusait que Carolina voie son neveu.

A moins que sa mère ne dissimule des secrets familiaux si terribles et honteux qu'elle n'osait pas les avouer...

Cette idée était tellement inconcevable qu'elle en était presque risible. Carolina Lambert était connue dans toute la région pour son honnêteté et sa franchise, ainsi que pour son sens de l'amitié et sa générosité.

La neige tombait de plus en plus fort et commençait à recouvrir l'herbe. Dans certaines parties du pays, la première chute de neige constituait un passage rituel vers l'hiver. A Dallas, il s'écoulait parfois des années entières sans le moindre flocon. Cette fois-ci, ce ne serait pas le cas, même si la neige ne tiendrait pas longtemps. On annonçait un temps plus chaud pour les jours à venir.

Il fit opérer un demi-tour à King et reprit le chemin du ranch au petit trot. Apercevant un cerf qui s'abreuvait au ruisseau, il tira sur les rênes pour faire halte et admirer le majestueux animal. Celui-ci paraissait parfaitement à l'aise malgré le temps et le vent qui hurlait entre les branches des pins, tel un chat en colère ou un bébé...

Damien se figea. Les cris ressemblaient beaucoup trop aux pleurs d'un bébé.

Les sens en éveil, il tendit le cou et discerna une femme avançant péniblement dans la direction opposée, les épaules voûtées. Il eut vite fait de la rattraper. Quand elle se retourna, il constata que tout ce qu'elle avait pour se protéger du froid, c'était un châle enroulé autour d'elle et de l'enfant en pleurs qu'elle serrait contre sa poitrine.

Que diable faisait-elle ici, en pleine nuit, avec un bébé ? Il promena un regard soupçonneux autour de lui tout en mettant pied à terre.

— Vous êtes seule ? demanda-t-il en ôtant sa veste.

— Oui, répondit-elle. Mais je vous en prie, ne me faites pas de mal.

Il perçut la peur dans sa voix frémissante, teintée d'un accent du Sud. Elle était indéniablement américaine, et non mexicaine comme l'aurait laissé croire sa tenue.

— Je n'en ai aucune intention. Comment êtes-vous arrivée ici ?

— Je… Ma voiture a quitté la route et est tombée dans un fossé. En voyant la clôture, j'ai pensé qu'il y avait peut-être à proximité une maison où je pourrais m'abriter. Le bébé a froid.

— L'autoroute ne passe pas par ici.

— Il y a une route secondaire, protesta-t-elle. Je viens juste de la quitter.

— C'est une vieille piste forestière, mais plus aucun véhicule ne l'emprunte. Elle est pleine d'ornières et bien trop dangereuse.

— Je le sais à présent. Mais il faisait nuit quand je m'y suis engagée.

Damien passa la veste sur les épaules de la jeune femme. Le vêtement était beaucoup trop grand pour elle. Damien mesurait un mètre quatre-vingts et était large d'épaules. La jeune femme devait faire quinze centimètres de moins et était très menue. Mais la veste les réchaufferait, l'enfant et elle, jusqu'à ce qu'il les emmène à l'abri.

Baissant les yeux, il découvrit la tache pourpre sur le châle de l'inconnue.

— Vous êtes blessée.

— Ce n'est rien, juste une éraflure.

Mais la blessure avait trop saigné pour n'être qu'une simple égratignure. Cette histoire paraissait de plus en plus louche.

— Etes-vous sûre qu'on ne vous a pas plutôt abandonnée ici ?

— Je vous l'ai dit, j'ai perdu le contrôle de ma voiture et, à présent, elle est coincée dans un fossé boueux. J'ai dû m'érafler le bras sur les barbelés en franchissant la clôture.

Elle se détourna, visiblement peu désireuse d'en dire plus. Damien décida de ne pas insister, pour le moment du moins.

— Je vais vous aider à grimper sur le cheval. Je tiendrai les rênes et marcherai à côté de vous. Il n'y a pas beaucoup de chemin à faire.

— Où nous emmenez-vous ?

— Devant un bon feu de bois, où vous pourrez vous réchauffer, le bébé et vous. Au fait, est-ce une fille ou un garçon ?

— Une fille. Elle s'appelle Belle. Où sommes-nous ? s'enquit-elle en promenant ses yeux alentour.

— Sur mes terres.

— A Dallas ?

— En fait, vous êtes dans une minuscule localité du nom d'Oak Grove, mais Dallas est effectivement la ville la plus proche.

— A quelle distance se trouve-t-elle ?

— Une trentaine de kilomètres à vol d'oiseau. Quarante-cinq par la route. Où alliez-vous ?

— Rendre visite à ma tante, mais j'ai dû prendre une mauvaise direction, à un moment ou un autre.

— Où habite-t-elle exactement ?

— Dans la banlieue de Dallas.

— C'est plutôt vague, comme indication.

Il aida la jeune femme à monter en selle, puis remonta

la fermeture à glissière de la veste, les enfermant, l'enfant et elle, dans un cocon de chaleur.

— Je m'appelle Damien, déclara-t-il quand ils se furent remis en route.

— Et moi, Emma.

— Et votre nom de famille ?

Elle hésita, un peu trop longtemps pour qu'il puisse croire à sa réponse.

— Smith… Emma Smith.

A d'autres ! se dit-il. Elle aurait pu trouver quelque chose de plus original.

Le pas cadencé du cheval parut apaiser le bébé. Au bout de quelques instants, il s'arrêta de pleurer.

Les interrogations de Damien sur son propre passé étaient à présent éclipsées par des préoccupations plus pressantes.

Il ne croyait pas vraiment à cette histoire de voiture dans le fossé, mais il ne trouvait pas d'explication plus logique à la présence de cette mystérieuse inconnue sur ses terres, par une nuit comme celle-ci.

Cela importait peu, dans l'immédiat. La femme et le bébé avaient besoin d'aide. Même si elle mentait, il n'avait pas d'autre choix que de les ramener chez lui.

Emma observa le cow-boy qui marchait à son côté. Il était d'une beauté virile avec sa mâchoire carrée, son nez droit et ses cheveux drus sous un Stetson usé. La masculinité même.

Il lui donnait un sentiment de protection, et jamais cette qualité, chez un homme, ne lui avait paru plus appréciable qu'en ce moment.

Elle espérait qu'il n'était pas d'un tempérament curieux. S'il lui posait de nouvelles questions, elle serait obligée de lui raconter d'autres mensonges. Si elle disait la vérité, il préviendrait la police.

Il ne lui aurait pas déplu de lancer la justice aux trousses de Caudillo, de l'accuser publiquement, mais il serait alors facile à celui-ci de la retrouver.

— Vous avez mal choisi votre moment pour voyager, reprit Damien. Les ponts et les voies suspendues sont verglacés.

— Je ne m'attendais pas à ce que les choses tournent ainsi, en partant de chez moi.

C'était un euphémisme. Elle était partie en mars, en escomptant passer une semaine dans un lieu paradisiaque. Au lieu de cela, elle avait vécu dix mois en enfer.

— D'où êtes-vous ? s'enquit-il.

— Vous voulez parler de l'endroit où je suis née, ou de celui où je vis actuellement ?

— Celui où vous habitez.

— Victoria, au Texas.

Un mensonge de plus, mais elle avait entendu quelqu'un dans la remorque mentionner cette ville et savait qu'elle se trouvait au sud de Houston.

— Et votre lieu de naissance ?

— Nashville, répondit-elle, et pour une fois, c'était vrai, même si elle n'y avait pas vécu depuis… depuis le dernier bouleversement majeur dans sa vie.

L'odeur de bois brûlé devenait de plus en plus forte. Elle ne l'avait donc pas imaginée, tout à l'heure, dans le pré. Quelques instants plus tard, elle aperçut la fumée s'élever des trois cheminées surmontant un toit à pignons.

La maison, haute d'un étage, était immense, s'étirant dans toutes les directions à la manière d'une plante rampante.

— A qui appartient le ranch ? s'enquit-elle.

— A la famille Lambert.

Il n'en faisait sûrement pas partie, avec cette veste en lambeaux qu'il lui avait prêtée. C'était vraisemblablement un cow-boy, un ouvrier agricole.

— Où habitez-vous ?

— Dans la maison qui est en face de vous.

— Avez-vous des enfants, votre femme et vous ? reprit-elle, surprise.

— Non. Pas d'enfants. Et pas de femme non plus.

— Dans ce cas, combien y a-t-il de personnes dans cette maison ?

— Six, quand nous sommes tous réunis.

— Cela fait beaucoup de monde.

— Il y a toujours de la place pour une personne de plus.

— Je ne resterai pas, s'empressa-t-elle de préciser. Je partirai dès que j'aurai pu appeler un taxi pour me conduire jusqu'au motel le plus proche. N'importe lequel fera l'affaire.

— Il n'y en a aucun à proximité, et vous aurez du mal à trouver un moyen de transport ce soir. Même si vous y parveniez, je vous le déconseillerais. Vous pourriez vous retrouver dans une situation encore pire que tout à l'heure. En outre, ce n'est pas la place qui manque ici.

Quand ils furent tout près de la demeure, elle fut encore plus impressionnée par sa taille. Mais il n'y avait pas que ses dimensions qui en imposaient.

Une vaste véranda courait à l'arrière du bâtiment. Les lampes étaient allumées et baignaient de leur douce clarté canapés, fauteuils à bascule, tapis, plantes en pot et paniers de toutes formes et de toutes tailles. Au milieu de la pièce, une table ronde s'ornait d'un énorme bouquet composé de feuillage, de baies et de pommes de pin.

A gauche du passage couvert donnant accès à la maison, de grandes baies vitrées s'ouvraient sur une immense cuisine remplie de monde. Manifestement, ils étaient en train de dîner.

Damien s'arrêta au pied d'un chêne dénudé. Il enroula les rênes autour d'une branche et attacha son cheval avant d'aider Emma à descendre.

L'angoisse s'empara d'elle. Ces gens allaient sûrement

la questionner. Ils s'apercevraient qu'elle mentait. Ils pourraient très bien appeler le shérif et la faire arrêter. Il suffirait ensuite aux policiers de vérifier ses empreintes digitales, et elle ne pourrait plus échapper à l'attention des médias.

« La femme enlevée durant ses vacances aux Caraïbes s'est évadée ! » titreraient les journaux.

Nul ne pouvait échapper aux griffes de Caudillo et vivre assez longtemps pour raconter son histoire.

Damien posa sur son épaule une main douce mais ferme.

— Ne vous inquiétez pas, dit-il, percevant sa nervosité. Les Lambert sont parfois grincheux, mais ils ne mordent pas. Vous êtes en sécurité, ici.

En sécurité. Rien qu'en entendant ce mot, elle eut la gorge serrée. Mais la sécurité que Damien ou les Lambert pouvaient lui offrir n'était que provisoire, et ce n'était guère plus qu'une illusion.

A son étonnement, son anxiété se dissipa dès qu'elle pénétra dans la cuisine. La chaleur, les odeurs alléchantes, les bavardages insouciants et les rires des convives assis autour de la vieille table de ferme étaient tout l'opposé de ce qu'elle avait connu au cours des derniers mois.

— Nous avons de la compagnie, annonça Damien, interrompant une conversation tellement animée que personne ne les avait entendus arriver.

Les têtes se redressèrent et tous les regards convergèrent vers Emma et Belle. Celle-ci commença à geindre et à s'agiter, en poussant des petits cris qui étaient sans doute le prélude à de nouveaux pleurs désespérés.

Les deux hommes présents se levèrent, en vrais gentlemen texans. La jolie femme d'âge mûr qui présidait la table tourna les yeux vers elle. Son regard perçant croisa celui d'Emma, qui perdit aussitôt tout espoir de se voir accorder un sursis.

Jamais cette femme ne goberait ses mensonges. Et elle

n'accepterait pas non plus qu'on vienne perturber la tranquillité de son foyer.

— Voici Emma Smith, déclara Damien. Elle venait de Victoria pour rendre visite à sa tante. Elle s'est trompée de direction et s'est retrouvée sur la piste forestière qui longe Beaver Creek.

— Que conduisiez-vous donc ? Un tank ? s'exclama l'un des hommes. Les trous qu'il y a sur cette piste pourraient engloutir n'importe quel véhicule ordinaire.

— Apparemment, c'est ce qui est arrivé, expliqua Damien. La voiture doit être en train de s'enfoncer comme dans des sables mouvants.

Emma se détendit un peu. L'explication paraissait plus crédible dans la bouche de Damien. Elle avait toujours été une très mauvaise menteuse.

— Heureusement, je me suis aventurée dans votre pâturage dans l'espoir de trouver de l'aide, et Damien est arrivé, ajouta-t-elle.

La femme qui l'avait dévisagée d'un air méfiant se leva et s'avança vers elle en souriant.

— Nous nous demandions où il était passé. Mais, quand Tague a vu que son cheval n'était pas dans l'écurie, nous nous sommes dit qu'il était allé inspecter le bétail une dernière fois.

— C'est une chance pour Belle et moi qu'il ait eu cette idée.

— Je suis Carolina Lambert, la mère de Damien.

Ainsi, il n'était pas un simple employé. C'était un Lambert. Riche et sans doute puissant, à l'évidence. Pourtant, on pouvait aisément le confondre avec un humble vacher, tant il était aimable et dénué d'arrogance. Décidément, le Texas lui plaisait de plus en plus.

Carolina s'approcha et se pencha vers le bébé, dont le visage s'empourprait davantage de seconde en seconde.

— Oh, le pauvre bout de chou ! Vous devez avoir froid. Nous allons remédier à ça. Elle est adorable, ajouta-t-elle en relevant les yeux vers Emma.

— Merci.

Damien lui présenta rapidement le reste de l'assemblée. Les deux hommes étaient ses frères, Durk et Tague. Bronzés et musclés, ils étaient tous deux aussi séduisants que Damien. Tague lui décocha un sourire chaleureux. Durk la considéra d'un œil suspicieux en lui serrant vigoureusement la main.

Pearl, la grand-mère de Damien, était petite et ridée, avec des cheveux argentés et une lueur espiègle dans ses yeux violets. Sa tante, Sybil, devait avoir la soixantaine. Elle était lourdement maquillée, le cou et les poignets surchargés de bijoux en argent incrusté de turquoises. Sa perruque noire ressemblait à un casque. Emma espéra que la sienne n'était pas aussi voyante.

— Vous êtes la plus jolie de toutes les créatures en détresse que Damien a ramenées à la maison, déclara Tague. Bien sûr, le dernier de vos concurrents était un chien jaune et galeux qui bavait partout.

— Contente de savoir que vous me jugez moins déplaisante, répliqua-t-elle avec un sourire.

— Asseyez-vous, dit la grand-mère. Un peu de soupe vous réchauffera. Et un petit sherry ne vous ferait pas de mal non plus.

— Maman pense que le sherry est le remède à tous les maux, expliqua Sybil. Je vais vous chercher de la soupe.

— Peut-être devrions-nous laisser à Emma la possibilité de souffler un peu, avant de la gaver de nourriture, suggéra Carolina.

Belle se mit à hurler.

— Donnez-la-moi, proposa la mère de Damien. Vous devez être épuisée.

— Elle a faim, répondit Emma. Il faut absolument que je lui donne à manger.

— Mais bien sûr ! Et vous préférerez sûrement avoir un peu d'intimité. Venez avec moi dans le séjour. Il y a un fauteuil à bascule près de la cheminée.

Emma prit une profonde inspiration, afin de se préparer au mensonge suivant. Ça n'allait pas être facile, mais cela valait mille fois mieux que mourir de froid ou être violée par Julio.

— Je sais que cela va vous paraître complètement irresponsable de ma part, mais j'étais tellement contrariée, en sortant du camion, que j'ai oublié d'emporter les biberons de Belle.

Durk arqua les sourcils.

— Je croyais que vous étiez venue en voiture ?

— C'est un SUV, répondit-elle, comme si cela expliquait tout. Quoi qu'il en soit, il faut impérativement que je me rende en ville pour lui acheter des biberons et du lait en poudre.

— Inutile d'aller en ville, répliqua Carolina. Ma voisine Karen a un fils à peu près du même âge que Belle. Elle vient ici fréquemment, parce que nous faisons toutes deux partie du comité pour la construction d'une nouvelle bibliothèque. J'ai toujours du lait et des biberons à son intention. Des couches, aussi.

— Elle lui donne du Similac, indiqua Sybil. Quelle marque donnez-vous à Belle ?

— Du Similac.

— C'est ce qui s'appelle avoir de la chance.

La grand-mère de Damien fit claquer sa langue contre son dentier.

— La chance n'a rien à voir là-dedans. Les voies du Seigneur sont impénétrables.

— En effet, admit Carolina.

— Je vais remettre du bois dans le feu, déclara Tague.
Carolina se dirigea vers le comptoir de la cuisine.

— Je vais préparer un biberon.

— Ne vous donnez pas cette peine, protesta Emma. Je ne veux pas interrompre votre repas. Montrez-moi simplement où est rangé le lait, et je m'en chargerai.

— J'ai fini ma soupe. Le dessert et le café peuvent attendre. Je m'occupe du biberon. Allez vous installer au coin du feu avec Belle, afin de vous réchauffer.

— Merci infiniment, répondit Emma. Dieu merci, nous avons déjà plus chaud. Mes dents ont cessé de claquer.

— Vous avez de fausses dents, vous aussi ? s'enquit Pearl.

— Non. C'étaient mes vraies dents qui claquaient de froid.

— Maman, tu n'as pas mis tes appareils acoustiques ? demanda Carolina d'un ton de reproche.

— Je les ai peut-être oubliés sur ma coiffeuse, répondit l'aïeule en souriant.

— Dois-je doser le lait comme indiqué sur la notice ? reprit Carolina à l'adresse d'Emma.

— Oui. Vous ne pouvez pas savoir à quel point j'apprécie votre gentillesse.

Des larmes inattendues lui montèrent aux yeux. Elle avait perdu l'habitude des gestes de bonté et des paroles sincères. A présent, ils lui réchauffaient le cœur, tout en lui donnant en même temps un sentiment de culpabilité.

Pearl les rejoignit devant le comptoir.

— Ne pensez-vous pas que vous devriez appeler votre tante ?

— Je le ferai dès que j'aurai nourri Belle. Elle ne m'attendait pas avant demain, en fait, mais comme la météo annonçait qu'il neigerait à Dallas ce soir, j'ai décidé de partir un jour plus tôt. Je pensais arriver avant la nuit, mais la circulation, le vendredi après-midi, était beaucoup plus dense que je ne le croyais.

— Est-ce du sang que je vois sur votre bras ? s'enquit tout à coup Sybil.

Emma avait essayé de draper son *rebozo* de manière à ce que personne ne remarque le sang, mais elle ne pouvait plus dissimuler l'évidence, à présent.

— Je me suis éraflé le bras en passant sous la clôture, dit-elle. Je suis sûre que ce n'est rien de grave.

— J'ai l'impression que vous avez perdu pas mal de sang, fit observer Sybil. Vous devriez consulter un médecin.

— Ce n'est rien, je vous assure.

— Il faut quand même soigner cette blessure, déclara Damien d'un ton sans réplique.

— Entendu, répondit-elle. Dès que j'aurai donné son biberon à Belle.

— Peut-être ne devriez-vous pas attendre davantage, objecta Carolina. Vous continuez à saigner. Sybil et moi pouvons prendre soin de Belle pendant que Damien jette un coup d'œil à votre bras. Il y a une trousse à pharmacie dans la salle de bains au bout du couloir.

— Tague, veux-tu t'occuper de King ? demanda Damien à son frère. Je l'ai laissé attaché devant la porte.

— Pas de problème. Je vais le rentrer à l'écurie.

A contrecœur, Emma dégagea Belle des plis de son châle pour la tendre à Carolina. Confier le bébé à une autre la mettait mal à l'aise, même si Carolina avait sans doute davantage d'expérience qu'elle en matière de puériculture.

Ce qu'elle connaissait sur le sujet aurait pu se résumer en un tweet.

Un tweet… Cela faisait des mois qu'elle n'avait pas utilisé ce système de messagerie. Caudillo avait veillé à ce qu'elle n'ait pas accès à Internet, ni au téléphone ou à aucun autre moyen de communication avec le monde extérieur.

Lui, en revanche, circulait librement, à bord de son

yacht ou de son jet privé, comme n'importe quel dirigeant d'entreprise multimilliardaire.

Quand Emma releva les yeux, sa tension nerveuse s'accrut encore. Car le regard de Damien indiquait clairement qu'il ne comptait pas se contenter de soigner sa blessure.

Il ne l'avait pas trahie, mais il n'avait pas été dupe de sa comédie. Elle aurait de la chance s'il n'appelait pas le shérif pour la faire arrêter, avant même de lui avoir pansé le bras.

3

Emma suivit Damien dans le couloir, tandis que Carolina murmurait des paroles apaisantes à Belle.

Il la fit entrer dans une pièce dont deux des murs étaient tapissés de rayonnages remplis de livres. Des pots de narcisses blancs étaient posés sur le bord de la fenêtre dont les rideaux étaient ouverts, laissant voir la neige tombant au-dehors.

Emma se dit que la décoration reflétait sans doute le goût délicat de Carolina — les tons doux dans les gris et les beiges, les moulures sophistiquées, les tableaux représentant des chiens de chasse. Des photos de famille dans des cadres argentés étaient disposées parmi les livres, tels des bibelots de valeur.

Damien lui fit signe de s'asseoir dans un fauteuil capitonné près de la fenêtre. Elle obéit, persuadée que le tissu de mensonges qu'elle lui avait débité allait être réduit à néant d'une minute à l'autre.

— Inutile de vous embêter. Si vous m'indiquez la salle de bains et me donnez de l'antiseptique et du sparadrap, je panserai cette égratignure moi-même.

— Otez votre châle.

Le ton de Damien était celui d'un homme habitué à donner des ordres — ou peut-être simplement en avait-il assez de jouer les bons Samaritains. Elle tira sur l'étoffe d'un geste impatient, resserrant ainsi le nœud au lieu de le défaire.

— Laissez-moi vous aider, reprit-il, d'une voix un peu moins brusque.

Avant qu'elle ait pu protester, il se pencha vers elle et sa main effleura la sienne en s'emparant du tissu.

Elle frémit à ce contact, comme elle le faisait par réflexe dès qu'un homme l'approchait depuis qu'elle était tombée entre les pattes de Caudillo. Cependant, il entrait également dans cette réaction une émotion troublante qu'elle ne s'expliquait pas — mais peut-être n'était-ce que la réaction instinctive d'une femme désespérée face à son sauveteur.

— Vous êtes entortillée là-dedans comme un veau dans un buisson d'épines, ironisa Damien.

— Je suis désolée. Vous n'avez qu'à le couper. De toute façon, il est bon à jeter à la poubelle.

— Bonne idée.

Il se dirigea vers le bureau d'acajou et prit une paire de ciseaux dans le tiroir du haut.

— Vous auriez sans doute perdu davantage de sang si vous n'aviez pas comprimé la plaie avec ce châle.

— Je suis surprise que cela ait saigné autant. Mais je suis certaine que ce n'est pas grave, sinon ce serait beaucoup plus douloureux.

— Si c'est le cas, je vais simplement nettoyer la plaie, la désinfecter, la bander, et vous serez comme neuve. Mais, à mon avis, elle va nécessiter des points de suture.

C'était hors de question. Elle ne pourrait pas répondre aux questions que les urgentistes ne manqueraient pas de lui poser. En outre, elle n'avait plus d'assurance maladie et, même si elle avait encore été assurée, elle ne pouvait pas donner son vrai nom.

L'argent qu'elle avait dérobé à Caudillo ne durerait pas longtemps si elle devait payer des frais médicaux.

— Pour me faire poser des points de suture à cette heure-ci, il faudrait que j'aille dans le service d'urgence d'un hôpital, objecta-t-elle. Et vous avez dit vous-même que les routes n'étaient pas sûres.

— Je ne comptais pas vous conduire aux urgences. Le Dr Benson habite tout près d'ici. Je peux vous emmener chez lui en 4x4 si besoin est.

— Mais le docteur ne travaille sûrement pas à domicile…

— Il travaille habituellement dans mon écurie, mais il fera une exception pour vous.

— Dans votre écurie ?

— Oui. C'est un vétérinaire, le meilleur spécialiste des chevaux du comté. Vous poser quelques points de suture ne présentera aucune difficulté pour lui. Vous ruez probablement moins qu'un cheval en colère.

Le vétérinaire la soignerait sans doute mieux qu'elle ne l'aurait été chez Caudillo. En septembre, elle avait contracté une infection virale et avait souffert d'une fièvre si forte qu'elle l'avait fait délirer. Mais son bourreau avait refusé de l'emmener chez un médecin.

Par chance, elle s'était rétablie assez vite et la maladie n'avait pas eu d'autres conséquences que de renforcer sa détermination à échapper à ce monstre.

Damien découpa l'étoffe, et le châle se détacha enfin, à l'exception de la partie collée à la blessure par le sang séché. Finalement, Damien parvint à la décoller avec précaution, et, pour la première fois, elle put alors contempler l'étendue des dégâts.

Elle avait une plaie béante, laissant voir la chair à vif. Elle déglutit avec force pour refouler une nausée.

— Il va falloir la recoudre, c'est certain, déclara Damien. Mais les blessures causées par les barbelés ne sont pas aussi nettes, d'habitude. Celle-ci a plutôt l'air d'une entaille faite par un bistouri, ou un couteau, poursuivit-il d'une voix teintée de suspicion.

— La seule chance que j'aie dans mon malheur, répliqua Emma. Une coupure nette cicatrisera plus vite.

Elle s'efforça de prendre un ton assuré, même si elle tremblait. Julio aurait aisément pu les tuer, Belle et elle, dans le camion ou dans les bois, s'il l'avait rattrapée. Maintenant qu'elle commençait à reprendre ses esprits, il lui était presque impossible de croire qu'elle avait réussi à échapper à cette brute, et à Caudillo.

C'était un miracle qu'elle soit en vie, et elle avait bien l'intention de le rester. Si pour cela elle devait mentir à Damien, tant pis. Elle était prête à tenir tête au diable lui-même, s'il le fallait.

— Comment êtes-vous réellement arrivée dans mon pâturage, ce soir ? s'enquit Damien en se penchant vers elle.

— Je vous l'ai déjà expliqué. Je cherchais de l'aide.

— Regardez-moi, Emma.

Elle se contraignit à affronter son regard d'acier.

— Dites-moi la vérité. Qui vous a fait ça ?

— Personne.

— Vous pouvez me dire la vérité sans crainte.

Dans son monde à lui, peut-être, mais pas dans le sien, songea-t-elle.

— Je vous ai dit la vérité !

— Très bien, soupira-t-il. Je vais appeler le Dr Benson. Mais il ne pourra peut-être pas vous voir tout de suite, donc il vaut mieux nettoyer la plaie en attendant. A quand remonte votre dernier rappel de vaccin antitétanique ?

— Au mois de mars.

— Vous vous étiez blessée ?

— Non, je partais en voyage à l'étranger…

Elle regretta aussitôt d'avoir laissé échapper cette information, mais elle n'avait plus d'autre choix à présent que de continuer.

— Je partais en vacances, et mon généraliste a jugé préférable de me faire une injection de rappel.

— Où êtes-vous allée ?

— En Italie, mentit-elle.

Dommage qu'elle n'y soit pas effectivement allée, ainsi qu'elle l'avait prévu initialement, au lieu de se laisser convaincre par son amie Dorothy de partir en croisière dans les Caraïbes !

— Bon, allons dans la salle de bains pour désinfecter cette blessure.

Une fois là-bas, Damien s'éclipsa brièvement pour téléphoner à son vétérinaire. Emma regarda par la fenêtre, en songeant combien le monde paraissait différent, recouvert d'un manteau de neige immaculée. C'était exactement ce dont elle avait besoin : un moyen d'effacer la laideur de ce qu'elle avait vécu ces derniers mois, pour pouvoir reprendre le cours de sa vie…

De retour dans la salle de bains, Damien enfila des gants de latex en disant :

— Bonne nouvelle. Vous n'aurez pas à ressortir dans le froid. Benson va venir. En attendant, il recommande de laver la blessure avec une solution saline et de la désinfecter avec de la teinture d'iode.

— En avez-vous sous la main ?

— Oui. Et il a dit aussi que vous devez éviter de bouger le bras et manger une bonne assiettée de la soupe de ma mère. Vous avez besoin de reprendre des forces… Oh, et maman vous fait dire qu'elle vous apportera une tenue de jogging si vous souhaitez vous laver et vous changer avant de dîner. Les vêtements sont à elle, donc ils risquent d'être un peu trop grands pour vous.

— C'est très aimable de sa part.

Pendant que Damien nettoyait la plaie, Emma demeura parfaitement immobile, réfléchissant à l'étrange tournure des événements. Une heure plus tôt, elle était transie de froid et dévorée de peur. Maintenant, on la dorlotait comme une princesse qui serait soudain apparue dans le château d'un cow-boy — excepté que le « prince » ne croyait pas un mot de son histoire.

Encore quelques jours de ce traitement, et elle finirait peut-être par retrouver confiance en la nature humaine. Mais elle n'avait pas autant de temps devant elle. Elle partirait dès le matin, avant que Damien découvre qu'il n'y avait aucune voiture dans le fossé à proximité de l'endroit où il l'avait trouvée.

Dans l'intervalle, autant profiter de sa liberté, et du confort que lui offraient ses hôtes. Même si tout ce qu'elle pouvait leur donner en retour, c'étaient des mensonges.

Damien avait connu Blake Benson en classe de seconde, quand le père de Blake avait acheté le petit domaine attenant au leur. Ils avaient été les meilleurs amis du monde pendant le reste de leurs études et avaient même partagé un appartement en colocation durant leurs deux premières années d'université.

Ils avaient chassé et pêché ensemble, ils s'étaient soûlés ensemble et s'étaient parfois querellés à propos de filles ou de politique. Pendant leurs études, ils avaient eu tendance à s'amouracher des mêmes étudiantes.

Ce n'était plus un problème aujourd'hui, car Blake était marié, très heureux en ménage et père de trois enfants. Damien avait quant à lui pratiquement renoncé à l'espoir de rencontrer la femme de sa vie.

A part ses frères, il n'y avait aucun homme à qui il faisait davantage confiance qu'à Blake. Maintenant qu'Emma avait reçu ses points de suture et était retournée dans la cuisine auprès de Carolina, Damien était impatient d'entendre l'opinion de son ami sur cette blessure. Mais il se plia d'abord aux échanges exigés par la courtoisie.

— Comment va la petite famille ? demanda-t-il en raccompagnant Blake jusqu'à sa camionnette noire.

— Sylvia est en pleine forme. Elle déborde de joie à l'idée d'aider les jumeaux à construire leur premier bonhomme de neige.

— Et le bébé ?

— Jenna nous donne du fil à retordre en ce moment. Mademoiselle fait ses dents et elle clame haut et fort son mécontentement.

— N'est-elle pas un peu jeune pour avoir des dents ?

— Elle a six mois. Elle pousse à toute vitesse et elle a déjà un sacré caractère.

— Et son papa en est complètement gaga, dirait-on.

— C'est vrai. Bon, parle-moi un peu d'Emma Smith.

— Je n'en sais pas plus que toi à son sujet, avoua Damien.

— Une inconnue sexy apparue tout à coup, par un soir de neige ? Ça ressemble à un fantasme d'adolescent.

— Si l'on omet le fait qu'elle était accompagnée d'un bébé et qu'elle raconte des bobards sur la manière dont elle est arrivée ici et dont elle s'est blessée au bras.

— Je dois reconnaître que je n'avais jamais vu de barbelés causer une blessure comme celle-là.

— C'est aussi ce que j'ai pensé. Je l'ai interrogée avec insistance, mais elle n'a pas voulu démordre de son histoire.

— Que s'est-il passé, d'après toi ?

— A mon avis, elle a eu une violente dispute avec son mari ou son petit ami, et celui-ci l'a éjectée de la voiture.

— Ce doit être un beau salopard pour jeter une femme et un bébé dehors par ce froid, lâcha Blake.

— Ou il avait le cerveau tellement embrumé par l'alcool ou la drogue qu'il ne s'est pas rendu compte de la gravité de son acte.

— Emma a trop de classe pour fréquenter des voyous de ce genre, objecta Blake. Elle a d'excellentes manières, une syntaxe irréprochable... C'est une vraie dame. Mystérieuse et sacrément séduisante, par-dessus le marché.

— Ah tu as remarqué...

— Je suis marié, mais je ne suis pas mort !

— Moi non plus, mais je ne gobe pas son histoire pour autant.

Emma l'intriguait, même s'il ne savait pas très bien pourquoi. A ses yeux, le mensonge était l'une des choses les plus répugnantes qui soient — sauf si l'on avait une très bonne raison pour ça. Comme la peur que pouvait inspirer à Emma l'homme qui lui avait balafré le bras...

— Ce qui est sûr, c'est que Carolina s'est entichée de ce bébé, reprit Blake. Elle a même appelé Sylvia pour lui demander si elle pouvait lui donner des vêtements devenus trop petits pour Jenna. J'en ai apporté une caisse pleine.

— Tu connais maman : elle ne peut pas résister à quelqu'un dans la détresse, ni à un bébé.

Ouvrant la portière de la camionnette, Blake jeta sa sacoche sur le siège arrière.

— Je ne pense pas qu'Emma ait de problème avec son bras, mais elle ferait quand même bien de voir quelqu'un demain. Peut-être même un médecin pour humains.

— Je l'emmènerai aux urgences dès que les routes seront dégagées.

— Et tiens-moi informé de la suite du feuilleton « Le cow-boy et la mystérieuse étrangère ».

— Par exemple, s'il y a vraiment une voiture dans le fossé, sur cette route qu'Emma n'aurait jamais dû emprunter ?

— Oui, et aussi quelle impression ça fait de coucher avec une belle inconnue.

— Là, c'est toi qui fantasmes !

— Que veux-tu, la neige me rend romantique, c'est

pourquoi je vais m'empresser de retourner auprès de ma ravissante épouse.

Immobile sous les flocons qui tombaient de plus en plus dru, Damien regarda la voiture de son ami s'éloigner. La soirée avait été riche en événements. Cet acte de naissance qui soulevait des questions troublantes. Ce sauvetage inattendu…

Le premier mystère serait sans doute résolu dès qu'il pourrait avoir une conversation avec sa mère. Quant à celui qui entourait Emma Smith, cela ne le concernait pas vraiment.

Il les avait ramenées à la maison, le bébé et elle. Elles étaient au chaud et en sécurité. Il avait fait son devoir, le reste ne le regardait pas.

Alors pourquoi n'arrivait-il pas à chasser la jeune femme de ses pensées ?

Ouvrant la porte de la chambre d'invités, Carolina s'effaça devant Emma pour la laisser entrer. La chambre se trouvait dans l'aile ouest de l'immense demeure, avec une superbe vue sur la piscine et les jardins autour de celle-ci.

Emma s'immobilisa sur le seuil, portant dans ses bras une Belle profondément assoupie.

— C'est ici que je vais passer la nuit ?

— Pourquoi ? Quelque chose ne vous plaît pas ?

— Non, au contraire ! Je suis époustouflée. Cette pièce semble sortie tout droit d'un magazine de décoration — mais en beaucoup plus chaleureux.

— J'aime offrir à mes invités le plus grand confort possible, répondit Carolina, ravie de la voir apprécier ses efforts.

— Je suis plus une intruse qu'une invitée, j'en ai peur, murmura Emma.

— Ne dites pas de sottises ! Nous ne vous attendions

pas, mais, par votre présence, Belle et vous avez égayé cette soirée glaciale. Je frémis à l'idée de ce qui aurait pu arriver si Damien ne vous avait pas croisée sur sa route. C'était une rencontre providentielle.

Traversant la pièce, Carolina effleura la tête du berceau ancien qui avait déjà servi à trois générations de Lambert.

— J'espère que Belle aimera son lit.

Emma contempla le berceau dont elle n'avait manifestement pas remarqué la présence jusque-là. Elle mordit sa lèvre inférieure et Carolina vit ses grands yeux violets se mouiller de larmes.

— Je n'ai jamais rien vu d'aussi beau ! Il est digne d'une princesse.

— Le grand-père de mon mari l'avait fabriqué pour ses enfants, et tous ses descendants ont dormi dedans. Il a fallu le réparer et le rénover au fil des ans, mais il est étonnamment bien conservé. Je me suis dit qu'il conviendrait parfaitement à Belle.

— Vous ne l'avez quand même pas sorti de l'entrepôt rien que pour une nuit ?

— Non, il y a une pièce au premier étage dont j'ai fait une espèce de musée, en y exposant nos plus beaux objets de famille. Le grand-père de Hugh était un artisan hors pair et certains des jouets qu'il a confectionnés pour ses enfants sont absolument stupéfiants. Il y a par exemple un immense cheval à bascule que l'on prendrait presque pour un vrai poney. Damien a passé des heures dessus, bien avant d'être capable de monter sur un véritable cheval.

— J'aimerais le voir.

— Je vous ferais faire le tour du propriétaire demain matin. Dans l'immédiat, vous avez besoin de vous reposer. La salle de bains est ici, ajouta Carolina, ouvrant une porte pour montrer la baignoire à pieds de lion et la table de toilette.

— L'armoire contient tous les objets de première nécessité,

mais s'il vous manque quoi que ce soit, dites-le-moi. J'ai accroché dans la penderie vos vêtements lavés et repassés et rangé la robe de Belle dans la commode, avec la layette de rechange que m'a envoyée Sylvia, ainsi qu'une réserve de couches.

— Vous pensez à tout !

— Je suis excessivement méticuleuse. C'est une malédiction qui me vaut de faire partie d'un nombre incroyable de comités… Oh, et n'hésitez pas à vous servir du téléphone. Vous voudrez sûrement appeler votre tante demain matin. Il y a un annuaire dans le tiroir de la table de chevet.

— Merci. Au cas où je parviendrais à la joindre et où elle voudrait venir me chercher, quelles indications dois-je lui donner pour qu'elle trouve le ranch sans difficulté ?

— N'importe quel habitant du coin pourra lui dire où se trouve le ranch Lambert. Ou bien…

Carolina ouvrit le premier tiroir d'une commode ancienne et en sortit un bloc de papier à lettres gravé de l'emblème du ranch et d'un plan à échelle réduite indiquant l'itinéraire à suivre pour y parvenir. Le domaine était situé à mi-distance entre deux autoroutes.

— L'adresse est imprimée sur le papier à lettres, ainsi que tous les renseignements nécessaires.

Emma déposa Belle dans le berceau, sur le drap immaculé. Elle ressemblait à un ange, dans le pyjama rose donné par Sylvia.

Carolina effleura la minuscule main du bébé, et les souvenirs affluèrent à sa mémoire. Le soir où elle avait bordé Damien dans ce même lit pour la première fois — celui où elle avait épousé Hugh.

Comme elle avait pleuré, ce soir-là ! Son cœur débordait de bonheur.

Hugh s'était gentiment moqué d'elle, mais il s'était rapidement attaché à ce fils miraculeux.

Hugh. Le seul homme qu'elle ait jamais aimé. Il lui manquait terriblement, mais elle chérissait chaque seconde qu'elle avait passée près de lui. C'était un homme à la tête froide, qui n'aimait pas montrer ses émotions, sauf en face d'elle. Elle était son point faible. Il était sa force.

— Je ferais mieux de vous laisser dormir, à présent, dit-elle à Emma.

— Je suis fatiguée, reconnut la jeune femme. Et ce lit a l'air si tentant que j'ai hâte de me glisser entre les draps. Je sais que je l'ai déjà dit une demi-douzaine de fois ce soir, mais vous ne pouvez savoir à quel point je vous suis reconnaissante de votre hospitalité.

Carolina posa sa main sur la poignée de la porte, mais soudain elle hésita.

— Vous savez, Emma, j'ai le sentiment que c'est le destin qui vous a envoyée vers nous — autant pour votre bien que pour le nôtre. Dormez bien.

Sitôt que la porte se fut refermée sur Carolina, Emma s'écroula dans le lit. Elle n'avait jamais rencontré de famille comme celle des Lambert. Il lui serait d'autant plus difficile de les quitter le lendemain matin. Mais, avec de la chance, elle serait partie avant que Damien ne se mette à la recherche de la voiture enlisée. Elle avait déjà établi un plan.

Il ne lui restait qu'un détail à régler. Décrochant le téléphone, elle passa un appel pour finaliser la première partie de son plan.

Après s'être douchée, elle se blottit sous les couvertures et ferma les yeux. Elle s'attendait à voir l'image de Caudillo surgir des ténèbres pour proférer d'horribles menaces et lui décrire le châtiment qui l'attendait pour avoir osé s'évader de sa prison dorée.

Mais ce fut le visage de Damien qui lui apparut tandis qu'elle sombrait dans un sommeil profond et bienfaisant.

4

— Je m'absente quelques jours, tempêta Caudillo en arpentant le sol dallé de son bureau, et vous laissez des maraudeurs en profiter pour tout me dérober, y compris ma bien-aimée Emma !

— Que pouvions-nous faire ? Ils étaient plusieurs centaines, tous armés jusqu'aux dents.

— Vous auriez pu vous battre jusqu'à la mort, au lieu de vous cacher !

— Nous nous sommes battus, mais ils étaient trop nombreux.

— Tu es le chef d'une armée de cent hommes, Chale, équipée des meilleures armes qu'on puisse trouver sur le marché. Tu aurais dû être capable de les abattre comme au tir au pigeon, quand ils ont débarqué sur l'île. Tu as relâché ta vigilance en mon absence. Avoue-le, Chale.

— Je ne puis répondre que de moi. Je n'étais pas de garde cette nuit-là.

— Mais tu es responsable de tes hommes et c'était à toi d'assurer la protection de mon île.

Chale redressa la cartouchière qu'il portait en bandoulière, visiblement mal à l'aise.

— Je présumais qu'ils obéiraient à mes ordres.

— Tu présumais ? Je pourrais dresser un singe pour faire le même travail. Et, maintenant, non seulement il manque des dizaines de caisses d'armes, mais Emma a disparu, elle aussi.

— Je la retrouverai, sauf si elle est dans l'estomac d'un requin.

— Non, Chale. Tu as perdu ma confiance. Tu es renvoyé.

La sueur se mit à ruisseler sur le front de l'homme et des auréoles apparurent sur ses manches, au niveau des aisselles. En d'autres circonstances, Caudillo se serait délecté de le voir transpirer de peur. Aujourd'hui, il y avait trop de choses en jeu pour qu'il tire plaisir de ce spectacle.

— Emma n'était pas une concubine comme les autres, Chale. Elle est intelligente et douée d'une grande puissance de déduction. Elle sait trop de choses à mon sujet. Sa liberté pourrait signifier ma fin.

Chale tomba à genoux.

— Je vous en prie, Caudillo. Laissez-moi me racheter. Laissez-moi la retrouver. Je sais que j'y arriverai.

— Bonne nuit, Chale. Désolé que notre collaboration doive se terminer ainsi.

— Puis-je quitter l'île ?

— Bien sûr. Tu es libre de partir.

— Merci, monsieur.

Chale se releva et se dirigea vers la porte. Caudillo attendit qu'il ait posé la main sur la poignée. Puis il leva son pistolet et lui tira une balle dans la nuque.

Ensuite, il prit son téléphone et composa un numéro.

— Je vous avais dit de ne jamais m'appeler ici !

— Nous avons un problème.

— Quel genre de problème ?

— Emma Muran s'est évadée.

— Comment avez-vous pu laisser une telle chose se produire ?

— J'avais placé ma confiance en de mauvaises mains. Cette erreur a été corrigée.

— Avez-vous des raisons de croire qu'elle a rejoint les Etats-Unis ?

— Si ce n'est pas déjà fait, ça ne tardera pas. C'est une femme astucieuse. Elle trouvera un moyen de rentrer chez elle.

— Je vais faire mon possible, mais le mieux pour vous, ce serait de la retrouver et de la ramener sur l'île avant qu'elle puisse prévenir les autorités américaines.

— Je n'ai pas l'intention de la ramener ici. Je veux la tuer. Si je tombe, vous tomberez avec moi.

Caudillo coupa la communication et donna un grand coup de poing dans le mur. Il aurait pu faire d'Emma sa reine. Il l'avait enlevée pour des raisons purement égoïstes, mais son cœur avait trouvé en elle tout ce qu'il avait toujours désiré. Elle le lui avait brisé et, à présent, elle pouvait également le briser, lui. Mais il ne le permettrait jamais. Il était Caudillo.

Emma se réveilla en sursaut, en proie à une attaque de panique, le pouls battant à toute allure et l'estomac noué. Il lui fallut plusieurs interminables secondes pour se rappeler où elle était.

Belle commença à s'agiter, poussant de petits grognements. C'était sans doute ce bruit qui l'avait tirée du sommeil. Emma roula sur elle-même et descendit du lit.

— Tu as faim, c'est ça ? chuchota-t-elle à l'adresse du bébé.

Et si Belle était malade ? se dit-elle avec angoisse. Peut-être le lait en poudre ne lui convenait-il pas ? Et, dans ce cas, qu'était-elle censée faire ?

La plupart des femmes avaient au moins neuf mois pour se préparer à devenir mères. Emma l'était devenue en l'espace d'une minute, après le décès subit de la maman de Belle. Mais au moins l'enfant avait-elle encore un père. Plus tôt Emma trouverait ce Juan Perez, mieux cela vaudrait.

Elle contempla le bébé qui essayait d'enfoncer ses deux petits poings dans sa bouche.

— Tu me sembles réellement affamée, murmura-t-elle. Nous allons te chercher un biberon.

Elle enfila le jogging duveteux que Carolina lui avait prêté et se pencha pour prendre Belle. Ce fut alors qu'elle se souvint de l'horrible perruque.

Il faisait encore nuit dehors, mais rien ne garantissait qu'elle ne croiserait pas l'un des occupants de la maison en allant dans la cuisine. Et il remarquerait à coup sûr que, de brune aux cheveux longs, elle était soudain devenue blonde à cheveux courts.

Hâtivement, elle posa le postiche sur sa tête et rentra tant bien que mal ses mèches blondes en dessous. Puis elle se dirigea vers la cuisine sur la pointe des pieds. Quelques lames de parquet gémirent sous ses pieds, et leur craquement, dans le silence environnant, lui parut assourdissant. Elle fut soulagée d'être parvenue à destination sans que Belle se mette à pleurer.

— C'est l'heure du biberon ?

En entendant la voix, Emma se retourna vivement, se cognant le gros orteil contre un pied de chaise par la même occasion. Elle poussa un petit cri sous l'effet de la douleur et manqua de perdre l'équilibre.

— Désolé. Je ne voulais pas vous effrayer, dit Damien, d'une voix enrouée de sommeil.

— Je ne pensais pas que quelqu'un serait levé, expliqua-t-elle, et je ne vous avais pas vu dans le noir.

— Je me suis réveillé et je n'ai pas réussi à me rendormir. Je suis venu boire un verre de lait et me suis attardé pour admirer le paysage sous la neige.

— C'est magnifique, lança-t-elle. On dirait que tout est recouvert de sucre glace.

Damien alluma les appliques encastrées sous les placards.

— Puis-je vous aider en quoi que ce soit ?

— Pourriez-vous tenir Belle pendant que je prépare le lait ?

— Etes-vous sûre de pouvoir me faire confiance ? Les bébés dont je m'occupe d'habitude ont quatre pattes et pèsent beaucoup plus lourd.

— Asseyez-vous d'abord, répondit-elle, et je vous la donnerai.

En déposant l'enfant dans les bras de Damien, elle éprouva une sensation inhabituelle. Elle fit de son mieux pour l'ignorer, mais la sensation persista, même quand elle s'éloigna de lui.

Quand le biberon fut prêt, elle reprit Belle et alla s'asseoir avec elle dans le fauteuil à bascule du séjour. Les cendres de l'âtre rougeoyaient encore, diffusant une faible chaleur. Mais, même sans cela, la pièce était confortable, et suffisamment éclairée par la lumière provenant de la cuisine.

Damien la rejoignit une minute plus tard. Elle se tint sur ses gardes, déterminée à ne pas se laisser troubler une nouvelle fois par sa virilité et sa force rassurante.

Il s'appuya à la cheminée et les contempla, Belle et elle.

— Avez-vous appelé votre mari pour lui dire que vous étiez en sécurité, la petite et vous ?

— Je suis mère célibataire.

Elle supposait que Damien et sa famille devaient s'en douter, puisqu'elle ne portait pas d'alliance et n'avait pas fait allusion à un conjoint. Il cherchait simplement à lui soutirer des renseignements, mais pour quel but ? Elle l'ignorait.

— Et le père de Belle ? reprit-il.

— Nous n'avons jamais été mariés. Disons simplement que j'ai toujours fait des choix malheureux, en ce qui concerne les hommes.

Ce qui, pour une fois, était vrai.

— Et vous ? reprit-elle. Avez-vous déjà été marié ?

— Non. Aucune femme n'a jamais eu la malchance de m'épouser.

Emma n'était pas de cet avis. Riche, séduisant, athlétique et intelligent, Damien avait tout pour plaire, au contraire.

— Et votre père ? demanda-t-elle. Personne ne l'a mentionné dans la conversation, mais votre mère porte une alliance.

— Papa est mort il y a trois mois de cela. Il rentrait de l'Arizona à bord d'un avion privé et celui-ci s'est écrasé.

— Je suis profondément désolée pour vous tous. Pauvre Carolina. Elle doit se sentir perdue sans lui.

— Oui, mais elle est dotée d'une force de caractère incroyable.

— Cela se voit. Elle rayonne d'énergie.

— Elle était ravie de vous avoir ici, le bébé et vous.

— Je n'oublierai jamais son hospitalité.

— C'est sa nature. Dès qu'elle trouve une cause à défendre ou quelqu'un à aider, elle se jette à corps perdu dans la bataille.

— Je dois avouer que je n'avais jamais rencontré de gens aussi généreux que vous et les vôtres, Damien. Je suis pour vous une parfaite inconnue, et vous m'avez traitée comme un membre de votre famille.

— Secourir les femmes en détresse, c'est une vieille tradition, pour les cow-boys. Alors pourquoi ne me racontez-vous pas comment vous avez réellement reçu cette blessure au bras, Emma ?

Il remettait ça ! Elle aurait dû se douter qu'il ne s'agissait pas d'une simple conversation amicale.

— Je vous l'ai déjà dit.

— Qui vous a attaquée ?

Elle ressentit une dangereuse envie de tout lui avouer, de lui raconter toute sa sordide histoire. Mais elle n'osa pas.

Autant pour sa propre sécurité que pour celle de Damien et de sa famille.

— Cela est-il vraiment important ? Je partirai au matin et jamais vous ne me reverrez, jamais plus vous n'aurez à vous soucier de moi.

— Vous n'êtes pas obligée de partir.

— Vous me proposez de rester ? Pourquoi ?

— Je crois que vous avez des ennuis et que vous avez besoin d'aide.

Elle devait reconnaître que ç'aurait été merveilleux d'avoir un homme tel que lui pour la protéger. Mais il ne le pourrait pas. Même lui ne pouvait pas lutter contre Caudillo.

— J'apprécie votre sollicitude, mais vous vous trompez. Je vous suis reconnaissante de m'avoir secourue, mais rester ici ne servirait à rien.

— Si vous changez d'avis, ma proposition tiendra toujours.

Sur ces mots, il sortit de la pièce.

Emma se réveilla sous la caresse des premiers rayons de soleil filtrant à travers les rideaux. Elle leva un regard affolé vers le réveil, craignant que l'alarme qu'elle avait réglée sur 7 h 30 n'ait pas fonctionné.

Il était 7 h 28. Tout allait bien. Elle appuya sur le bouton pour annuler l'alarme, puis sauta à bas du lit pour jeter un coup d'œil à Belle. Le bébé dormait paisiblement.

Parfait. Elle aurait ainsi le temps de s'habiller avant de lui donner son biberon. La voiture avec chauffeur qu'elle avait réservée viendrait les chercher à 9 heures pour les emmener à Dallas, si les routes n'étaient pas fermées à cause du verglas. Dans ce cas, le chauffeur viendrait dès que cela lui serait possible.

En regardant par la fenêtre, elle constata que le jardin avait été transformé en paysage polaire. La vision était enchanteresse, mais son émerveillement fit rapidement place à l'inquiétude. Et si le chauffeur ne pouvait pas venir avant des heures ? Si Damien insistait pour prendre un 4x4 et partir à la recherche de sa voiture ?

Elle ne pourrait plus rester ici, une fois que ses mensonges auraient été exposés au grand jour. C'était déjà suffisamment difficile d'affronter les soupçons de Damien…

Belle gigotait dans son berceau quand elle sortit de la salle de bains. Elle la regarda, et son cœur se serra lorsqu'elle pensa à la mère que l'enfant ne connaîtrait jamais. Fugitivement, elle se demanda ce qui se passerait si elle ne retrouvait pas le père de Belle. Il était hors de question d'abandonner le bébé…

Mais elle était en fuite, en danger de mort. Et si elle ne trouvait pas Juan Perez, elle n'aurait pas d'autre choix que de confier la petite aux services sociaux, en espérant qu'elle serait recueillie par une famille aimante…

Mais c'était rarement le cas. Emma était bien placée pour le savoir.

Soulevant l'enfant dans ses bras, elle la serra contre sa poitrine et déposa un baiser sur son crâne duveteux.

— Je ne t'abandonnerai pas, mon chou. Je trouverai ton papa. Je ne sais pas comment, mais j'y arriverai. Je ne renoncerai pas avant d'avoir réussi.

Belle s'étira et fourra de nouveau ses poings dans sa bouche.

— Je vois. Tu as des préoccupations plus urgentes. Manger, par exemple. Je peux également y remédier, grâce aux Lambert.

Des odeurs alléchantes de café et de bacon grillé affluèrent aux narines d'Emma quand elle s'approcha de la cuisine. Mais ce furent les voix qui retinrent son attention. Elle se surprit à tenter de discerner celle de Damien. Elle ne l'entendit pas, mais cela ne signifiait pas qu'il n'était pas là.

Se concentrant sur ce qu'elle devait dire, elle se força à sourire en entrant dans la pièce.

— Vous voici toutes les deux ! leur lança Carolina. Vous arrivez juste à temps pour le petit déjeuner.

Emma promena son regard autour d'elle. Pearl et Sybil étaient assises d'un côté de la longue table chargée d'œufs au plat, de gruau de maïs, de bacon croustillant, de chapelets de saucisses et d'une énorme pile de crêpes.

— J'ai le don de surgir pile à l'heure des repas, dit-elle d'un ton léger.

— Cela n'exige pas de don particulier, rétorqua Tague, étant donné que nous passons beaucoup de temps à table. Vous voulez du café ?

— Volontiers.

Belle commença à geindre.

— Nous ne t'avons pas oubliée, lui susurra Emma. Ton petit déjeuner arrive.

— Je vais lui préparer son lait pendant que vous buvez votre café, assura Carolina.

— Vous avez sans doute déjà cuisiné la plus grande partie du repas, protesta Emma. Vous devriez manger pendant que c'est chaud.

— C'est moi qui ai frit les œufs, déclara Pearl. Hugh disait que je faisais les meilleurs qu'on puisse trouver à l'ouest du Mississippi.

— Et il avait raison, dit Tague en tendant une tasse à Emma.

— Il y a du sucre et du lait sur le comptoir, l'informa Sybil.

— Merci, mais je le bois noir et sans sucre.

Damien et Durk étaient absents de la table. Emma résista à l'envie de demander où se trouvait Damien, mais elle ne put s'empêcher de jeter des regards fréquents vers la porte.

— Damien et Durk ont pris des 4x4 pour aller inspecter le bétail, expliqua Carolina.

— Ils avaient juste envie de s'amuser dans la neige, affirma Sybil. Ils feraient bien de rentrer vite s'ils ne veulent pas rater le petit déjeuner.

Comme s'ils l'avaient entendue, les deux hommes apparurent un instant plus tard, le visage rougi par le vent et le froid. Les yeux de Damien croisèrent ceux d'Emma, et la même sensation troublante la saisit. Si c'était de l'attirance, elle avait choisi le pire moment pour se manifester !

— Je meurs de faim ! s'écria Durk. Damien m'a fait travailler comme une bête de somme depuis le lever du soleil.

— Je ne veux pas que tu oublies les joies de l'élevage.

— Conduire ces jouets, ce n'est pas du travail, mais de l'amusement, répliqua Pearl. Au temps de votre grand-père, on se fiait aux chevaux, et pas à ces engins bruyants.

Damien effleura affectueusement l'épaule de la vieille dame.

— Je parie que tu changeras d'avis quand je t'emmènerai faire une promenade à bord de mon nouveau 4x4.

— Pfft, fit Pearl en tapotant ses cheveux argentés. Tu ne me feras jamais monter dans une de ces stupides machines !

Carolina regagna la table, tenant un biberon qu'elle déposa devant Emma.

— Voulez-vous que je le donne à Belle ? proposa-t-elle. J'ai grignoté tout en cuisinant, si bien que je n'ai plus vraiment faim.

— Oui, si cela vous fait plaisir, répondit Emma.

C'était bien le moins qu'elle puisse faire. De plus, elle serait bientôt seule avec le bébé et, d'ici à ce soir, elle regretterait certainement de n'avoir personne pour l'aider.

Emma attendit la fin du repas pour prononcer le petit discours qu'elle avait soigneusement répété dans sa tête.

— J'ai appelé ma tante. Elle a insisté pour que mon

oncle vienne me chercher ce matin. Il devrait arriver vers 9 heures, sauf si les routes ne sont pas praticables.

— Je serai triste de vous voir partir, dit Carolina, mais je sais que votre tante doit être impatiente de vous voir.

— En effet. Mais je lui ai assuré que vous étiez les hôtes les plus adorables qu'une voyageuse blessée pouvait espérer trouver sur son chemin. Oh ! et elle a dit que mon oncle irait voir la voiture au passage et la ferait remorquer si nécessaire.

— Tout est bien qui finit bien, alors, fit observer Damien, en repoussant sa chaise. Si vous voulez bien m'excuser, je dois aller nourrir et abreuver les chevaux.

Devant cette façon désinvolte de lui dire adieu, Emma sentit son cœur se serrer.

Mais c'était préférable, en fin de compte. Plus de sensations dérangeantes la laissant tremblante d'émoi. Plus d'illusions.

Plus de Damien.

Comme il emportait son assiette vide vers l'évier, le téléphone sonna.

— Peux-tu répondre, Damien ? demanda Carolina, occupée à donner son biberon à Belle.

— Bien sûr.

Il décrocha l'appareil sans fil, regarda le numéro affiché sur l'écran et quitta la pièce sans rien dire.

Emma consulta sa montre. Il était 8 h 40.

— Ici Kelly's, le service de voitures de location avec chauffeur. Je devais passer prendre Emma Smith au ranch du Pin Courbe à 9 heures, mais il y a un énorme bouchon sur la I35. La circulation est complètement bloquée.

Ainsi, cet oncle qui devait venir la chercher n'était qu'un mensonge de plus, songea Damien. Mais qu'est-ce qui poussait Emma à mentir ? Avait-elle peur, ou était-ce simplement une psychopathe ?

— Je lui transmettrai le message, répondit-il.

— Normalement, je suis censé prévenir directement le client, dans une situation comme celle-ci…

— Elle n'est pas disponible pour le moment. Peut-être pourriez-vous la rappeler dans une dizaine de minutes ?

— Je suppose que oui. Dites-lui que je serai là dès que possible, mais ce ne sera sûrement pas avant 10 heures, peut-être plus.

— Je suis certain qu'elle comprendra.

Quant à lui, pensa Damien, il était résolu à comprendre le fin mot de cette histoire avant la fin de la matinée. Il retourna dans la cuisine. La confrontation était devenue inévitable. Aurait-elle lieu en public ou en privé ? Il appartenait à Emma d'en décider.

On sonna à la porte. Allons bon, qu'y avait-il encore ?

Il alla ouvrir et découvrit sur le seuil le shérif Garcia, l'air mécontent.

— Bonjour, Damien, dit le policier en portant une main au rebord de son Stetson.

— Bonjour, shérif. Vous m'avez l'air d'avoir grand besoin d'une bonne tasse de café bien chaud et d'une des fameuses crêpes de ma mère.

— Ce ne serait pas de refus, mais je n'ai vraiment pas le temps, ce matin.

— Je présume que la neige a créé d'énormes problèmes de circulation.

— Non, ce sont les idiots qui ne savent pas conduire sur la neige qui créent les problèmes. Mais ce n'est pas cela qui m'amène ici.

— Que se passe-t-il ?

— Les fils Dobson sont sortis en 4x4 ce matin…

— Ils ont eu un accident ?

— Non, mais ils ont aperçu un camion à remorque sur

la piste forestière. Il était recouvert de neige, comme s'il avait passé toute la nuit là.

— Y avait-il quelqu'un à bord ?

— Il n'y avait personne dans la cabine, mais la porte de la remorque était ouverte. Naturellement, ils sont descendus pour jeter un coup d'œil à l'intérieur, parce qu'ils sont pratiquement les seuls à emprunter encore cette piste.

— Voulez-vous parler de celle qui borde ma propriété ?

— Exactement. En fait, ils ont trouvé le camion tout près de Beaver Creek.

— Etes-vous sûr qu'il s'agissait d'un camion et non d'un SUV ? s'enquit Damien, sa curiosité éveillée.

— Non, c'était bien un camion — avec, dans sa remorque, un cadavre baignant dans une mare de sang.

L'estomac de Damien se noua d'appréhension. Il avait trouvé Emma tout près de là. Mais il était impossible qu'elle ait quelque chose à voir dans cette affaire…

— Vous êtes-vous déjà rendu sur place ?

— J'en viens. Le type avait un couteau planté dans la poitrine.

— Un meurtre ?

— On le dirait bien. Et il y avait des traces de sang partant du camion pour se perdre dans les bois. Celui qui a fait ça a dû être blessé au cours de la bagarre.

A ces mots, Damien sentit son esprit vaciller. L'histoire de la voiture versée dans le fossé lui avait paru louche, mais de là à penser qu'Emma pouvait être mêlée à une histoire de meurtre…

— Je suppose que vous n'avez pas repéré d'autre véhicule dans les environs ? demanda-t-il.

— Pas même une trace de pneu. Ça devait faire au moins un an que personne n'était venu par là, à part peut-être des drogués en quête d'un coin tranquille.

Et peut-être s'agissait-il en effet d'une histoire de drogue.

Mais Emma n'avait pas semblé être sous l'emprise d'une substance quelconque, hier soir.

— Je suis navré de vous déranger, car je sais que vous devez avoir fort à faire, avec ce temps, reprit Garcia, mais j'ai pensé que je devais vous informer, étant donné que ça s'est passé tout près de chez vous. Je me suis dit qu'il valait mieux vous avertir, afin que vous vous teniez sur vos gardes.

— Je vous en remercie, répondit Damien, même si l'avertissement venait un peu tard.

— Je ne savais pas que vous aviez une visiteuse, ajouta le policier, en regardant par-dessus l'épaule de Damien. J'espère que je ne l'ai pas effrayée, avec cette histoire de meurtre.

Se retournant, Damien découvrit Emma à quelque pas derrière lui. Il ignorait ce qu'elle avait surpris de leur conversation, mais, à en juger par son visage livide, elle en avait suffisamment entendu.

— Si vous repérez un individu suspect dans les parages, appelez-moi, dit le shérif.

— Comptez sur moi.

Mais, d'abord, Damien devait obtenir des réponses à ses interrogations.

Après avoir refermé la porte, il se tourna vers Emma. Elle demeura figée sur place, comme en état de choc. Mais il ne pouvait pas davantage se fier à son apparence qu'à son récit. Plus maintenant.

— Il faut que nous ayons une conversation, Emma. Dans ma chambre, cette fois, afin de ne pas être dérangés. Et ne me racontez plus de mensonges. Fini la plaisanterie, à présent.

5

Julio était mort et l'arme qui l'avait tué était sans doute celle-là même qui l'avait blessée au bras !

Emma sentit ses jambes se dérober sous elle, mais elle réussit cependant à suivre Damien en titubant, comme hébétée. Même sa respiration semblait s'être arrêtée quand il la poussa à l'intérieur d'une pièce et referma la porte.

Finalement, sa colère explosa, la sortant de sa torpeur.

— Je n'ai pas tué Julio ! Comment l'aurais-je pu ? Je n'ai jamais touché le couteau !

— Mais les traces de sang qu'on a relevées dans ce camion sont bien les vôtres ?

— Oui. C'est mon sang, parce que cette espèce de pervers dégénéré m'a attaquée avec son couteau.

— Pourquoi avez-vous menti sur les circonstances de cette blessure ?

— Parce que je ne voulais pas qu'on sache que je me trouvais à bord de cette saleté de camion. Et ne prenez pas ce ton condescendant avec moi, Damien Lambert. Vous n'avez aucune idée de l'enfer que j'ai traversé.

Elle prit une profonde inspiration pour lutter contre l'hystérie qui menaçait de s'emparer d'elle et les larmes brûlantes qui lui venaient aux yeux.

— Si je vous ai paru condescendant, je vous prie de m'en excuser. Mais un homme a été tué et, jusqu'à présent, vous n'avez fait que me mentir.

— Je n'ai pas tué Julio, c'est la vérité. Je n'ai jamais

eu l'intention de vous mêler à mes problèmes. Ça aussi, c'est vrai. Alors faites comme si vous ne m'aviez jamais rencontrée. Une voiture va venir me chercher d'un instant à l'autre. Laissez-nous partir, Belle et moi, et je vous promets que vous ne me reverrez jamais plus de votre vie.

— Ça ne va pas se passer ainsi, répondit-il en secouant la tête.

— Ce serait plus simple pour chacun de nous.

— Je ne me rendrai pas complice d'une personne soupçonnée de meurtre, Emma. Et je ne crois pas qu'il soit sage de fuir devant les problèmes ou de se dissimuler derrière des mensonges. Soyez franche avec moi et je serai peut-être en mesure de vous aider. Continuez votre petit jeu, et j'appelle le shérif. Croyez-moi, mieux vaut avoir affaire à moi qu'à Garcia.

— Faites-moi confiance, Damien. Vous fuiriez aussi, si vous étiez à ma place.

— Vous ne m'avez pas donné une seule raison de vous faire confiance. Et je ne suis pas à votre place. Mais je me suis moi aussi retrouvé dans des situations dont vous n'avez même pas idée. Quel que soit le pétrin où vous vous trouvez, je peux vous aider à vous en sortir, à condition que vous soyez aussi innocente que vous le prétendez.

— N'en soyez pas si sûr.

— Mettez-moi à l'épreuve. Que s'est-il passé entre vous et ce type qui a été tué ?

Elle leva les mains en un geste de dépit et d'impuissance. Elle ne demandait pas mieux que de se libérer de ce qu'elle avait sur le cœur, mais cela équivaudrait à un suicide. Néanmoins, Julio était mort et elle était la principale suspecte. Elle n'avait plus aucune échappatoire.

— Julio a tenté de me violer, déclara-t-elle, déterminée à s'en tenir au strict minimum. J'ai voulu le repousser et c'est en luttant contre lui que j'ai été blessée. Mais je vous jure que je n'ai jamais tenu ce couteau entre mes mains. Je ne l'ai pas tué.

A moins que… Son cœur fit un bond dans sa poitrine tandis qu'une terrifiante hypothèse surgissait dans son esprit.

A moins qu'il ne soit tombé sur son couteau quand elle lui avait décoché le coup de pied qui lui avait fait perdre l'équilibre. Cela expliquerait pourquoi il ne l'avait pas poursuivie ou ne lui avait pas tiré dessus…

— Je ne l'ai pas poignardé, répéta-t-elle, d'une voix dénuée de conviction.

— Continuez.

— Je lui ai envoyé un grand coup de pied et il s'est effondré. Je me suis enfuie. Je suppose qu'il a pu se tuer lui-même en s'empalant sur son arme, mais je n'ai fait que me défendre. Je n'aurais jamais pu avoir le dessus. Il faisait deux fois ma taille et, de plus, je tenais Belle.

— Vous a-t-il violée ? s'enquit Damien d'une voix si rauque qu'elle en était méconnaissable, en plantant son regard droit dans le sien.

— Non, mais uniquement parce que je me suis échappée. Pendant qu'il se vidait de son sang… Elle sentit son estomac se soulever et se mit à trembler tellement qu'elle dut s'agripper au montant du lit pour ne pas vaciller.

Damien passa une main dans ses épais cheveux bruns.

— Ce Julio était-il le père de Belle ?

— Non, Dieu merci.

— Alors, qui était-il ?

— Le chauffeur du camion, celui qui était chargé de…

— Chargé de quoi ?

C'était là que les choses allaient se compliquer, songea Emma. Elle était innocente du meurtre, mais traverser clandestinement la frontière était un crime, même pour un citoyen américain. Le shérif pourrait l'arrêter pour ce seul motif.

Bien entendu, il ne le ferait pas, si elle lui révélait toute l'histoire. Mais, dans ce cas, la nouvelle de son enlèvement ferait les gros titres et Caudillo veillerait à ce qu'elle ne jouisse pas longtemps de sa liberté retrouvée. Cependant, elle devait fournir à Damien une explication crédible…

— Le camion transportait des immigrants clandestins, avoua-t-elle.

— Du trafic d'êtres humains…, murmura Damien d'un ton dégoûté. Et où étaient les autres passagers quand il a essayé de vous violer ?

— Il les avait tous fait descendre, certains juste après avoir passé la frontière, les autres à proximité de l'autoroute. Il m'a obligée à rester à bord et m'a emmenée dans ce coin désert où j'ai finalement réussi à lui échapper.

— Mais que faisiez-vous dans ce camion ? De toute évidence, vous avez la nationalité américaine.

— C'est exact, mais je préfère ne pas m'expliquer davantage sur ce sujet.

— Bien essayé, mais c'est raté. Je répète : que faisiez-vous dans ce camion ?

— J'étais…

Elle s'efforça désespérément de trouver une justification plausible, mais aucune ne lui vint à l'esprit.

— Travailliez-vous pour ce Julio ?

— Absolument pas ! protesta-t-elle. Si vous me croyez capable de m'associer à ces crapules qui traitent les gens comme du bétail, alors je perds mon temps en discutant avec vous.

— Alors, que faisiez-vous là ?

— Je vous jure que je n'ai pas tué Julio et que je voyageais dans ce camion pour des raisons personnelles. Ne pouvons-nous pas en rester là ? Si je vous en disais plus, cela ne vous attirerait que des ennuis.

— Bon sang, Emma, ce n'est pas ce Julio qui me préoccupe, c'est Belle et vous ! Et si j'essayais d'éviter les ennuis, je vous aurais déjà remises entre les mains du shérif. Vous n'avez pas besoin de me protéger, je suis un grand garçon, je suis capable de me débrouiller.

Il était grand et musclé, fort et déterminé. Et c'était un homme droit. C'était bien là le problème. Une fois qu'elle lui aurait dit la vérité, il ne la laisserait pas tomber.

Il penserait pouvoir la sauver de Caudillo, mais il ne ferait que les mettre tous en danger, elle, lui-même et peut-être aussi sa merveilleuse famille.

— Je ne peux pas vous entraîner là-dedans, Damien.

— Dans ce cas, répondit-il en sortant son portable de sa poche, vous ne me laissez pas le choix. J'appelle le shérif Garcia pour qu'il vienne vous arrêter.

Elle lut dans ses yeux qu'il ne bluffait pas. Et si le shérif procédait officiellement à son arrestation, combien de temps faudrait-il à Caudillo pour comprendre que l'Emma Smith accusée d'avoir tué un passeur n'était autre qu'Emma Muran ?

Elle se laissa tomber sur le bord du lit.

— Je dois vous avertir que c'est une histoire très laide et très compliquée. Et vous devez me promettre une chose.

— Laquelle ?

— Que vous n'allez pas me faire tuer en voulant jouer les héros.

— Loin de moi cette idée. Je n'ai jamais livré une femme en pâture aux lions. Ce n'est pas aujourd'hui que je vais commencer.

Le regard d'Emma se perdit dans le vide tandis que les événements de ces dix derniers mois défilaient dans son esprit.

— Vous pouvez commencer quand vous voudrez, l'encouragea Damien.

— J'essaie seulement de déterminer par où je dois débuter…

— Et si vous commenciez par ôter cette ridicule perruque ?

— Vous saviez ? s'étonna-t-elle en portant la main aux cheveux rêches qui lui effleuraient l'épaule.

— Je le sais depuis la nuit dernière, quand vous avez surgi dans la cuisine avec cette tignasse de travers.

Et, pourtant, il lui avait proposé son aide. Elle espérait qu'il ne changerait pas d'avis après avoir appris la vérité.

Tirant sur le postiche bon marché, elle le jeta sur le lit.

— Vous êtes blonde ?

— Oui.

Damien fut tenté de s'asseoir à côté d'Emma sur le matelas, mais elle le mettait dans un tel état, dans tous les sens du terme, qu'il doutait de pouvoir garder sa lucidité s'il se trouvait trop près d'elle.

Repoussant une mèche derrière son oreille droite, elle entama son récit :

— Tout a commencé par un projet de vacances. Deux semaines aux Caraïbes, à voyager d'île en île, avec mon amie et collègue Dorothy Paul.

— Quand cela ? demanda Damien.

— En mars dernier. Nous préparions ce séjour depuis des mois, mais deux semaines avant le départ, la voiture de Dorothy l'a lâchée. Et elle a décidé d'investir plutôt l'argent qu'elle avait mis de côté pour ces vacances dans l'achat d'un véhicule neuf.

— Donc vous êtes partie seule ?

— En effet. Ç'a été ma première erreur.

— Je présume qu'il y a eu des complications, reprit-il, pour l'inciter à poursuivre.

— Des complications majeures, mais seulement au bout de cinq jours. Jusque-là, tout se déroulait à merveille. Je sirotais des cocktails au bord d'une plage paradisiaque et me dorais au soleil sur le sable blanc.

Et sans doute rendait-elle fous tous les hommes du

coin, avec ses cheveux blonds et son corps superbe à peine dissimulé par un minuscule Bikini…, songea Damien. Mais mieux valait ne pas laisser son esprit s'égarer dans cette direction.

— Et qu'est-ce qui est venu gâcher ces vacances de rêve ? s'enquit-il.

— Un bateau que nous avions réservé d'avance, Dorothy et moi, est venu me chercher pour m'emmener à Misterioso, une des rares îles encore préservées du tourisme de masse.

— Où se trouve-t-elle exactement ?

— Dans l'archipel sud, dans les Petites Antilles, non loin d'Aruba, à une cinquantaine de kilomètres des côtes du Venezuela. Je suis tombée amoureuse de l'île dès que j'ai débarqué. L'hôtel ressemblait à un décor de cinéma, avec de vastes vérandas, des fleurs partout. Et la mer était d'un bleu incroyable.

— Cela devait ressembler au paradis.

— Oui, mais, malheureusement, Misterioso s'est révélée être l'antichambre de l'enfer.

Les épaules d'Emma s'effondrèrent et ses yeux se voilèrent. A moins qu'elle ne soit une actrice de première classe et qu'elle simule l'émotion, elle disait la vérité, cette fois-ci, et revivre ces événements lui était infiniment douloureux.

— Si vous voulez, je peux aller vous chercher du café, du thé, de l'eau ou quelque chose de plus fort…

— Non. Laissez-moi terminer mon récit avant que je craque et me répande en larmes ou en cris de colère. Je ne l'ai déjà que trop fait.

— Ne vous retenez pas, si cela peut vous soulager. Cette maison a connu son lot de drames, au cours des années.

— Pas comme celui-ci. Lors de ma première soirée sur l'île, j'ai aperçu un yacht fabuleux ancré au large. Quand j'ai interrogé les employés de l'hôtel, ils se sont empressés de satisfaire ma curiosité. Le propriétaire de ce yacht était un homme d'affaires très riche et très beau qui venait de loin en loin sur l'île. Mais, quand il venait, c'était l'effervescence.

— Il était prodigue de ses dollars ?

— Toujours. Il payait tout en liquide et laissait d'énormes pourboires, parfois jusqu'à cent dollars pour un verre, ou l'équivalent. Cela représentait une fortune pour les membres du personnel qui se battaient pour le servir.

— C'était un Américain ?

— Non, un Européen, un mélange cosmopolite de plusieurs nationalités, je crois.

— Parlait-il anglais ?

— Couramment. Ainsi que l'espagnol, le portugais, le français, l'allemand, l'italien et peut-être d'autres langues encore. C'est à peu près tout ce que je sais sur son compte, car il ne m'a jamais rien dit de lui. Il affichait sa réussite de façon ostentatoire tout en gardant une grande part d'ombre. Et en exerçant un contrôle rigoureux sur tout ce qui l'entourait, y compris les gens.

— Vous n'avez toujours pas mentionné son nom.

— Parce que je répugne à le prononcer. Et parce que vous le révéler, ce serait vous impliquer encore plus dans mes démêlés avec ce monstre.

— Je ne ferai rien d'insensé, déclara-t-il.

Il ne pouvait rien lui promettre de plus.

— Caudillo.

Elle cracha ce mot comme s'il lui brûlait la langue.

— « Chef de guerre », traduisit-il.

— Exact, et ce surnom lui convient parfaitement, même si je pourrais lui en attribuer d'autres qui seraient encore plus appropriés. C'est le seul nom qu'il ait jamais utilisé en ma présence, et je doute que ce soit le vrai.

— Comment avez-vous fait sa connaissance ?

— Il est venu dîner sur l'île, ce premier soir. Il m'a invitée à sa table, en disant que cela portait malheur de dîner seul au paradis. Pas très original, j'en conviens, mais dans l'état d'esprit qui était le mien, en pleine béatitude, je ne pouvais pas refuser. Quoi qu'il en soit, il m'a comblée d'attentions pendant le reste de la soirée.

En se les représentant tous les deux sur cette île paradisiaque, Damien ne put s'empêcher d'éprouver un pincement de jalousie.

— Nous avons passé les deux jours suivants ensemble, poursuivit Emma. Nous nous promenions sur la plage, nagions, mangions des fruits de mer en dégustant des vins fins choisis dans la réserve de son yacht. C'était l'aventure de vacances idéale. Un peu irréelle, temporaire et, en apparence, totalement inoffensive.

— Je présume que Caudillo avait un côté plus sombre, que vous n'avez pas tardé à découvrir.

— Sombre, c'est un mot trop faible. Il savait se montrer charmant pour parvenir à ses fins. Je n'aurais jamais imaginé qu'il savait déjà presque tout de moi, ni que ce qui l'attirait en moi, c'était l'emploi que j'occupais à Nashville.

Cette histoire devenait de plus en plus bizarre, songea Damien, avant de s'enquérir :

— Quelle est votre profession ?

— Je suis… j'étais agent technique au Bureau de répression des fraudes.

— En quoi cela consistait-il ?

— Ce service a pour mission de lutter contre le trafic d'alcool, de tabac et d'armements, et les tâches sont donc très variées. La mienne consistait à surveiller les ventes d'armes automatiques et à signaler toute transaction suspecte ou toute expédition en grandes quantités. Je travaillais à l'agence de Nashville depuis cinq ans.

— Revenons-en à Caudillo.

— Il m'a invitée à dîner sur son yacht. Nous avons regardé le soleil se coucher d'un des nombreux ponts du bateau, puis il a porté un toast à notre relation, qu'il espérait longue et satisfaisante. J'ai vidé mon verre. C'est la dernière chose dont je me souviens. Quand je suis revenue à moi, le yacht voguait sur la mer des Caraïbes, et l'île de Misterioso avait disparu.

— Il vous avait enlevée ?

— Et il m'a gardée en captivité pendant dix horribles mois, avant que je m'évade vers le Mexique, que je change mon apparence et traverse clandestinement la frontière, sachant qu'elle risquait d'être surveillée par Caudillo et ses sbires. Le reste de l'histoire, vous le connaissez.

La rage déferla en Damien avec une telle violence qu'il sentit jaillir dans ses veines un torrent d'adrénaline. Il détestait penser à ce que cet individu avait pu faire subir à Emma durant sa captivité.

Humiliations, torture, viol… Il en eut l'estomac serré.

— Où vous a-t-il emmenée ?

— Sur son île privée d'Enmascarado, où il s'est construit un véritable palais tropical, même si cela ressemble plus à une forteresse.

— D'où il se livre à du trafic d'armes, compléta Damien, en assemblant rapidement les derniers éléments du puzzle. Approvisionne-t-il les cartels de la drogue ?

— Je ne sais pas exactement qui étaient ses clients, mais je peux vous assurer que, si malfaisants et impitoyables qu'ils soient, ils ne peuvent pas rivaliser avec Caudillo.

Et Emma était restée prisonnière de ce psychopathe pendant dix longs mois… Cette seule idée rendait Damien malade.

— Belle est-elle la fille de Caudillo ? demanda-t-il sans réfléchir.

— Non. Et elle n'est pas non plus la mienne.

— Attendez… Vous n'êtes pas la mère de ce bébé ?

— Je vous avais prévenu, c'est extrêmement compliqué.

Il l'écouta en silence tandis qu'elle lui narrait comment la mère de l'enfant était décédée à bord du camion, et comment elle avait prétendu que le bébé était le sien pour lui épargner une mort certaine.

Mais il ne cessait de penser à Caudillo, et la fureur bouillonnait en lui, le dévorant tout entier.

— Caudillo ou ses hommes vous ont-ils fait du mal ?

Emma se leva et marcha jusqu'à la fenêtre.

— Je ne peux pas encore en parler, Damien. Un jour prochain, peut-être, mais pas maintenant. Je suis vivante et libérée de ses griffes. Je veux le rester.

— Je comprends, lâcha-t-il.

— Ce que vous devez comprendre avant tout, c'est que Caudillo est un tueur au sang-froid, totalement dépourvu de cœur.

Elle croisa frileusement les bras autour d'elle, en regardant obstinément par la fenêtre, comme si cette vue pouvait occulter les images qui hantaient son esprit.

— Je l'ai vu abattre un homme d'une balle en pleine tête parce qu'il m'avait apporté à manger alors que Caudillo l'avait interdit.

Un juron franchit les lèvres de Damien avant qu'il ait pu le retenir.

— Vous a-t-il forcée à avoir des relations sexuelles avec lui ?

— Non, répondit-elle avec force et, pour la première fois depuis le début de son récit, les muscles de son visage parurent se détendre. La première fois qu'il a tenté de le faire, j'ai éprouvé une telle nausée que je lui ai vomi en pleine figure. Il a battu en retraite, complètement dégoûté. Manifestement, répandre la cervelle des gens sur les murs ne le dérange pas, mais les femmes qui vomissent le rebutent profondément. Juste assez, toutefois, pour l'empêcher de me violer. Pas de me harceler sexuellement.

— C'est fini, à présent. Vous êtes libre.

— Il ne l'acceptera jamais. Il va venir me chercher, Damien, et il vaut mieux qu'il ne vous trouve pas sur son chemin à ce moment-là. Même si je n'en savais pas trop long sur lui pour qu'il me laisse en vie, il me pourchasserait et me tuerait, pour montrer qu'on ne le trahit pas impunément. C'est pourquoi vous ne devez parler de lui à personne, ni raconter mon enlèvement. Pas même à vos frères.

— Vous êtes revenue en Amérique, Emma. Allez trouver le FBI. Expliquez-leur ce qui vous est arrivé. Ils vous protégeront et arrêteront Caudillo.

— Ce n'est pas si simple. Caudillo a des relations haut placées. Il a mentionné le nom de personnes travaillant dans mon agence, et il connaissait tant de choses à leur sujet qu'il doit forcément avoir un espion là-bas. Il s'est même vanté d'avoir des informateurs au FBI.

— Il mentait peut-être.

— Je suis sûre qu'il ne mentait pas quand il m'a affirmé que ma disparition avait fait les gros titres des chaînes d'information pendant des mois. Que si jamais je m'évadais et retournais aux Etats-Unis, je serais sous le feu des médias. Qu'il n'aurait aucun mal à me retrouver et qu'il m'enseignerait alors le sens réel du mot « torture ».

— Vous ne pouvez pas vous cacher de cet homme pendant le reste de votre vie, Emma. Et vous ne pouvez pas non plus le laisser continuer à enlever des femmes comme ça lui chante.

— Je n'en ai pas l'intention, mais j'ai besoin de temps pour réfléchir. Vous ne savez pas ce que c'est de vivre en captivité. Vous ne savez pas ce que c'est d'être en permanence rongée par la peur, parce que vous ne savez jamais si vous ne risquez pas d'être abattue pour avoir quémandé un peu d'eau.

Elle avait raison. Il n'avait jamais connu cela. Emma

était terrorisée et, pourtant, elle était encore capable de prendre soin de l'orpheline que le destin lui avait confiée. Mais, quand elle aurait quitté le ranch, il n'y aurait plus personne pour veiller sur elle.

— Je garderai vos secrets, Emma, dit-il en se rapprochant d'elle. Mais à une condition.

— Laquelle ?

— Que vous restiez près de moi et que vous m'autorisiez à vous protéger.

Elle enfouit son visage entre ses mains. Quand elle releva la tête, ses yeux étaient humides.

— Vous ne savez pas combien j'aimerais accepter votre offre.

— Alors dites oui.

— Je ne peux pas. Je ne veux pas vous mettre en danger, vous et votre famille.

Il la rejoignit et prit ses mains dans les siennes.

— Je ne mettrai pas ma famille en danger, Emma, mais je ne peux pas vous laisser de nouveau seule face à cet homme. Moi aussi j'ai des relations en haut lieu, et des ressources que vous n'avez pas. Laissez-moi vous aider. Au moins, restez ici quelques jours, le temps de retrouver le père de Belle.

— Ce ne serait pas raisonnable.

— C'est la seule décision sensée, au contraire. Si vous ne le faites pas pour vous, faites-le pour Belle.

— En êtes-vous sûr ?

— Plus sûr que je ne l'ai jamais été de ma vie.

— Dans ce cas, je ne vois pas comment je pourrais refuser. J'espère seulement que vous n'aurez pas à le regretter, Damien.

Lui aussi, il l'espérait. Ce n'était pas à cause de Caudillo qu'il s'inquiétait, toutefois. Il n'était pas convaincu que celui-ci soit assez fou pour traquer Emma jusqu'ici. Et quand ce scélérat se vantait de posséder des relations haut placées, ce n'était peut-être également que du vent. Mais il resterait quand même sur ses gardes et ferait tout pour garantir la sécurité de sa famille, songea Damien.

Non, sa plus grande crainte, c'était de ne pas parvenir à contrôler sa libido. Il éprouvait une attirance irrésistible envers Emma, et c'était bien la dernière chose dont elle avait besoin en ce moment.

Il lui lâcha les mains et recula.

— A présent, il ne nous reste qu'à mettre au point une version de l'histoire à l'usage du shérif. Il faut nous arranger pour lui révéler le minimum de faits tout en parvenant à le convaincre de votre innocence.

Et il devrait aussi décider de ce qu'il pourrait dire à ses frères sans trahir la promesse qu'il avait faite à Emma.

La véranda à l'arrière de la maison avait toujours été, du plus loin que Damien s'en souvenait, le lieu où toute la famille se réunissait pour résoudre un problème ou fêter un événement heureux. C'était là qu'il se tenait maintenant, les mains profondément enfouies dans ses poches, essayant de jauger la réaction de Tague et de Durk face à la situation qu'il venait de leur décrire.

— Ainsi, quand elle affirmait qu'elle s'était égarée en se rendant chez sa tante, c'était une pure invention ? demanda Tague en croisant les jambes.

Damien acquiesça.

— Faire passer clandestinement la frontière à une orpheline sans papiers, ce n'était pas très intelligent, déclara Durk.

— Emma en a conscience, à présent, répondit Damien.

Il détestait mentir à ses frères, et il avait l'impression qu'ils ne le croyaient pas vraiment. Il espérait que le shérif se montrerait moins sceptique. La perspicacité n'était pas sa principale qualité.

Tague cala ses pieds contre la table basse et reprit :

— Voyons si j'ai bien compris. Emma résidait au Mexique et y travaillait. Son amie était mourante, et Emma lui a promis qu'elle conduirait sa fille auprès de son père, un Américain qui vit à Dallas.

— En gros, c'est ça, reconnut Damien. Emma a enfreint la loi pour amener la petite à son père. Elle a payé une espèce de salopard pour leur faire franchir clandestinement la frontière avec d'autres immigrants, et il a tenté de la violer.

— Et, comme par hasard, on vient de le retrouver mort, ajouta Durk.

— Si c'est ainsi que tu vois les choses… J'ai proposé à Emma de l'aider à retrouver le père et d'engager un avocat si le shérif l'inculpe.

— Et tu es convaincu qu'elle n'a pas tué ce type ? s'enquit Tague.

— Totalement convaincu.

— En te fondant sur la franchise absolue dont elle a fait preuve à notre égard ? ironisa Durk.

— En me fondant sur ce qu'elle m'a avoué aujourd'hui et ce que j'ai vu de mes propres yeux. Hier soir, elle fuyait droit devant elle, mortellement effrayée, comme on peut l'être après avoir échappé de justesse à un violeur.

— Pour hier soir, je comprends, concéda Durk. N'importe lequel d'entre nous aurait agi comme toi. Je suis moins convaincu que la garder ici soit un choix judicieux.

— Je regrette que tu en juges ainsi, parce que j'ai bien l'intention de la sortir de ce pétrin, à moins que l'on ne m'apporte la preuve de sa culpabilité.

— Et combien de temps comptes-tu l'héberger ici ?

— Aussi longtemps que nécessaire. Si cela pose un problème à l'un de vous, ou à maman, j'emmènerai Emma et Belle dans notre cabane de chasse ou dans un hôtel.

— On dirait que cette cause te tient vraiment à cœur, lança Tague.

— En effet.

— Dans ce cas, si maman n'y voit pas d'objection, ça ne me dérange pas. Emma me plaît bien, et j'admire son dévouement envers Belle.

Durk se massa le menton, comme Hugh le faisait autrefois quand il administrait un sermon à ses fils.

— Je crois que tu en sais beaucoup plus long sur Emma Smith, ou quel que soit son véritable nom, que tu ne nous en as dit, Damien.

— Je ne le nie pas, mais je vous demande de me faire confiance et de respecter ma décision.

— Est-elle en danger ? demanda Durk.

— C'est possible, mais pas par sa faute. Quand je pourrai vous en dire plus, je le ferai. En attendant, je vais tout mettre en œuvre pour assurer sa sécurité.

— Fais ce que tu penses être ton devoir, mais sois prudent, l'avertit Durk. Vérifie tous les faits par toi-même. Et essaie de ne pas t'impliquer personnellement dans cette histoire. Cela nuirait à ton objectivité. Veille également à ne mettre en danger ni maman, ni Sybil, ni grand-mère Pearl.

— Pour ça, tu peux me faire confiance. Si vous êtes d'accord, je vais aller voir maman et m'assurer qu'elle ne voit pas d'inconvénient à ce que Belle et Emma restent ici pendant la durée de l'enquête.

— A mon avis, elle serait prête à garder le bébé et à nous expulser d'ici, si elle devait choisir, plaisanta Tague. Il va falloir que l'un de nous lui donne des petits-enfants bientôt. Mais n'oubliez pas que je suis le plus jeune, donc ce n'est pas à moi de me dévouer.

Ils discutèrent encore un petit moment, puis Damien quitta ses frères pour se mettre en quête de Carolina. L'acte de naissance mystérieux continuait à le tourmenter.

Emma n'avait pas hésité à assumer la responsabilité de la fille d'une inconnue.

Et si la sœur de Carolina était morte en laissant derrière elle un nouveau-né ? Damien ne doutait pas un instant que sa mère aurait agi comme Emma.

Mais, avec son amour de la vérité et sa droiture, elle n'aurait jamais falsifié un acte de naissance, ni prétendu que Damien était son fils et celui de Hugh si ce n'était pas vrai. A moins…

Il devrait lui poser la question un jour prochain, mais pas maintenant. Il avait suffisamment de problèmes pour le moment.

Quand il aurait parlé à sa mère, il partirait faire une balade avec King. Il respirait et réfléchissait toujours mieux quand il était en selle.

Cette fois, il emmènerait Emma. Après ces dix mois en enfer, elle avait besoin de se réhabituer à la liberté et de goûter un moment de tranquillité avant d'affronter le shérif. L'avocat qu'il avait contacté ferait également en sorte de rendre l'entrevue moins pénible pour la jeune femme, du moins l'espérait-il.

Quant à lui, il devrait maîtriser l'attirance grandissante qu'il ressentait pour elle. Après tout, les îles tropicales n'étaient pas le seul décor propice à une idylle.

N'importe quel Texan pouvait l'affirmer.

6

Ils avaient suivi une piste qui longeait une rivière serpentant à travers un paysage hivernal féerique, avant de s'enfoncer dans un bosquet de pins. A chaque pas de la jument docile choisie pour elle par Damien, Emma sentait sa tension nerveuse se dissiper davantage.

Elle ne croyait pas pour autant que Caudillo était définitivement sorti de sa vie. Cependant, pour la première fois depuis ce qui lui paraissait être une éternité, elle ne craignait plus de le voir surgir d'une seconde à l'autre. Ce monde semblait tellement éloigné de tout ce qui se rapportait à lui…

Damien immobilisa son cheval, mit pied à terre et enroula les rênes autour des branches d'un sycomore.

— Il y a une sorte de promontoire dans la clairière un peu plus loin. Le panorama vaut le coup d'œil, si vous avez envie de vous dégourdir les jambes.

— Volontiers.

Il l'aida à descendre de sa monture, et le contact de sa main, douce mais ferme, fit naître en elle un trouble profond. Elle ne pouvait nier l'attirance qu'il exerçait sur elle, et s'étonnait d'être encore capable de réagir à cette présence virile, après ce qu'elle avait subi.

Ç'aurait peut-être été différent s'il s'était montré trop pressant, mais Damien était la douceur même. Les tortures infligées par Caudillo avaient été d'ordre psychologique — des petits jeux de cruauté mentale auxquels il excellait. Damien, en revanche, lui apportait force et réconfort.

— Je ne sais pas comment vous l'avez deviné, Damien, mais cette promenade était exactement ce dont j'avais besoin.

— C'est ce que je fais toujours quand j'ai des problèmes.

Elle se demanda si c'était le cas à présent. Avait-il réfléchi après avoir parlé à ses frères et à sa mère, et décidé de revenir sur sa proposition ? S'il en était ainsi, elle ne pouvait pas l'en blâmer. Néanmoins, l'anxiété la gagna de nouveau.

Il lui prit la main pour gravir une pente rocailleuse.

— C'est toute ma vie, dit-il en montrant le paysage bucolique qui s'étendait au-dessous d'eux.

Il n'y avait pas de montagnes dans cette partie du Texas, cependant la vue était impressionnante du sommet de cette colline. Les prairies enneigées s'étendaient à perte d'horizon. On pouvait également contempler les nombreuses granges et écuries, les rangées de clôtures quadrillant les terres, l'immense demeure avec ses pignons, ses cheminées et son toit pentu. Et du bétail. Des centaines de têtes.

— Est-ce la totalité du domaine que nous voyons d'ici ?

— Pas tout à fait, mais presque. Vous pouvez également apercevoir une partie du domaine voisin. Le toit que l'on distingue derrière les arbres est celui du ranch de Blake.

— Vous aviez raison. Le panorama est spectaculaire.

— D'ici, en tout cas. Vu d'en bas, c'est du travail, du travail et encore du travail. Mais gérer ce ranch, c'est ce qui m'aide à rester sain d'esprit.

— Je suppose que, avec une telle propriété, vous n'avez jamais eu à vous demander ce que vous feriez quand vous seriez grand ?

— Je suis passé par toutes les phases habituelles. Pompier, astronaute, dompteur de taureaux professionnel…

— Dompteur de taureaux professionnel ? Sérieusement ?

— Oui mais, après quelques côtes cassées, je me suis dit qu'il devait exister un moyen moins douloureux de gagner sa vie. En entrant à l'université, j'avais déjà décidé de devenir éleveur. Tague m'a emboîté le pas, et Durk a choisi de s'occuper de la partie industrielle de la société Lambert. A nous les courbatures, à lui les migraines.

— Quelles sont les activités de votre société, à part l'élevage ?

— Le pétrole et le gaz naturel.

Cela expliquait leur richesse.

— Je crois que c'est vous qui avez fait le meilleur choix. J'adore ces vastes étendues, sans parler du fait qu'elles me donnent l'impression d'être à des millions de kilomètres de Caudillo.

— C'est vrai, Emma. Votre calvaire est fini. Vous allez devoir prendre des décisions difficiles pour veiller à ce que ce monstre ne puisse plus enlever d'autres femmes innocentes, mais il n'a plus aucun pouvoir sur vous.

Elle savait qu'il en était sincèrement convaincu.

— Vous êtes un homme étonnant, Damien Lambert.

— Toutes les femmes me le disent, plaisanta-t-il.

C'était sans doute plus vrai qu'il ne le pensait. C'était un miracle qu'elle l'ait rencontré, mais ce miracle serait de courte durée. Il prendrait fin dès que le shérif l'aurait relâchée et qu'elle aurait retrouvé le père de Belle.

C'était le prochain obstacle à surmonter. Localiser Juan Perez pouvait prendre des semaines, voire plus.

Mais, tout bien réfléchi, elle n'était pas obligée de rester ici jusqu'à ce qu'on ait mis la main sur lui, si Carolina acceptait de se charger de cette tâche.

Carolina savait s'y prendre avec les enfants et elle s'était visiblement entichée de Belle. Riche et influente comme elle l'était, elle aurait plus de chances de retrouver rapidement le père de l'enfant. Emma, quant à elle, ne possédait que sa détermination.

Elle n'aborderait pas le sujet avec Damien, mais elle allait commencer à préparer le terrain auprès de Carolina.

C'était la meilleure solution pour sortir de la vie de Damien avant qu'il ne se lasse d'elle et la jette dehors. Et avant que Caudillo ne la repère.

Ils restèrent encore quelques instants sur le promontoire, puis remontèrent en selle et reprirent le chemin du ranch.

A leur arrivée, ils virent deux voitures garées dans l'allée. Une Porsche rouge, et la voiture de patrouille du shérif.

— On dirait que Garcia est déjà là, murmura Damien.

— Et l'autre voiture ?

— Ce doit être celle de Cletus Markham. C'est l'avocat chargé de vous assister durant votre entretien avec le shérif.

— Un avocat au criminel qui accepte de venir à domicile quand on le convoque au dernier moment ?

— En fait, c'est un spécialiste du droit des entreprises travaillant pour notre société, mais pour un simple interrogatoire, il fera l'affaire. Nous engagerons un avocat au criminel si cela s'avère nécessaire par la suite, mais j'en doute fort.

— Je n'ai pas les moyens de payer les honoraires.

— Pas de problème. Comme je l'ai dit, Cletus est employé par la société Lambert.

— C'est un problème pour moi. Je ne demande pas la charité, Damien.

— Vous pourrez me rembourser un de ces jours, quand tout sera rentré dans l'ordre. Mais un homme est mort et vous êtes sans doute la dernière personne à l'avoir vu en vie. Vous avez besoin d'un avocat.

— Un avocat, le vétérinaire, et même le shérif... Il vous suffit d'un simple appel pour que tout le monde accoure chez vous. Existe-t-il quelque chose que vous n'arriviez pas à obtenir, Damien ?

— La pluie, un prix correct pour la viande de bœuf et un politicien honnête, mais je m'y emploie.

Peut-être avait-elle sous-estimé Damien Lambert, songea

Emma. Peut-être était-il de taille à lutter avec Caudillo, après tout.

Mais elle, était-elle de taille à affronter le shérif Garcia ? Elle allait bientôt le savoir.

Sa première impression, quand elle se trouva en face de lui, fut qu'il n'était pas content de voir son samedi gâché par un meurtre. Et qu'il l'en rendait responsable.

Elle était l'intruse dans ce coin tranquille, la fauteuse de troubles. Quand elle entra, il la foudroya du regard, comme si sa seule vue l'offensait.

— Nous pouvons discuter dans l'ancien bureau de mon père, indiqua Damien.

Escortée de l'avocat et du shérif, Emma le suivit jusqu'à la pièce où il avait pansé son bras le soir précédent.

Elle s'assit dans le même fauteuil que la veille. Damien prit place dans le siège voisin, comme pour bien montrer qu'il était de son côté.

Il n'aurait pas pris sa défense si elle ne lui avait pas avoué la vérité sur Caudillo. Elle devait seulement espérer que le shérif serait plus crédule que lui.

Damien suggéra à ce dernier de prendre place dans le fauteuil pivotant en cuir noir, mais, repoussant cette offre, le policier se percha sur le bord du bureau. Pour rester en position dominante, présuma Emma.

Cletus Markham s'empara du fauteuil et le plaça de façon à pouvoir les regarder alternativement, le shérif et elle, d'un simple mouvement de tête.

L'avocat la mettait encore plus mal à l'aise que Garcia. Il était âgé d'une cinquantaine d'années, avec des cheveux gris qui commençaient à se clairsemer et un corps svelte et musclé dénotant la fréquentation régulière d'une salle de sport. Il était vêtu d'un costume bleu visiblement coûteux, d'une chemise marron et d'une cravate de soie d'un ou deux tons plus foncée.

Une élégance qui contrastait nettement avec la tenue de Damien, jean et bottes de cow-boy, et encore plus avec celle d'Emma, un jean et un pull légèrement trop amples, prêtés par Carolina.

Le shérif commença par lui demander ses nom, date de naissance et adresse.

— Donc vous résidez au Mexique ?

— J'y résidais. Je n'ai pas l'intention d'y retourner.

— Ce n'est pas moi qui vous en blâmerais. Ça devient dangereux là-bas, avec tous ces cartels de la drogue... Pour quelle raison vous y étiez-vous installée ?

— Une liaison sentimentale, mais elle est terminée depuis plusieurs mois.

Le shérif se gratta l'oreille et fixa le bandage qu'elle portait au bras.

— Comment avez-vous été blessée ?

— Julio a essayé de me violer. Je l'ai repoussé et il m'a donné un coup de couteau qui m'a entaillé le bras.

— Julio ?

— L'homme qu'on a retrouvé mort. C'est lui qui conduisait le camion à bord duquel j'ai passé la frontière avec d'autres clandestins.

Damien ne dit pratiquement rien pendant tout l'interrogatoire, mais Cletus Markham fit en sorte de mériter ses honoraires. Il éleva tellement d'objections qu'Emma eut du mal à raconter l'histoire qu'elle avait concoctée.

Elle finit par l'interrompre :

— Je n'ai rien à cacher. Je n'ai pas tué Julio. Je n'ai jamais tenu ce couteau entre mes mains. Même si ç'avait été le cas, je n'aurais pas pu lutter contre lui. Je portais Belle contre moi, retenue par mon châle, et Julio pesait deux fois mon poids.

— Y avait-il quelqu'un à bord du camion ou de la

remorque quand cette prétendue tentative de viol a eu lieu ? s'enquit le shérif.

— Je vous ai déjà dit qu'il m'avait enfermée dans la remorque après avoir fait descendre tous les autres. Il a roulé pendant une quinzaine de minutes, puis il s'est arrêté. C'est à ce moment-là qu'il m'a attaquée, et je n'apprécie pas que vous parliez d'une « prétendue » tentative.

— Posez vos questions, renchérit Cletus, et arrêtez de vouloir faire dire à ma cliente ce qu'elle n'a pas dit.

— La présence de ce bouffon est-elle nécessaire ? demanda le shérif en regardant Damien.

— C'est l'avocat d'Emma, il a donc parfaitement le droit d'être ici, rétorqua ce dernier.

— Vous affirmiez que vous ne possédiez pas de couteau, mais vous vous êtes cependant battue contre lui ? reprit Garcia, reformulant la question qu'il lui avait déjà posée une douzaine de fois sous d'autres formes.

— Je vous l'ai dit. Il a tenté de me violer. J'ai essayé de l'en empêcher. Nous avons lutté et finalement je lui ai flanqué un bon coup de pied à l'arrière du genou. Il est tombé et je me suis enfuie aussi vite que je le pouvais.

— Et vous pensez qu'en tombant, il a pu s'empaler sur son propre couteau.

— Nous avons déjà établi ce point, indiqua Cletus.

— Où se trouve à présent le bébé que vous avez introduit frauduleusement dans le pays ?

— Avec ma mère, répondit Damien. Et je peux confirmer une partie du récit d'Emma. Je l'ai trouvée blessée, à demi morte de froid et tenant Belle dans ses bras, sur mes terres, près de Beaver Creek. Tout ce qu'elle demandait, c'était un abri et de quoi nourrir la petite. Blake Benson est venu et a recousu son bras.

Inutile d'évoquer la tante ni la voiture dans le fossé. Cela n'aurait servi qu'à rendre les choses plus confuses, avait estimé Damien, quand ils avaient mis au point la version qu'ils présenteraient.

— Bon, voyons si j'ai bien tout compris, Emma, déclara le shérif. Vous affirmez qu'il s'agit d'une mort accidentelle et que vous n'avez rien fait d'autre qu'essayer de vous défendre ?

— Elle vous a expliqué ce qui est arrivé, s'emporta Cletus. Emma est consciente d'avoir commis une erreur en faisant clandestinement franchir la frontière à Belle, mais c'est une citoyenne américaine, et elle a été sauvagement agressée. Elle était en état de légitime défense.

— L'enquête est loin d'être terminée, riposta le policier. Je vais faire procéder à des tests ADN sur la victime et sur le couteau, ainsi qu'à une comparaison des empreintes digitales. Il est probable que ce Julio possède un casier judiciaire aux Etats-Unis. Si c'est effectivement le cas, nous n'aurons aucun mal à l'identifier.

— Donc il n'existe aucun chef d'inculpation contre ma cliente et vous la laissez en liberté ? s'enquit Cletus.

— Cela dépend.

— De quoi ? demanda Damien.

— De vous. Acceptez-vous la responsabilité de veiller à ce qu'elle ne s'enfuie pas ? Il n'y a pas beaucoup de gens à qui j'accorderais une telle confiance, mais chacun sait dans cette région qu'un Lambert tient toujours parole.

— J'accepte, répondit Damien. Elle restera au ranch et je veillerai à ce qu'elle ne sorte de la maison qu'accompagnée par moi ou par un de mes frères.

Cletus se leva d'un bond.

— Je pense que nous devrions d'abord en parler.

— Pas la peine, répliqua Damien. Ma décision est prise.

Le shérif traversa la pièce pour s'arrêter juste devant Emma. Elle eut l'impression que son regard lui transperçait le crâne.

— Même si vous étiez en état de légitime défense et si

la mort de Julio était accidentelle, si jamais je découvre que vous étiez mêlée à ce trafic d'êtres humains, je ferai tout pour que vous écopiez de la peine maximale. Est-ce clair ?

— Oui, monsieur, et je le mériterais.

— Autre chose : que comptez-vous faire du bébé ?

— Je vais engager un détective privé pour retrouver le père, déclara Damien.

— Vous n'ignorez pas que je vais devoir prévenir les services de protection de l'enfance. C'est à eux qu'il appartient d'effectuer des recherches et de trouver la solution la plus appropriée.

— Faites ce que vous avez à faire. Mais dites-leur bien que la petite reçoit ici tous les soins nécessaires.

— Je vais devoir également avertir les services de l'immigration. Bien entendu, vu la lenteur des procédures, Belle sera peut-être à l'université d'ici qu'ils traitent son dossier, à moins que ce Juan Perez ne soit fiché comme criminel.

— C'est tout ? demanda Damien.

— Oui. Et, bien entendu, je vais poursuivre mon enquête sur la mort du passeur. Si j'ai besoin de contacter Emma, je compte bien la trouver ici, Damien.

— Vous pouvez me joindre sur mon portable vingt-quatre heures sur vingt-quatre.

— Dans ce cas, c'est réglé. Emma, vous pouvez vous estimer heureuse d'avoir été secourue par un Lambert.

— Je sais.

Mais, de nouveau, la colère à l'égard de Caudillo s'infiltrait en elle comme un poison. A cause de lui, elle était obligée de mentir, elle n'osait pas donner son vrai nom ni reprendre le cours normal de sa vie.

Il lui avait volé son identité, sa véritable personnalité. Elle n'était plus qu'une coquille vide…

Damien lui effleura le bras, la tirant de ces sombres pensées.

— Merci, lui chuchota-t-elle tandis qu'ils raccompagnaient le shérif jusqu'à la porte.

— Tenez bon. Tout finira par s'arranger.

Facile à dire. Il ne connaissait pas Caudillo. Pas encore...

Soulagé que l'entrevue avec le shérif se soit si bien passée, Damien rejoignit Cletus dans le bureau. L'avocat se leva d'un bond et alla refermer la porte.

— A quoi diable pensez-vous, Damien ?

Si cette réaction ne le surprit pas, elle ne l'en irrita pas moins.

— J'aide une femme dans la détresse. Vous n'allez quand même pas me le reprocher ?

— Ce que je vous reproche, c'est de vous porter garant d'une femme que vous ne connaissez même pas.

— Je la connais suffisamment pour savoir qu'elle n'a pas tué ce Julio.

— Et comment le savez-vous ? Parce qu'elle le prétend ? Parce qu'elle vous fait les yeux doux ? Parce qu'elle vous plaît ?

— Je n'ai pas l'habitude de prendre des décisions en me basant sur la mine des gens, qu'elle me plaise ou pas.

— Ni en vous basant sur votre bon sens, apparemment. Vous est-il seulement venu à l'esprit que la mère du bébé n'était peut-être pas morte ? Emma Smith — ce qui n'est probablement pas son véritable nom — pourrait faire partie de ces femmes qui ne peuvent pas avoir d'enfants et ne satisfont pas aux critères exigés par les services d'adoption.

— Où voulez-vous en venir ?

— Il se peut qu'elle ait acheté cette enfant au marché noir. Cela expliquerait pourquoi elle l'a fait rentrer clandestinement dans le pays. Croyez-moi, cela se produit plus fréquemment que vous ne le pensez, même si la plupart des gens trouvent un moyen plus sûr pour regagner le territoire.

— Elle n'a pas acheté ce bébé.

— Et qui vous dit qu'elle n'était pas complice de la victime ? Ou qu'elle n'est pas recherchée aux Etats-Unis pour un délit quelconque, et donc obligée de passer la frontière en douce ? Il existe de nombreux scénarios qui expliqueraient sa présence à bord de ce camion, tous moins jolis les uns que les autres.

Et tous plus vraisemblables que cette histoire d'enlèvement. Pourtant, Damien était convaincu qu'Emma lui avait dit la vérité. S'il se trompait, il ne pourrait plus jamais se fier à son instinct.

— Le point où je veux en venir, Damien, reprit Cletus, c'est qu'il est inutile de prendre de tels risques pour cette femme.

— C'est à moi d'en juger.

— Avez-vous demandé leur avis à Carolina et à vos frères ?

— Oui, et ils m'ont donné leur accord.

— Si votre père était encore là, il n'aurait jamais accepté.

— Je n'en suis pas si sûr. Papa était le premier à tendre la main à tous ceux qui avaient besoin d'aide.

— Quand il s'agissait de ses amis, oui, objecta Cletus. Mais Emma Smith n'entre pas dans cette catégorie. Hugh s'emportait facilement, mais il pesait toujours soigneusement le pour et le contre avant de prendre une décision. Vous devriez en faire autant.

Damien en convenait. C'était la raison pour laquelle, même s'il accordait foi à l'histoire d'Emma, il avait, sans le lui dire, demandé à une personne de confiance d'effectuer des recherches sur Caudillo. Mais il ne voyait aucune raison d'en informer Cletus.

— Je vous remercie de vous être déplacé, Cletus. Je sais que vous avez été prévenu au dernier moment et que les routes ne sont pas très praticables.

— Pour le moment, ça va, mais les températures vont redescendre dans la soirée, et les routes vont de nouveau se transformer en patinoires.

Malgré leurs divergences d'opinions, ils échangèrent une amicale poignée de main, et l'avocat lui lança un dernier conseil avant de monter en voiture :

— Soyez prudent, Damien. Cette femme pourrait vous attirer des ennuis.

Qu'aurait-il dit s'il avait connu l'histoire dans sa totalité ? se demanda Damien.

Campée devant le gigantesque fourneau, Carolina remuait un onctueux breuvage chocolaté. Une odeur alléchante de sablés en train de cuire emplissait la pièce. Rien de tel que des petits gâteaux et du chocolat chaud par un après-midi neigeux.

La dernière chute de neige importante remontait à trois ans, quand Hugh était encore vivant. Elle en gardait un souvenir vivace. Il avait insisté pour qu'elle l'accompagne dans une balade en 4x4. Ils étaient allés jusqu'à la limite nord de la propriété.

Elle s'était roulée dans la neige. Il avait ri en la traitant de gamine. Après l'avoir époussetée, il l'avait prise dans ses bras et embrassée avec fougue. Elle s'était sentie aussi émue qu'une collégienne.

Elle avait été folle de lui dès leur première rencontre. Et même s'il leur arrivait de se disputer, elle avait continué à l'aimer jusqu'au dernier jour. Les gens lui répétaient sans cesse que le temps finirait par atténuer sa douleur. Peut-être était-ce vrai, mais elle espérait que les souvenirs, eux, ne s'effaceraient jamais.

Elle retira le chocolat du feu et alla jeter un coup d'œil aux sablés. Ils étaient dorés à point.

— Je ne sais pas ce que vous êtes en train de cuisiner, mais l'odeur est divine.

Carolina déposa la plaque à pâtisserie sur un dessous-de-plat et se tourna vers Emma.

— Des sablés et du chocolat chaud. Un petit goûter, cela vous tente-t-il ?

— J'en ai déjà l'eau à la bouche !

— Asseyez-vous, je vais remplir les tasses.

— Je vais aller chercher des assiettes et des serviettes de table, dit Emma.

Carolina était étonnée par la rapidité avec laquelle elles avaient noué des liens d'amitié. La nouvelle que Belle n'était pas sa fille ne l'avait guère surprise, en revanche. La jeune femme était bien trop maladroite quand elle manipulait le bébé. On voyait qu'elle n'en avait pas l'habitude. Mais elle n'en était pas moins douce et affectueuse envers la petite, et cela compensait son inexpérience.

— Je suis contente que vous vous soyez débarrassée de cette perruque noire, déclara Carolina. Vos vrais cheveux vous vont beaucoup mieux.

— Merci. J'essayais de passer inaperçue parmi les autres immigrants.

— Amener Belle à son père était un geste louable, un acte d'humanité.

— Comme le fait de nous accueillir sous votre toit.

— Comme je vous l'ai dit, votre présence est une vraie bénédiction.

— En fait, j'ai un autre service à vous demander, mais ne vous sentez pas obligée d'accepter si vous avez autre chose à faire.

— De quoi s'agit-il ?

— Damien insiste pour me conduire jusqu'au service d'urgences médicales le plus proche afin de faire examiner mon bras. Je lui ai assuré que ce n'était pas nécessaire, mais il dit que Blake l'a vivement recommandé.

— Et vous aimeriez que je garde Belle pendant ce temps ?

— Si vous le voulez bien. Elle dort pour le moment, mais elle ne tardera sans doute pas à réclamer son biberon. Je préfère ne pas l'emmener dans un endroit rempli de malades peut-être contagieux. Elle est si petite… Je ne supporte pas l'idée qu'elle puisse tomber malade.

— Je serais ravie de la garder. A vrai dire, je ne vois pas de meilleure façon de passer le reste de l'après-midi.

— Nous ne resterons pas trop longtemps absents, je l'espère.

— On ne sait jamais, avec les établissements de ce genre, mais ne vous inquiétez pas. Oh ! sur le chemin du retour, demandez à Damien de s'arrêter à la pharmacie pour acheter des couches et du lait en poudre.

— Je n'y manquerai pas, affirma Emma, qui mordit dans un sablé avant de reprendre : Il y a encore une chose que je voudrais savoir, et j'aimerais vraiment que vous me répondiez en toute franchise.

— C'est ce que je fais toujours, même si je m'efforce d'avoir un minimum de tact.

— Quel est votre sentiment réel sur la situation ? Le fait que je reste ici jusqu'à ce que le shérif ait terminé son enquête ? Si vous préférez que je m'en aille, je suis prête à le faire.

Carolina fit courir ses doigts sur la poignée de sa tasse.

— Si vous n'étiez pas restée ici, le shérif vous aurait probablement arrêtée. La prison n'est pas un endroit pour Belle.

— Elle ne m'y aurait pas forcément accompagnée, si vous aviez proposé de vous occuper d'elle jusqu'à ce que son père biologique ait été retrouvé, ou jusqu'à ce que j'aie été totalement innocentée et autorisée à partir.

Cette remarque déconcerta Carolina, et le soupçon s'empara de son esprit.

— Pourquoi ai-je l'impression que vous ne me dites pas tout ?

— Ce n'est pas ça, se hâta de protester Emma. Mais je ne veux pas rester ici si cela vous met mal à l'aise.

Carolina restait cependant persuadée que la suggestion que venait d'émettre la jeune femme dissimulait autre chose. Elle adorait le bébé, mais elle n'était pas sûre d'être disposée à s'occuper d'elle jour après jour pour la donner finalement à un inconnu qui ne lui plairait peut-être même pas.

Emma devait éprouver les mêmes craintes, inconsciemment peut-être. En tout cas, elle semblait profondément attachée à l'enfant.

— J'aime vous avoir ici toutes les deux, Emma. Et, à présent, allez donc faire soigner votre blessure.

Emma ferait un jour une excellente mère. Et, avec son sourire, son courage et sa gentillesse, elle ferait aussi une parfaite épouse. Carolina espérait que Damien s'en était également aperçu.

A moins qu'Emma n'ait réussi à tromper son monde…

Le médecin de garde avait assuré à Emma que son bras était en voie de guérison, ajoutant qu'il faudrait retirer les points de suture dans cinq jours. En sortant, Damien et elle s'étaient arrêtés dans un supermarché où Emma s'était ravitaillée en couches et en lait pour Belle et s'était acheté quelques vêtements et articles de toilette.

Le reste de l'après-midi et de la soirée s'était déroulé sans incident, même si elle n'avait pas beaucoup vu Damien depuis leur retour au ranch. Il avait fait une brève apparition à la table du dîner, puis s'était de nouveau éclipsé. Elle ne savait pas si c'était pour l'éviter ou pour effectuer des recherches sur Caudillo. Dans un cas comme dans l'autre, cela l'inquiétait.

Durk avait passé la plus grande partie de son temps sous la véranda, à examiner des documents juridiques et à passer des appels téléphoniques.

Tague, en revanche, avait tout fait pour qu'elle ne se sente pas négligée. Il l'avait emmenée à l'écurie pour nourrir les chevaux et lui avait ensuite raconté des histoires fascinantes sur leur enfance au ranch. Il avait même demandé à tenir Belle dans ses bras, mais la lui avait vite rendue quand il était devenu évident, à l'odeur émanant de sa couche, qu'il allait falloir la changer. Emma s'acquitta promptement de cette tâche.

— Tu sens de nouveau le bébé tout propre, n'est-ce pas, mon petit cœur ? chuchota-t-elle, tout en tenant l'enfant calée contre son épaule pour lui faire faire son rot.

Elle déposa ensuite Belle dans son petit lit et la berça doucement. La petite ferma les yeux et, au bout de quelques secondes, s'endormit profondément.

— Fais de beaux rêves, mon trésor. Ta maman t'aimait beaucoup, Belle, chuchota Emma. J'espère que ton papa fera en sorte que tu ne l'oublies pas.

Mais les pères oubliaient parfois jusqu'à l'existence de leur petite fille — du moins était-ce ainsi que cela s'était passé, dans son monde à elle.

Elle déposa un baiser sur le front de l'enfant, puis se laissa tomber sur son lit et resta allongée dans le noir tandis que, dans son esprit, les événements des deux derniers jours défilaient tels des fantômes furtifs et insaisissables. Elle avait préparé son évasion dès la première minute où elle avait compris qu'elle avait été enlevée. Jamais elle n'aurait imaginé qu'un homme tel que Damien puisse surgir dans sa vie. A présent, elle se sentait désemparée devant les sentiments qu'elle éprouvait pour lui.

Ce fut seulement à 2 heures du matin qu'elle réussit à sombrer dans un sommeil agité.

Elle fut réveillée par le grincement d'une porte qui s'ouvrait. Elle ouvrit les yeux et se redressa sur son séant tandis que ses yeux s'accoutumaient peu à peu à l'obscurité.

— Damien ?

— Oui, je te l'ai amené, ma bien-aimée.

C'était la voix de Caudillo. La terreur lui étreignit le cœur et elle fut prise de vertige.

— Où dois-je déposer ceci ?

C'est à ce moment qu'elle aperçut la tête ensanglantée qu'il tenait à la main.

7

Un hurlement à glacer le sang déchira la nuit, tirant brutalement Damien de son sommeil. Sans prendre le temps d'enfiler son jean, il se rua dans le couloir, ouvrit la porte de la chambre d'amis et se précipita à l'intérieur.

Assise dans son lit, Emma tremblait si fort qu'elle claquait des dents. Belle se mit à pleurer. Des lumières s'allumèrent dans les différentes parties de la maison et des bruits de pas résonnèrent de toutes parts.

— Est-ce que vous allez bien ? demanda Damien en s'approchant. Que s'est-il passé ?

Sautant du lit, Emma prit le bébé affolé dans ses bras et le berça doucement pour l'apaiser.

— J'ai fait un cauchemar, mais ça paraissait tellement réel… Caudillo était sur le seuil de cette pièce, et il tenait à la main…

Sa voix se brisa et elle ne put terminer sa phrase.

— Nous avons entendu des cris, dit Tague en surgissant dans l'embrasure de la porte.

— Qu'y a-t-il ? s'enquit Durk derrière lui.

Carolina les poussa et pénétra à son tour dans la pièce.

— Est-ce que c'est Belle ?

— Non, elle va bien. Ce n'était rien de plus qu'un cauchemar. Je suis désolée d'avoir réveillé tout le monde.

— Je ne suis pas étonnée que vous fassiez des mauvais rêves, après tout ce que vous avez traversé, répondit Carolina. Voulez-vous que je prenne Belle ?

— Non, vraiment, tout va bien, je vous remercie. Et Belle a cessé de pleurer. Je vous en prie, retournez tous dormir. Je m'en veux déjà suffisamment d'avoir perturbé votre sommeil.

— Je suis de cet avis, déclara Damien. Retournez tous vous coucher, je m'occupe de tout.

Ce fut seulement après leur départ qu'il prit conscience de ce que cette déclaration pouvait avoir de présomptueux. Pis encore, il se trouvait en caleçon dans la chambre d'Emma, qui était elle-même en chemise de nuit.

Il s'attendait à ce qu'elle le congédie poliment à son tour. Comme elle ne disait rien, il s'assit sur le bord du lit et la regarda arpenter la pièce en berçant Belle dans ses bras.

— Etes-vous sûre que ça va ? demanda-t-il.

— Pas tant que ça, avoua-t-elle.

— Voulez-vous en parler ?

Elle ne répondit pas.

— Je suis parfaitement réveillé, à présent, et je suis prêt à vous écouter.

— Combien de cauchemars voulez-vous que je vous raconte ? Celui de cette nuit, ou tous ceux des dix derniers mois ?

— Tous ceux que vous voudrez bien me confier.

Elle reposa Belle dans son berceau et prit place de l'autre côté du lit.

— Il y a eu d'innombrables fois, au cours de ces dix mois, où j'ai cru que Caudillo allait me faire basculer dans la folie. Cette nuit, j'ai bien cru qu'il y était parvenu.

— Je l'ai perçu dans votre cri.

— Et vous êtes aussitôt accouru, mais sans perdre votre calme ou votre sang-froid. Où vous a-t-on enseigné le comportement à adopter face à une femme hystérique ?

— « Hystérique » n'est pas le mot que j'emploierais. En fait, vous êtes remarquablement équilibrée pour une femme qui a enduré des mois de captivité. Vous avez fait preuve d'assez de sang-froid pour sauver la vie de Belle.

— J'ai plutôt le sentiment que nous nous sommes mutuellement sauvé la vie.

Quand le bruit régulier de la respiration du bébé lui apprit qu'il s'était assoupi, Emma cala ses oreillers contre la tête du lit et s'y adossa, en remontant la couverture jusqu'à sa taille.

— Installez-vous confortablement, vous aussi, Damien. Puisque vous vous êtes porté volontaire pour me servir de psychothérapeute, la séance risque d'être longue.

Etre dans un lit au côté d'Emma, se dit-il à part lui, risquait d'être tout sauf confortable…

Cinq jours auparavant, en retrouvant sa liberté, Emma ne s'imaginait pas qu'elle pourrait un jour partager avec quiconque l'atroce histoire qu'elle venait de vivre. Tout ce qu'elle désirait, c'était la refouler au plus profond de sa conscience.

Si jamais elle se décidait à alerter les autorités, elle le ferait de façon anonyme, et seulement une fois qu'elle serait en sécurité.

Bizarrement, dès l'instant où elle avait rencontré Damien, elle avait éprouvé l'envie d'épancher son cœur. C'était incompréhensible.

Comme Caudillo, Damien était riche. Mais, alors que Caudillo se présentait sous une apparence courtoise et raffinée pour mieux berner son monde, Damien ne cherchait pas à adoucir les angles, avec son air bourru, sa démarche arrogante de cow-boy, son assurance d'homme attaché à ses valeurs, tout en se conduisant par ailleurs comme un parfait gentleman.

Elle avait cru qu'il se passerait des années avant qu'elle se sente de nouveau à l'aise en présence d'un homme. Et, maintenant, elle était au lit avec lui, et prête à lui livrer ses confidences.

Elle leva les bras et les croisa derrière sa tête.

— L'une des choses les plus incroyables, dans cet enlèvement, c'est que Caudillo a paru surpris de me voir aussi bouleversée. Il m'a dit que j'aurais dû comprendre comme lui que nous étions faits l'un pour l'autre, et qu'il faisait ça simplement pour me faciliter les choses.

— C'était donc un malade mental, en plus d'un malfaiteur.

— Certaines fois, il en donnait l'impression. Et, à d'autres, il avait un comportement tout à fait rationnel, comme le jour où il a insisté pour que je lui donne accès aux dossiers de certains agents de mon service.

— Avez-vous accepté ?

— Même si je l'avais voulu, je n'aurais pas pu y accéder, mais, pour je ne sais quelle raison, il était persuadé que je mentais.

— Cherchait-il à obtenir des informations précises, ou allait-il simplement à la pêche aux renseignements dans l'espoir qu'il pourrait ainsi éviter une arrestation ?

— Je ne l'ai jamais vraiment su. Caudillo s'enorgueillissait de ne rendre de comptes à personne, et surtout pas à une femme.

— Vous laissait-il utiliser Internet ?

— Jamais. Les seules fois où j'étais autorisée à sortir de mon appartement, c'était en sa compagnie. Comme il me le rappelait fréquemment, j'étais entièrement à sa merci.

— A quoi ressemblait cet appartement ?

— Il était luxueux, comme si j'étais une invitée dans son palais. La penderie était remplie de robes très... révélatrices que Caudillo rapportait de ses nombreux voyages. Il me les offrait comme si c'étaient des cadeaux d'une valeur inestimable. Je n'avais pas le droit de porter de soutien-gorge ni de culotte en dessous. La salle de bains regorgeait d'huiles de bain, de parfums et de fards que je devais appliquer chaque jour, au cas où il aurait décidé de me rendre visite.

— Et si vous n'obéissiez pas ?

— Alors il m'imposait une période de jeûne, généralement d'une durée de trois jours, pour me purifier l'esprit et le corps.

— Mais il ne vous a jamais agressée sexuellement ?

Emma retint sa respiration pendant que les images affluaient à son esprit. Même à des milliers de kilomètres de lui, elle en avait encore la nausée.

— Vous n'êtes pas obligée de me répondre, reprit Damien, percevant sa gêne.

Mais, en le formulant à haute voix, peut-être réussirait-elle à affaiblir l'emprise que Caudillo exerçait sur elle.

— Comme je vous l'ai dit, nous n'avons jamais eu de relations sexuelles. Il prétendait qu'il me privait de cet honneur parce qu'il avait été dégoûté par ma réaction incongrue lors de sa première tentative. Qui eût cru que vomir pouvait avoir des conséquences si bénéfiques ?

— Mais il vous touchait quand même ?

— Il me faisait asseoir sur ses genoux pendant qu'il me racontait des « histoires » qui me permettraient, selon lui, de mieux le connaître.

Damien leva les yeux au ciel.

— Exactement. Comme si je ne le connaissais pas déjà bien plus que je ne l'aurais souhaité.

Elle hésita de nouveau. Le reste était le plus difficile à dire et lui avait valu des centaines de cauchemars presque aussi abominables que celui de cette nuit.

— Ces histoires concernaient presque toujours son enfance. Il me racontait les raclées que lui donnait son père, la façon cruelle dont le traitait sa belle-mère. Les nuits où il formait des plans pour les tuer tous les deux, leur arracher le cœur et donner celui-ci à manger aux chiens avant de faire disparaître leurs corps mutilés.

— Vous le croyiez ?

— Oui. La haine qui déformait son visage quand il me faisait ces récits montrait qu'il était sincère. Mais cela ne s'arrêtait pas là. Il me parlait ensuite des autres femmes qu'il avait enlevées, même s'il n'utilisait jamais ce mot. Il les décrivait comme ses invitées. Il disait qu'il les comblait de cadeaux, mais qu'elles n'étaient jamais satisfaites, et qu'il finissait toujours par être obligé de les tuer. Il ne m'épargnait aucun détail sur ses meurtres.

— Il voulait ainsi s'assurer que vous lui obéiriez au doigt et à l'œil.

— C'était sûrement son but. Mais cela n'a servi au contraire qu'à me renforcer dans ma détermination à m'échapper.

— Combien de femmes se trouvaient-elles là-bas, au moment de votre évasion ?

— Il n'y avait que moi.

— Et à votre arrivée ?

— Nous étions trois. La première a disparu peu de temps après ; Caudillo m'a dit qu'elle s'était noyée en tentant de s'évader. Je n'ai entrevu la deuxième qu'à deux ou trois reprises. Elle avait l'air malade, pâle, d'une maigreur squelettique. Je crois qu'il l'a peut-être littéralement fait mourir de faim.

— Dieu merci, vous avez réussi à vous enfuir !

— Ç'a été un pur coup de chance.

— Comment cela s'est-il passé ?

— Caudillo était en voyage. J'ai entendu des coups de feu, et au tumulte qui a suivi, j'ai deviné que c'était le chaos. J'ai crié. Un homme armé que je n'avais encore jamais vu a enfoncé la porte, m'a regardée et est reparti. Quand j'ai jeté un coup d'œil au-dehors, j'ai constaté que la forteresse avait été envahie par des hommes en armes et que mes gardiens avaient disparu. Je suis sortie de ma chambre mais, en entendant des détonations, je me suis engouffrée dans le bureau de Caudillo. Son coffre-fort avait été pillé. Des billets de cent dollars que les assaillants avaient oubliés derrière eux jonchaient le sol. J'en ai ramassé autant que j'ai pu et, ensuite, j'ai couru vers la plage et attendu le moment propice pour me glisser à bord du bateau utilisé par les pillards.

— Ont-ils volé les armes en même temps que l'argent ?

— Oui, des caisses entières. Dès que l'occasion s'est présentée, je me suis dissimulée derrière elles, dans la soute. Le bateau est reparti un instant plus tard.

— Vers quelle destination ?

— Le Mexique. Je me suis échappée le lendemain matin, pendant que les voleurs célébraient leur victoire.

— Vous avez un sacré cran, Emma Smith. Vous avez peut-être encore des jours difficiles devant vous, mais vous vous en sortirez.

— Vous en êtes nettement plus convaincu que moi-même !

Ne pas lui avouer tout le reste, à présent, ç'aurait été insulter la confiance qu'il lui témoignait.

— Maintenant que je vous ai raconté tout ça, autant vous avouer un autre mensonge. Je ne m'appelle pas Emma Smith, mais Emma Muran. Voilà, vous savez tout, mais je vous demande de respecter votre promesse et de ne révéler à personne mon identité ou mes relations avec Caudillo.

Passant un bras autour de ses épaules, il l'attira contre lui.

— Tant que je serai près de vous, Emma, cet homme ne vous fera aucun mal. A présent, détendez-vous et tâchez de dormir un peu avant que Belle se réveille et réclame son petit déjeuner.

Elle savait que cette affirmation était fausse et que rien ne pourrait la sauver si Caudillo la retrouvait. Mais elle se laissa envelopper par ces paroles rassurantes comme dans un châle de soie et, fermant les yeux, elle s'endormit dans les bras de Damien.

Le soleil effleurait à peine l'horizon quand Damien enfila son blouson et sortit par la porte de derrière. Son souffle se mua rapidement en vapeur dans l'air froid. Dévalant les marches, il s'installa au volant de sa camionnette et fit tourner le moteur.

Les bureaux du ranch ne se trouvaient qu'à quatre cents mètres de la maison. D'habitude, il s'y rendait à pied pour le bienfait de l'exercice mais, aujourd'hui, il était impatient de voir si Carson Stile lui avait faxé des informations sur Caudillo durant la nuit.

Damien avait connu Carson en dernière année de fac. Très doué pour l'informatique, celui-ci travaillait à présent pour une société de haute technologie basée à Seattle. Leur dernière rencontre remontait à deux ans, lorsque Carson était venu assister à une conférence à Dallas. Il était resté une semaine au ranch, en évitant soigneusement tout ce qui était doté de quatre pattes, et en particulier les taureaux.

Dès la seconde où il ouvrit la porte du bureau, Damien sut qu'il avait pris la bonne décision en téléphonant à Carson la veille. Le fax avait déversé une énorme quantité de pages. Son ami avait dû rester devant son ordinateur une bonne partie de la nuit.

Damien mit la cafetière électrique en marche, ramassa les feuillets et commença à lire les renseignements que Carson avait pu glaner au sujet d'Anton Klein, mieux connu dans les Caraïbes sous le surnom de Caudillo.

Cela ressemblait davantage à une légende ou à un conte de fées qu'à une biographie. Damien passa l'heure qui suivit à assimiler les informations et tenter de se faire une idée précise du scélérat qui avait bouleversé la vie d'Emma.

Un play-boy milliardaire qui possédait plusieurs résidences

en Europe, dont un château en Irlande, une somptueuse villa en France, un domaine viticole en Italie et, bien sûr, une île dans les Caraïbes. On disait qu'il considérait cette dernière comme sa retraite, le lieu où il venait s'isoler du monde, et que très peu de gens avaient eu le privilège d'y être invités.

Son yacht, long de plus de soixante mètres, était l'un des plus grands navires privés au monde. De nombreuses personnalités avaient apparemment séjourné à son bord.

Caudillo était décrit comme un homme charmant, beau, généreux et extrêmement mystérieux. Même s'il était issu d'une famille de riches armateurs, cela n'expliquait pas entièrement l'origine de son immense fortune.

Sur ce sujet couraient les hypothèses les plus variées, du trafic de diamants à ses amitiés avec des dictateurs corrompus. Bizarrement, il n'était nulle part fait mention de vente d'armes, alors que son surnom signifiait « chef de guerre ».

On pouvait néanmoins lire entre les lignes que c'était un individu qu'il valait mieux ne pas contrarier, et Damien ne put s'empêcher de se demander si c'était parce que ceux qui l'avaient fait n'étaient plus de ce monde.

Rien de tout cela n'était en contradiction flagrante avec le portrait qu'Emma lui en avait dressé, mais rien non plus ne le décrivait comme un dangereux psychopathe.

Cependant, après avoir vu la terreur qu'il inspirait encore à la jeune femme, Damien était convaincu que Caudillo était bien tel qu'elle l'avait décrit.

Il fallait le mettre hors d'état de nuire avant qu'une autre femme ne devienne sa victime. Mais Damien ne voyait pas très bien comment y parvenir.

Une heure et deux tasses de café plus tard, un plan d'action commençait à prendre forme dans son esprit. Il détenait désormais une foule de renseignements sur

Caudillo, mais il y avait une dernière recherche qu'il allait devoir effectuer lui-même, pour respecter la promesse qu'il avait faite à Emma.

En lui révélant son véritable nom, elle lui avait témoigné une confiance énorme, et il ne la trahirait pas, sauf si la sécurité de la jeune femme en dépendait.

Mais il ne laisserait plus jamais Caudillo l'approcher, et à ses yeux, cela justifiait ce qu'il s'apprêtait à accomplir.

Il se rappelait plusieurs cas de disparitions qui avaient fait grand bruit au cours des dernières années, mais ne se souvenait pas d'avoir entendu parler d'une Américaine qui aurait disparu durant ses vacances dans les Caraïbes dix mois plus tôt. Si l'affaire avait été étouffée, il voulait découvrir pourquoi et par qui.

Il entra « Emma Muran » dans son moteur de recherche et obtint plusieurs réponses. Une artiste à Toronto. Une musicienne à La Nouvelle-Orléans. Un traiteur gastronomique à Phoenix. Mais aucune Emma Muran disparue pendant ses vacances dans les îles.

Il poursuivit ses recherches et finit par découvrir quel lycée Emma avait fréquenté, quels diplômes elle avait obtenus lors de ses études à l'université d'Alabama. Il trouva même son adresse et son numéro de téléphone à Nashville. Mais absolument rien au sujet de son enlèvement.

Sa famille avait pourtant dû signaler sa disparition, ou, à défaut, l'amie qui aurait dû l'accompagner !

Il y avait quelque chose d'anormal là-dedans.

Eteignant l'ordinateur, il sortit son portable de sa poche. Il était temps de mettre en œuvre la première partie de son plan. Mais il ne voulait pas le faire à l'insu d'Emma.

Emma porta une cuillerée de yaourt à sa bouche et l'avala sans en sentir le goût, sourde aux bavardages autour d'elle.

L'absence de Damien à la table du déjeuner avait suscité

en elle un mauvais pressentiment qui confinait à la panique. Elle s'était montrée à lui sous son jour le plus vulnérable, cette nuit. Lui était-elle apparue comme une femme en manque d'affection, en avait-il été effrayé ? Regrettait-il de lui avoir proposé son aide ?

Si tel était le cas, elle ne pouvait pas l'en blâmer. Pourtant, même si, la veille, elle l'avait supplié de la laisser partir, l'idée qu'il pouvait l'abandonner maintenant faisait naître en elle une immense appréhension.

Si le shérif l'arrêtait, il aurait vite fait de l'identifier. Les empreintes de tous les employés du service de répression des fraudes étaient enregistrées dans la base de données de la police.

Les fichiers lui apprendraient qu'elle avait été enlevée. On en parlerait dans les médias, et les reportages conduiraient Caudillo droit vers elle.

Mais l'idée que Damien pouvait l'abandonner la plongeait dans une détresse bien plus grande. Elle avait mis son cœur à nu devant lui, la nuit dernière, et elle avait l'impression d'avoir été rejetée.

— Goûtez donc cette confiture de framboises, Emma. Elle a été faite par une de mes amies qui tient un salon de thé à Dallas, et elle est délicieuse.

L'offre de Carolina la ramena au présent.

— Dans ce cas, il faut vraiment que je l'essaie.

— J'espère que cela ne vous dérange pas de prendre un petit déjeuner léger, aujourd'hui. C'est devenu une tradition pour nous, le dimanche, parce que j'enseigne le catéchisme et que je dois être de bonne heure à l'église.

— Cela me convient parfaitement, répondit Emma. Du yaourt, des fruits, des céréales, du pain grillé et du jus d'orange, c'est tout ce que j'aime.

— Je joue de l'orgue pendant l'office religieux, déclara Sybil pour ne pas être en reste.

— Je serais ravie de pouvoir vous entendre, déclara poliment Emma.

— Elle joue trop fort, lança Pearl. Ça fait des vibrations dans mon appareil acoustique.

— Vous savez à présent pourquoi nous sommes contraints de jeûner le dimanche matin, plaisanta Tague, en prenant la cafetière pour remplir les tasses vides.

— Tu n'as jamais connu la faim de ta vie, Tague Lambert, riposta Carolina en s'essuyant délicatement la bouche avec sa serviette.

— Sauf le dimanche matin, la taquina Durk à son tour. A propos, quelqu'un sait-il ce que fabrique Damien ? Je suis allé me balader de bon matin avec Ranger et j'ai vu sa camionnette garée devant le bureau. Il travaille vraiment tôt, pour un dimanche.

— Il doit prononcer un discours demain soir devant l'Association des éleveurs, l'informa Tague. Il doit être en train de le rédiger.

— Il a beaucoup de préoccupations en tête, ajouta Carolina en se levant pour commencer à débarrasser. Peut-être avait-il simplement besoin d'être seul.

— Au fait, attendons-nous des invités pour le dîner de ce soir ? s'enquit Durk.

— Non, répondit sa mère. Les Hubert et les Gaylord devaient venir de Dallas, mais nous avons décidé de repousser le dîner d'une semaine, en raison du temps. Evidemment, je n'aurais pas pensé que la température allait regrimper à ce point aujourd'hui.

— Inviter amis et voisins au dîner dominical est une autre de nos traditions, expliqua Tague à l'intention d'Emma. Mais, là, on a droit à de la vraie nourriture.

— Je dois passer quelques coups de fil, annonça Durk, mais faites-moi savoir quand vous serez prêtes et je vous conduirai à l'église. Les routes doivent être encore glissantes par endroits.

— Viendrez-vous avec nous ? demanda Sybil à Emma.

— Pas cette fois.

— Moi non plus, déclara Tague.

— Qu'avez-vous donc de si urgent à faire, tous les deux ? s'étonna Carolina.

— Damien nous a convoqués à une réunion, après le petit déjeuner. Mais, comme il ne s'est pas montré, il est possible qu'il l'ait oublié.

— Il ne m'en a pas parlé, déclara Carolina.

— Je ne crois pas que cela ait un rapport avec l'entreprise, répondit Durk.

— Il prépare sans doute une partie de chasse, reprit Tague.

A moins qu'il n'ait convoqué ses frères pour discuter de moi, songea Emma avec appréhension.

— Laissez-moi finir de débarrasser la table, madame Lambert, proposa-t-elle en se levant. Et je ferai ensuite la vaisselle.

— La vaisselle du dimanche, c'est mon travail, dit Sybil, et j'aurai terminé en un rien de temps. Profitez-en pour souffler un peu, avant que Belle se réveille.

— Elle dort bien tard, ce matin, ajouta Carolina. Etes-vous sûre qu'elle va bien ?

— En fait, elle était réveillée avant tout le monde. Elle a réclamé son biberon à 6 heures et elle l'a vidé d'une traite. Elle fait une petite sieste à présent, mais j'ai laissé la porte de la chambre ouverte, et je l'entendrai si elle pleure.

— Nous serions ravies que vous nous accompagniez à l'église, Belle et vous, reprit Carolina. Je pourrais vous prêter une tenue plus habillée.

— Je vous remercie, mais pas aujourd'hui, répondit Emma.

Heureusement, Damien apparut sur le seuil à cet instant, lui évitant ainsi d'avoir à donner davantage d'explications.

— Tu as raté le petit déjeuner, lui dit Pearl, d'un ton faussement réprobateur.

— Je mangerai plus tard. Dans l'immédiat, il y a quelque chose dont je souhaiterais discuter avec Emma.

— Je présume que c'est une façon de nous inviter à vider les lieux, dit Tague.

— Non, finissez tranquillement votre café. Emma et moi allons bavarder sous la véranda et, ensuite, je reviendrai vous parler.

Le cœur palpitant d'anxiété, Emma le suivit jusqu'à la véranda.

— Alors, c'est ici que nos destins se séparent ? s'enquit-elle, d'une voix qu'elle aurait voulue désinvolte mais qu'elle ne put empêcher de trembler.

Il arqua les sourcils.

— Que voulez-vous dire ? Non, pas du tout ! Je vous ai promis que je vous sortirais de là. Je ne reviens jamais sur ma parole, Emma. Sauf si je découvrais que vous continuez à me mentir.

— Tout ce que je vous ai raconté cette nuit était la pure vérité.

— Très bien. A présent, j'aimerais que vous m'en disiez un peu plus sur l'île d'Enmascarado.

— Par exemple ?

— L'agencement de la maison, de l'embarcadère, des dépendances et de toutes les autres constructions que vous avez pu voir là-bas.

— Pourquoi ?

— Parce que ce soir, je m'envole pour Miami et de là pour Enmascarado.

8

Abasourdie par cette annonce inattendue, Emma se laissa choir dans un des fauteuils à bascule.

— Dites-moi que j'ai mal entendu, murmura-t-elle.

— Vous avez parfaitement entendu. Il faut définitivement empêcher Caudillo de nuire. Pour cela, nous devons trouver une preuve de ses activités criminelles.

— Et vous croyez que vous allez y parvenir à vous seul ? Vous pensez pouvoir vous introduire sur cette île au nez et à la barbe des pires crapules qui soient, dénicher cette preuve et repartir vivant ?

— Ça ferait un très bon scénario pour un film de Rambo. Mais ce n'est pas ce que j'ai en tête.

— Et qu'avez-vous donc en tête, Damien ? Parce que, pour moi, ça ressemble fort à une mission suicide.

— Je vous garantis qu'il n'en est rien. Je vais simplement survoler l'île pour l'examiner.

— Pourquoi ne me laissez-vous pas régler les choses à ma façon, Damien ?

— Et comment comptez-vous vous y prendre, exactement ?

— Une fois que je serai en sécurité, j'enverrai des messages anonymes au Bureau de répression des fraudes, à la CIA et au FBI. Ils enquêteront sur Caudillo et le mettront sous les verrous.

— C'est cela, et ils traitent toujours les lettres anonymes en priorité, riposta Damien d'un ton sarcastique. Même s'ils enquêtaient effectivement sur Caudillo, ils ne découvriraient peut-être pas qu'il se livre à un trafic d'armes, encore moins qu'il enlève et torture des femmes sans défense.

— Pourquoi faut-il que vous soyez toujours aussi sceptique ?

— Vous le seriez aussi si ce salopard ne vous avait pas terrorisée à ce point.

D'un seul coup, la panique la submergea.

— Je savais que ça finirait ainsi, Damien. Je savais dès le début qu'en vous disant la vérité j'allais vous mettre en danger.

— Je ne cours aucun risque, Emma. Je vais juste faire un petit tour en avion. Même un type comme Caudillo n'irait pas jusqu'à abattre les avions qui survolent son île !

— Appelez le shérif, Damien. Je parle sérieusement. Appelez-le tout de suite. Je lui avouerai tout si vous me promettez de renoncer à ce projet.

— Je ne peux pas faire ça. En outre, vous pourriez bien avoir raison en ce qui concerne les relations haut placées de Caudillo. Je ne vois pas d'autre explication au fait qu'il ait toujours réussi à échapper à la justice.

— Ce qui conforte mes arguments. En vous mêlant de cette histoire, vous vous mettez en danger. Cela ne vous concerne pas, Damien.

— C'est sur ce point que nos avis divergent. Si je vois une vache enlisée, je ne m'inquiète pas de savoir à qui elle appartient avant de l'extraire de la boue.

— Mais votre voisin ne va pas vous tirer dessus pour autant.

— Exact. Mais je fais quand même ce qui doit être fait. Je n'ai pas l'intention de me livrer à des actes insensés, Emma. Je veux simplement reconnaître le terrain.

— Très bien. Puisqu'il n'y a aucun danger, vous ne verrez pas d'objection à ce que je vous accompagne.

— Vous avez déjà suffisamment souffert, Emma. Je ne veux pas que vous vous torturiez ainsi.

Il avait raison, elle le savait. Revoir cette île lui ferait revivre le cauchemar qu'elle y avait enduré. Mais comme de toute façon elle ne parvenait pas à l'oublier…

— Je pourrai vous indiquer l'emplacement des bâtiments, insista-t-elle. Par exemple, ceux où étaient entreposées les caisses d'armes.

— Vous seriez plus en sûreté ici, avec Belle.

Belle. Elle avait presque oublié qu'elle avait un bébé sous sa responsabilité.

— Je demanderai à votre mère de s'occuper d'elle.

— Le shérif a bien dit que vous ne deviez pas vous éloigner du ranch, argua Damien en glissant ses pouces dans les poches de son jean.

— Il n'a jamais dit ça. Il vous a seulement recommandé de ne pas me perdre de vue. Et vous vous êtes engagé à le faire. La seule façon de respecter cet engagement, c'est de m'emmener avec vous.

— Vous n'en démordrez pas, n'est-ce pas ?

— Non.

— Alors, prenez acte que je considère cette décision comme une lourde erreur… Je vais aller parler à mes frères, reprit-il. Vous pouvez demander à ma mère si elle accepte de garder Belle, mais je peux d'ores et déjà vous assurer que, quels que soient ses projets pour cet après-midi, elle annulera tout pour rester auprès de la petite.

— Quelle raison puis-je invoquer pour justifier mon absence ?

— Dites-lui que nous rendons une visite éclair à vos parents. La famille est sacrée à ses yeux, elle ne pourra que vous approuver.

Carolina changerait vite d'avis si jamais elle découvrait

la vérité sur la famille d'Emma. Mais c'était une éventualité peu probable.

Emma était peut-être irrésistiblement attirée par Damien, mais ils venaient de deux mondes totalement différents, des univers parallèles, pour ainsi dire. Il était né avec une cuillère en or dans la bouche. Elle n'avait eu droit qu'à un bâton de sucette usagé.

Il avait une famille modèle. La sienne…

Mieux valait ne plus y penser.

— Tout bien réfléchi, racontons-lui plutôt que nous allons voir un homme qui pourrait être le père de Belle, reprit Damien.

— Mais cela ne justifierait pas que nous passions la nuit là-bas.

— Si, au cas où cet homme habite à des centaines de kilomètres d'ici.

Toute la nuit. Rien que Damien et elle. Dans un hôtel de Miami.

Damien attendait-il d'elle davantage que ce qu'elle pouvait lui donner ? Ou serait-ce elle qui serait déçue en se couchant seule ? Elle ne savait pas si elle était encore capable d'éprouver quoi que ce soit sur le plan sexuel, après ce qu'elle avait subi.

Et elle n'en haïssait Caudillo que davantage.

— Je ne sais pas comment elle s'y est prise, mais cette femme te ferait vraiment faire n'importe quoi, déclara Durk.

— Elle s'appelle Emma. Et pour ta gouverne, ce n'est pas elle qui me dicte mes décisions. Je les prends seul.

— Hé, frangins, nous jouons dans la même équipe, coupa Tague pour calmer le jeu. Ne nous énervons pas.

— Je suis bien de cet avis, admit Damien. Je sais que mes décisions peuvent te paraître incompréhensibles pour l'instant, Durk, mais tu dois me faire confiance.

— J'essaie, mais j'ai l'impression que tu es en train de creuser le puits sans attendre le rapport du géologue. Que sais-tu réellement d'Emma ?

— Nous avons déjà eu cette discussion hier.

— Exactement. Et, aujourd'hui, tu l'emmènes à Miami.

— J'ai de bonnes raisons pour le faire. Ce voyage n'a rien d'une virée romantique.

— Je préférerais ça, riposta Durk. Si c'était une histoire sentimentale, ou même purement sexuelle, je pourrais comprendre. Ce sont toutes les zones d'ombre autour d'Emma qui m'inquiètent. Le bébé introduit clandestinement, l'homme poignardé. Cletus dit…

— Stop ! l'interrompit Damien, comprenant tout à coup ce qui motivait les inquiétudes de son frère. Je sais ce qu'en pense Cletus, mais c'est un avocat, et sa profession l'oblige à se montrer suspicieux. Je me comporte peut-être de façon impulsive dans cette affaire, mais ça ne veut pas dire que j'en oublie toute prudence.

— Dans ce cas, je n'ajouterai rien, répondit Durk. Tu commences à te conduire exactement comme papa, le sais-tu ? Il avait tendance à toujours suivre son instinct, en dépit de ce que lui dictait sa logique.

— J'étais en train de me dire la même chose à ton sujet, déclara Damien. Mais c'était à son entêtement que je pensais.

— Vous ressemblez tous les deux à papa, c'est sûr, glissa Tague. Mais c'est plutôt une bonne chose. Quand il se lançait dans une entreprise, neuf fois sur dix, il réussissait.

— Alors, disons que c'est un match nul, conclut Durk. A ma connaissance, les deux jets de la compagnie sont disponibles ce soir et demain.

— Oui, je m'en suis déjà assuré. Je prendrai le plus petit.

— Et le pilote ?

— Je piloterai moi-même.

— Je peux t'accompagner comme copilote, proposa Tague.

— Je préfère que tu restes ici pour nous couvrir, au cas où le shérif rappliquerait. Dis-lui que nous sommes allés à Dallas pour vérifier une piste au sujet du père de Belle. Essaie de te montrer convaincant. Nous allons raconter la même histoire à maman, pour simplifier les choses.

— Mentir à un représentant de la loi est un grave délit, lui rappela Durk.

— Crois-moi, si tout se termine comme je l'espère, le shérif Garcia nous suppliera de lui donner un petit rôle dans le film.

— Alors ne tarde pas trop à nous expliquer le scénario, rétorqua Durk. Et ne prends pas de risques, ajouta-t-il en posant une main sur l'épaule de Damien. Compris ?

— Compris. Oh ! au fait, Tague, j'aimerais que tu prononces ce discours à ma place, demain soir.

Son frère fit la grimace.

— Non seulement je vais manquer ce voyage passionnant en compagnie d'une femme superbe, mais je vais devoir monter sur une estrade pour lire ton laïus barbant ?

— Eh oui, la vie est vraiment injuste ! ironisa Damien.

Damien et Emma quittèrent le ranch sitôt que Carolina fut rentrée de l'église. Comme Damien l'avait présumé, elle s'empressa d'annuler ses projets pour les deux prochains jours afin de pouvoir s'occuper de Belle.

A midi, ils étaient à Dallas. Heureusement pour Emma, Damien devait passer au siège de la société Lambert, et il lui demanda si elle voulait venir avec lui ou si elle préférait qu'il la dépose dans un centre commercial.

Elle saisit l'occasion au vol. Elle savait gré à Carolina de lui avoir prêté des vêtements, mais elle avait hâte de s'acheter des tenues à sa taille. Elle s'arrêta d'abord au rayon lingerie.

A sa propre surprise, elle fut rapidement séduite par une culotte en dentelle noire et le soutien-gorge assorti. Et, en plus d'un confortable pyjama en coton, elle choisit une nuisette rose vif des plus sexy.

Peut-être commençait-elle à revenir à la vie, à tous les niveaux…

Une heure plus tard, elle avait également fait l'acquisition de produits de maquillage, de deux jeans, deux chemises, deux pulls, une paire de tennis et une autre de ballerines, tous en solde.

La seule folie qu'elle s'était autorisée était une petite robe noire assez élégante pour que Damien ne soit pas embarrassé de dîner en sa compagnie ce soir, s'ils allaient dans un restaurant chic.

Ils se retrouvèrent à la cafétéria, comme ils en étaient convenus.

— A en juger par tous ces paquets, je pense que vous avez trouvé tout ce qu'il vous fallait.

— Oui, j'espère que je n'ai pas été trop longue ?

— Je m'apprêtai à organiser des recherches, répondit-il en prenant les sacs.

— Excusez-moi.

— Je plaisantais. C'est l'avantage de posséder son propre avion. Il n'y a pas à craindre qu'il parte sans vous. Et il y a une autre boutique où nous devons nous rendre.

Emma dut pratiquement courir pour rester à sa hauteur. Il s'arrêta devant un magasin où l'on ne vendait que des bottes et des chapeaux de cow-boy.

— Faites votre choix, lui dit-il.

— Je n'ai pas les moyens de m'acheter des bottes. Je dois faire durer l'argent jusqu'à ce que j'aie retrouvé un emploi. Cela risque de prendre du temps, puisque je ne pourrai présenter aucune référence.

Et retourner dans son ancien bureau était exclu, puisque c'était le premier endroit où Caudillo la chercherait, ajouta-t-elle en son for intérieur.

— C'est moi qui vous les offre, répondit Damien.

Elle secoua la tête.

— Accepter votre aide est une chose, mais accepter des cadeaux coûteux, c'est hors de question.

— Ils n'ont rien de très onéreux. De plus, vous ne pouvez pas habiter dans un ranch sans être munie de l'équipement adéquat. Nos visiteurs doivent accomplir leur part du boulot, c'est la règle. Etriller les chevaux, nettoyer les écuries… Les bottes sont indispensables.

— Je ne sais pas quand ni comment je pourrai vous rembourser.

— Parfois, un sourire et un remerciement suffisent largement.

— J'essaierai de m'en souvenir.

— Cet avion est magnifique !

Damien sourit et s'effaça devant elle pour lui permettre d'entrer dans la cabine.

— Oui, il est pratique, reconnut-il.

Emma hésita une seconde, brusquement assaillie par une pensée terrifiante. Dix mois plus tôt, elle était montée à bord d'un yacht et s'était retrouvée en enfer. Et, à l'époque, elle ne connaissait Caudillo que depuis quelques jours, tout comme Damien…

Ses jambes fléchirent et elle se mit à trembler.

— Qu'y a-t-il ? s'enquit Damien en lui prenant le bras pour la soutenir.

C'était Damien, pas Caudillo. Et il ne l'avait pas attirée

ici par ruse, c'était elle qui avait exigé de l'accompagner. Elle prit une profonde inspiration et se maîtrisa.

— Ce n'est rien. Juste une impression de déjà-vu.

Il jura entre ses dents.

— Vous repensez à votre enlèvement.

Il la fit pivoter face à lui et lui souleva le menton pour la forcer à le regarder.

— Avez-vous peur de moi, Emma ?

Elle lut l'incrédulité dans ses yeux, et la vérité lui apparut alors, avec une force telle qu'elle en eut le vertige. Non seulement elle n'avait pas peur de lui, mais elle était en train de tomber amoureuse. Elle ne pouvait plus continuer à se dire que c'était une simple attirance physique, ou un sentiment de gratitude. Malgré les épreuves qu'elle avait endurées, ou peut-être à cause d'elles, Damien avait conquis son cœur.

— Je n'ai pas peur de vous, Damien. Un bref instant de confusion, rien de plus.

— Tant mieux. Mais si vous avez le moindre doute à mon sujet, nous pouvons descendre de cet avion tout de suite, et Tague viendra vous chercher.

— Non, je n'ai absolument pas de doutes. Si vous me parliez plutôt de cet avion ? dit-elle, pour orienter la conversation vers un terrain moins dangereux.

— Il est neuf. Nous l'avons acheté après l'accident dans lequel notre père a péri. L'avion n'appartenait pas à la société, mais la mort de papa nous a fait comprendre la nécessité d'acquérir le jet privé le plus sûr sur le marché. Celui que nous avions commençait à se faire vieux.

— Vous en servez-vous souvent, pour vos activités d'éleveur ?

— Plus souvent qu'on ne pourrait le penser. Nous utilisons des méthodes novatrices et l'on me demande fréquemment de donner des conférences dans les instituts d'agronomie. J'aime bien aller voir ce qui se fait dans d'autres parties du pays. Mais nous nous servons surtout du jet dans l'industrie pétrolière.

— Etes-vous également impliqué dans ce secteur ?

— Je suis copropriétaire de la compagnie, donc je siège au conseil d'administration, même si Durk est le PDG. Papa avait légué toutes les parts à maman, et elle les a immédiatement réparties entre nous quatre... Mais assez parlé travail. Asseyez-vous et tâchez de vous détendre. Nous nous arrêterons à mi-chemin pour refaire le plein de carburant.

Emma s'installa dans un siège de cuir rembourré et inspecta l'intérieur de l'appareil. Il comportait six places et était nettement plus spacieux et plus confortable qu'elle ne s'y serait attendue, pour un si petit avion.

— Les toilettes sont situées à l'avant. Vous trouverez des rafraîchissements à l'arrière, et des magazines dans le petit placard au-dessus de la cafetière.

— A vous entendre, on croirait que vous avez l'intention de sauter en parachute en me laissant seule à bord !

— Je serai dans le cockpit.

— Et qu'y ferez-vous ?

— Je piloterai. Même si ce petit bijou vole pratiquement tout seul, à vrai dire.

— C'est vous le pilote ?

— Vous pensiez que je ne savais rien faire d'autre que monter à cheval et marquer le bétail ?

— Vous ne cessez jamais de me surprendre.

— Et vous n'avez encore rien vu. Attachez votre ceinture. La météo est bonne, et le vol devrait se dérouler sans problème. Détendez-vous.

Mais, face à la perspective de passer une nuit à l'hôtel avec lui, perturbée comme elle l'était sur le plan émotionnel, comment pourrait-elle réussir à se détendre ? songea Emma.

*
* *

Quelle sale journée ! Même le dimanche, pas moyen d'avoir la paix, pesta le shérif Garcia en ouvrant le dossier que son adjoint Hagen venait de lui remettre — les résultats provisoires des recherches sur la victime retrouvée près du ranch des Lambert. Il alla droit au rapport sur les empreintes digitales.

Julio Gonzales. Il avait un casier judiciaire bien fourni : cambriolage, chèques falsifiés, usage de cartes de crédit volées, ivresse et trouble à l'ordre public, agression sexuelle... Quatorze arrestations et... Il effectua un rapide calcul mental en parcourant la liste : six mois et quatorze jours de prison en tout. Expulsé deux fois du territoire.

Pourquoi, alors qu'il y avait tant de Latino-Américains honnêtes, travailleurs et respectueux de la loi dans l'Etat du Texas, fallait-il que ce Julio Gonzales vienne se faire tuer dans son comté et lui donner tout ce tracas, sans parler des tonnes de paperasses à remplir ?

Mais, au vu de ce dossier, il pouvait maintenant accorder foi au récit d'Emma Smith. Elle n'avait sans doute pas menti en invoquant la légitime défense, et il n'y avait pas lieu de l'inculper pour meurtre. Toutefois, il avait besoin d'informations supplémentaires sur la jeune femme, pour compléter ses rapports. Et, avant tout, son numéro de sécurité sociale.

S'il n'y avait pas eu le bébé, il aurait pu s'en tenir là.

Il effectua des recherches sur un dénommé Juan Perez résidant à Dallas. Aucun mandat d'arrêt à ce nom, ce qui était déjà bon signe.

Il repoussa les papiers. Demain, il serait bien assez tôt pour s'en occuper.

Il se rendrait au ranch des Lambert en personne. Cela lui donnerait peut-être l'occasion de s'entretenir avec Carolina. Le meilleur parti de toute la région. Encore très séduisante pour son âge. Riche comme Crésus. Et bonne comme le bon pain.

Mais elle pleurait toujours Hugh. Et il n'était pas de taille à le remplacer. Personne ne le pouvait.

Cependant, il était peut-être utile de rappeler à Carolina qu'il était disponible, si un jour elle décidait qu'il lui fallait un homme…

Soulevant le sac d'Emma, qu'il n'avait pas voulu confier au porteur, Damien appuya sur le bouton du troisième étage. L'hôtel n'était pas précisément aussi intime ni d'un luxe aussi discret qu'il l'aurait souhaité, mais il ferait l'affaire.

Emma était restée silencieuse tout au long du trajet, dans le taxi qui les avait conduits à South Beach, et cela l'inquiétait. Il savait que revenir aux Caraïbes risquait de la bouleverser, mais elle ne lui avait pas laissé le choix.

Si elle se tracassait à l'idée qu'ils allaient passer la nuit ensemble, elle n'était pas la seule. Il éprouvait toujours envers elle des sentiments mitigés, partagé entre son désir de la protéger et le soupçon persistant qu'elle ne lui avait pas tout dit.

Ce qui ne diminuait en rien l'attirance physique qu'elle exerçait sur lui, et qui semblait croître de seconde en seconde. Mais, après ce qu'elle avait vécu, elle avait besoin d'un ami et d'un protecteur, et c'était tout.

Arrivé devant la chambre, il glissa la carte-clé dans la fente et ouvrit la porte.

Emma poussa un petit cri et se rua à l'intérieur de la pièce.

— Quelque chose ne va pas ? demanda-t-il en la rejoignant près de la porte-fenêtre. Si cela ne vous convient pas, nous pouvons changer de chambre, ou même d'hôtel.

— Vous êtes fou ? Regardez cette vue. C'est magnifique !

Devant son enthousiasme, il fut obligé d'acquiescer,

en se disant qu'en fin de compte c'était peut-être en effet l'hôtel idéal.

Ouvrant les portes vitrées, elle passa sur la terrasse.

— Puis-je utiliser votre portable ? demanda-t-elle en se tournant vers lui. J'aimerais prendre des nouvelles de Belle, avant de me laisser absorber par la contemplation du paysage.

— Bien sûr, répondit-il en lui tendant l'appareil. Pendant ce temps, je vais appeler le service d'étage, pour commander une bouteille de vin. Nous pourrons la boire sur le balcon. Blanc ou rouge ?

— Non, pas de vin, dit-elle d'une voix où l'enthousiasme avait fait place à la détresse. Je sais que ça va vous paraître bizarre, mais c'est simplement que Caudillo m'en servait toujours…

— Je comprends, l'interrompit-il d'un ton bourru.

— Et si vous commandiez plutôt de la bière ? proposa-t-elle. Cela fait des mois que je n'en ai pas bu.

— Bonne idée.

Quand il eut demandé les boissons, ainsi que des canapés au crabe, Emma annonça :

— Tout va bien. Carolina m'a dit que Belle était un bébé modèle.

— Ne craignez-vous pas que maman ne la gâte un peu trop ?

— Belle a besoin qu'on la gâte, répondit Emma en lui rendant le téléphone. Elle a perdu sa maman.

Tout comme Damien Briggs, fils de Melissa Briggs, en avait eu besoin à la mort de sa mère, pensa Damien. Les doutes que l'acte de naissance avait fait naître en lui revinrent l'assaillir.

— Pensez-vous qu'une femme puisse aimer un enfant adoptif autant que ses enfants biologiques ? demanda-t-il.

— Je crois que cela dépend de la mère. Certaines n'aiment

même pas leurs propres enfants. Mais oui, je crois que c'est possible. L'amour ne rétrécit pas le cœur, au contraire ; il l'agrandit pour faire de la place à davantage d'amour encore.

— On croirait entendre ma mère.

— Ce n'est pas de Carolina que je tiens ce dicton, mais d'une autre dame qui possédait elle aussi une grande sagesse. J'espère avoir plein d'enfants un jour, à la fois biologiques et adoptifs, afin de prouver qu'elle avait mille fois raison.

— Ces enfants auront de la chance.

Presque autant que l'homme avec qui elle fonderait cette famille.

Sa mère était tout à fait capable d'aimer le bébé d'une autre aussi profondément que les siens, surtout si c'était celui de sa sœur.

Mais pas Hugh. Pour lui, les liens du sang comptaient avant tout.

Un coup discret contre la porte annonça l'arrivée du serveur.

— Je vais ouvrir, dit Damien.

Son portable sonna pendant qu'il signait l'addition. Il prit l'appel tout en refermant la porte.

— J'espère que je ne te dérange pas.

— Pas de problème, Carson. Que se passe-t-il ?

— Je viens de trouver une nouvelle information au sujet de ce Caudillo, et je me suis dit que ça pouvait t'intéresser.

— Je t'écoute.

— Il est marié à une Américaine qui travaillait au Bureau de répression des fraudes. La cérémonie a eu lieu à bord de son yacht, l'année dernière.

— Connais-tu le nom de cette femme ?

— Emma Muran.

9

La main de Damien se crispa sur le téléphone. Il s'était attendu à de nouvelles complications, mais pas à ce coup de théâtre.

— L'information est-elle crédible ?

— Un certificat de mariage a été établi à Aruba. La cérémonie elle-même a eu lieu à bord du yacht de Caudillo, dans la mer des Caraïbes, mais l'emplacement exact n'est pas précisé.

— As-tu pu te procurer une copie de l'acte de mariage ?

— Oui. Il a été signé par Anton Klein, Emma Louise Muran, le capitaine du navire, qui a célébré leur union, et deux témoins.

— A quelle date ?

— Le 13 mars de l'année dernière.

Le mois où Emma disait avoir été enlevée…

— Je ne sais pas si cette info peut avoir de l'importance, reprit Carson, mais j'ai cru bon de te la transmettre.

— Tu as bien fait.

La conversation terminée, Damien prit les bières et les canapés, puis se dirigea vers le balcon. Malheureusement, le soleil avait disparu derrière l'horizon et le ciel s'était assombri.

Comme l'humeur de Damien.

Peut-être Durk avait-il raison, peut-être avait-il eu tort de croire Emma. Mais il n'était pas encore prêt à en accepter l'idée.

— C’est bizarre, dit Emma en prenant la bière qu’il lui tendait, mais j’aime toujours entendre le bruit des vagues. Au moins, ce monstre ne m’aura pas enlevé ça.

— Tant mieux.

— Quelque chose ne va pas ? demanda-t-elle, percevant la tension dans sa voix.

— La date du 13 mars a-t-elle une signification particulière pour vous ?

— C’est le jour où j’ai été enlevée.

— Selon un document établi à Aruba, c’est également celui où vous avez épousé Anton Klein, plus connu sous le nom de Caudillo.

Elle se redressa dans sa chaise longue d’un mouvement si brusque qu’elle renversa sa bière.

— Vous plaisantez ?

— Donc ce n’est pas vrai ?

— Sauf si le mariage, aux Caraïbes, consiste à droguer une femme et à la tenir prisonnière.

— Le mariage est censé avoir été célébré à bord de son yacht.

— Je m’y trouvais effectivement ce soir-là, mais il m’a fait boire une drogue à mon insu et quand je me suis réveillée, nous voguions vers Enmascarado.

Elle se leva et alla s’appuyer contre la balustrade. C’est alors seulement qu’elle prit conscience de ce qu’impliquaient les paroles de Damien.

— Vous avez cru que je pouvais avoir épousé Caudillo de mon plein gré, n’est-ce pas ?

— Cette idée m’a traversé l’esprit, je le reconnais.

— Dans ce cas, que faites-vous ici, Damien ? Si vous n’avez toujours pas confiance en moi, pourquoi prenez-vous de tels risques pour moi ? Par goût du danger ?

— Non, je tiens à la vie. Mais ce n’est pas en vous mettant en colère que vous allez arranger les choses.

— Vous croyez ? Je vous ai confié des choses que je n'avais jamais dites à personne, des peurs qui continuent de me hanter jour et nuit. Et vous pensez que j'aurais omis de vous avouer que j'avais épousé mon tortionnaire ?

Il s'avança vers elle et lui prit la main. Elle la retira d'un geste vif.

— Je crois tout ce que vous m'avez dit, Emma. Mais considérez un peu les choses de mon point de vue.

— C'est-à-dire ?

— Dès l'instant où je vous ai rencontrée, vous m'avez débité mensonge sur mensonge. Puis, petit à petit, la fiction a laissé place à la vérité. Comment puis-je faire le tri entre le faux et le vrai ?

Emma sentit la colère refluer en elle. Il n'avait effectivement aucune raison de se fier à elle.

— C'est juste, concéda-t-elle. Mais je vous garantis que je n'ai plus aucune révélation à vous faire.

— Dans ce cas, nous pourrions peut-être reprendre d'autres bières, car il y a d'autres complications, en dehors de ce prétendu mariage.

Pendant qu'il allait chercher les boissons, elle resta accoudée au rebord du balcon, à regarder le clair de lune jouant sur la mer, tout en tentant d'assimiler ce qu'elle venait d'apprendre. Caudillo était pourri jusqu'à la moelle, mais il ne faisait jamais rien sans une raison précise.

En quoi ce faux mariage pouvait-il lui être utile ? Elle n'était pas une riche héritière. Il n'avait rien à y gagner.

Quand Damien la rejoignit, elle lui demanda :

— Alors, qu'avez-vous appris d'autre au sujet de Caudillo ?

— Sur lui, pas grand-chose. A votre sujet, en revanche…

— A mon sujet ? C'est sur moi que vous enquêtez, à présent ? Et que suis-je censée avoir fait ?

— Vous n'avez jamais été portée disparue.

— Vous devez vous tromper ! Au début de mon séjour,

j'envoyais des SMS à mon amie Dorothy tous les jours. Et, d'un seul coup, silence total. Il est impossible qu'elle n'ait pas signalé ma disparition !

— Sauf si elle a eu vent de votre mariage.

— Non, encore moins ! Elle sait que je n'aurais jamais fait une chose pareille sans l'en avertir. Elle serait allée tout droit à la police dès qu'elle aurait constaté qu'elle n'arrivait plus à me joindre. Et même s'il lui est arrivé un accident ou quelque chose comme ça, il y a aussi mes collègues de travail. Quelqu'un a forcément dû signaler aux autorités que je m'étais évaporée durant mes vacances aux Caraïbes. Et les médias font généralement leurs choux gras de ce genre de fait divers…

— Aucun d'entre eux n'a jamais mentionné votre disparition, pas même un journal local.

— Je ne comprends pas.

— Pour une raison ou une autre, les gens ont dû penser que vous aviez choisi de rester là-bas.

— Je ne vois pas ce qui les aurait incités à le croire, à moins que…

Elle abattit rageusement la main sur la balustrade.

— C'est Caudillo ! C'est lui qui est derrière tout ça. Je ne sais pas comment il s'y est pris, mais ça ne peut être que ça. Puis-je utiliser de nouveau votre portable, Damien ? Je vais tout de suite appeler Dorothy.

Les doigts tremblants, elle tapa le numéro sur le clavier. La sonnerie résonna trois fois, puis une voix inconnue répondit.

— Pourrais-je parler à Dorothy ? demanda Emma.

— Vous avez dû faire un faux numéro.

— Ce n'est pas celui de Dorothy Paul ?

— Non. C'est le mien depuis le mois de mars dernier, mais il devait auparavant être attribué à cette Dorothy, car vous n'êtes pas la première à la demander.

Emma sentit l'air se vider de ses poumons tandis qu'elle remerciait son interlocutrice. Elle aurait sûrement dû se mettre à pleurer, ou à hurler, mais elle se sentait comme engourdie.

— Dorothy est morte. Caudillo l'a tuée, Damien. Je le sais.

— C'est la personne qui vous a répondu qui vous l'a dit ?

— Non. Mais elle m'a affirmé que le numéro avait été réattribué. Je connais Caudillo. Il a dû vérifier les messages que j'avais envoyés, et voir que j'avais parlé à Dorothy de notre rencontre. Alors il l'a tuée pour l'empêcher de prévenir la police.

— Il ne faut pas tirer de conclusions trop hâtives, Emma... Y a-t-il quelqu'un d'autre que vous pourriez appeler, pour savoir ce qui lui est arrivé ?

— Je pourrais contacter une de mes anciennes collègues.

— Attendons encore un peu. Je m'occuperai de ça à la première heure demain matin, mais, en attendant, il n'y a pas lieu de vous affoler. Caudillo n'a pas pu tuer toutes les personnes que vous connaissiez pour les empêcher de signaler votre disparition. Il s'est passé autre chose. Et rien ne nous dit que Dorothy n'a pas tout simplement changé de numéro.

— C'est vrai qu'elle avait l'habitude d'en changer chaque fois qu'elle rompait avec un petit ami...

— Je vais appeler mon copain Carson et lui demander s'il peut trouver le numéro de Dorothy Paul à Nashville. Pour en revenir au fait que votre disparition n'a pas été signalée... qu'en est-il de vos parents, des autres membres de votre famille ? Les avez-vous contactés depuis votre évasion ?

— Je n'ai pas de famille. Question suivante ?

— Qui a eu l'idée de choisir les Caraïbes comme destination de vacances ?

— Dorothy. Je voulais aller en Italie, et elle m'a convaincue qu'un voyage dans les îles serait plus amusant...

Sa voix se brisa.

— Je crois que nous pouvons nous arrêter là pour ce soir, déclara Damien. Si nous allions dîner ?

— J'ai perdu l'appétit.

— Acceptez-vous quand même de venir avec moi au restaurant pour me tenir compagnie ?

— Oui, si vous me laissez le temps de prendre d'abord une douche.

— Prenez autant de temps que vous le voudrez.

Elle alla déposer les bouteilles vides à l'extérieur de la chambre. Quand elle se retourna, Damien se tenait sur le seuil d'une pièce attenante à la leur.

— Laquelle préférez-vous ? Elles sont légèrement différentes, mais elles ont toutes les deux la même vue.

Ainsi, ils ne dormiraient pas ensemble… Emma n'était pas sûre d'en avoir envie mais, dans ce cas, pourquoi était-elle contrariée qu'il ait pris la décision sans la consulter ?

Parce qu'il n'avait pas besoin d'elle comme elle avait besoin de lui. Qu'il n'était pas perturbé sur le plan émotionnel. Qu'il n'avait pas passé dix mois entre les mains d'un fou.

— Je prendrai l'autre, répondit-elle en s'emparant de son sac.

Et elle garderait la porte fermée. Pas pour empêcher Damien d'entrer, mais pour s'empêcher de le rejoindre…

Dès son entrée dans le restaurant, Caudillo devint l'objet de toutes les attentions. D'ordinaire, il aimait que les serveuses s'empressent autour de lui comme s'il était une star, mais, ce soir, il avait envie qu'on le laisse tranquille. Comme il tenait à préserver les apparences, il se prêta néanmoins au jeu.

— Quel plaisir de vous revoir ! Il y avait longtemps que vous n'étiez pas venu, monsieur Caudillo.

— Trop longtemps. Vous me manquiez, de même que

votre délicieux velouté de champignons. J'espère qu'il y en a au menu de ce soir.

— Il y en a toujours. Et, dans le cas contraire, je serais allée moi-même vous le préparer en cuisine.

La beauté exotique se pencha vers lui, de manière à lui permettre de contempler ses seins fermes à peine couverts par le haut du Bikini qui constituait son uniforme.

Il veillerait à la récompenser de son obligeance. Contrairement à Emma, il ne la rendait pas malade, elle ! Il est vrai qu'au début Emma n'avait pas paru le trouver si répugnant. Il avait même eu l'impression de lui plaire...

Une autre serveuse se précipita vers lui avec un plateau de petits beignets de morue.

— Ils sont tout frais. Le chef les a préparés exactement comme vous les aimez.

Elle les déposa sur la table en ondulant des hanches, pour mettre en valeur ses fesses voluptueuses.

Tout au long de la soirée, les jeunes femmes rivalisèrent d'efforts pour lui plaire, sans réussir cependant à chasser Emma de son esprit.

Ils étaient assis à cette même table, le soir où ils s'étaient rencontrés. Une rencontre qu'elle croyait purement fortuite, mais Caudillo n'était pas le genre d'homme à s'en remettre au hasard.

Il l'avait repérée du pont de son yacht, avant même d'avoir jeté l'ancre, et l'avait observée dans ses jumelles pendant une bonne heure.

Et même sa présence à Misterioso n'était pas une coïncidence. Il était venu ici spécialement pour elle, et elle n'avait pas déçu ses attentes, du moins, ce jour-là.

Ce n'était pas son refus de lui dévoiler les secrets du Bureau de répression des fraudes qu'il lui reprochait le plus. C'était l'humiliation, le sentiment de rejet qu'il avait éprouvés. Son seul contact l'avait rendue malade, et elle lui avait vomi en pleine figure. Le contenu fétide de son estomac l'avait éclaboussé, lui entrant dans les yeux, le nez et même la bouche.

Après ça, il avait été incapable de tenter de lui faire l'amour de nouveau, craignant qu'elle ne lui inflige le même affront.

Il aurait dû la donner immédiatement en pâture aux requins. Mais il ne supportait pas l'idée de la perdre. Quand il quittait l'île, il pensait constamment à elle et avait hâte de la retrouver.

C'était bien fini à présent.

Il avait paré à tout. Même si Emma était assez folle pour le dénoncer au FBI, personne ne la croirait. Si elle l'accusait de l'avoir enlevée alors qu'il pouvait prouver qu'ils étaient mariés, qui ajouterait foi à sa parole quand elle l'accuserait de trafic d'armes ?

Elle n'était plus une menace pour lui. Et la faire éliminer ne lui procurerait pas une réelle satisfaction.

C'était pourquoi il se chargerait lui-même de cette tâche. Il verrait son regard suppliant pendant qu'il la torturerait comme il l'avait fait pour les autres. Il lui tiendrait la main pendant qu'elle implorerait la mort.

Et, magnanime, il exaucerait son vœu.

Ils avaient dîné à la lueur des bougies, dans le restaurant surplombant la mer argentée par la lune. Un cadre romantique à souhait, idéal pour des amoureux. Mais bien mal approprié pour Damien et elle, songea Emma.

Elle avait à peine touché à son poisson grillé, tandis que Damien dévorait son steak et son homard. Maintenant, ils étaient de retour à leur hôtel, et demain matin l'attendait l'éprouvante perspective de revoir Enmascarado.

— Nous pourrions aller faire une promenade le long de la plage, suggéra Damien.

— Pas ce soir. Je suis fatiguée. Je crois que je vais me coucher tout de suite.

— Vous avez raison, répondit-il. Nous partirons d'ici vers 7 heures du matin, si cela vous convient. Nous prendrons le petit déjeuner sur le chemin de l'aéroport.

Son portable se mit à sonner, mais il l'ignora.

— Vous ne répondez pas ? s'étonna-t-elle. C'est peut-être votre mère qui nous appelle au sujet de Belle.

Il leva les mains en signe de reddition et regarda le numéro affiché à l'écran.

— C'est Tague. Il vaut mieux que je prenne l'appel.

— Allez-y. Bonne nuit, Damien.

Avant qu'il ait pu protester, elle s'était éclipsée.

Une fois dans sa chambre, elle ouvrit les rideaux et contempla le ciel étoilé.

En mars, elle avait cru partir pour le paradis et s'était retrouvée en enfer. Puis elle avait fui vers le Texas et avait rencontré Damien. Un premier homme avait détruit sa vie et fait d'elle une loque sur le plan affectif. Le deuxième risquait de lui briser le cœur.

Elle n'était pas la femme qu'il fallait à Damien, et il s'en rendrait compte dès qu'il aurait rempli son rôle de sauveur.

Ouvrant son sac de voyage, elle en sortit son pyjama et le jeta sur le lit.

Malgré elle, elle replongea sa main à l'intérieur du bagage et prit la nuisette de soie. La tenant contre son corps, elle s'approcha du grand miroir sur la porte de la penderie.

Ce fut à peine si elle reconnut la femme qu'elle avait en face d'elle.

C'était l'Emma d'autrefois, celle qui n'avait pas peur d'avoir l'air sexy. Celle qui se démenait au travail pour obtenir une promotion. Celle qui avait préféré partir en vacances seule plutôt que perdre l'acompte qu'elle avait déjà versé.

La femme qui était stupidement montée à bord d'un yacht appartenant à un mystérieux inconnu.

Des larmes lui montèrent soudain aux yeux. A présent, elle était une femme qui avait peur de vivre, par crainte que Caudillo ne la retrouve.

Damien tapa doucement contre la porte qu'elle avait laissée entrebâillée.

— Que diriez-vous d'un petit digestif, pour vous aider à dormir ?

Levant les yeux, elle l'aperçut dans le miroir.

Elle lâcha aussitôt la chemise de nuit avec le sentiment gênant d'être nue devant lui, alors qu'elle portait encore sa robe noire.

Une seconde plus tard, les bras de Damien se refermaient autour d'elle.

Elle se retourna et, le visage ruisselant de larmes qu'elle ne pouvait ni expliquer ni retenir, unit sa bouche à la sienne dans un long baiser.

10

Damien voulait seulement serrer Emma dans ses bras, mais, dès que leurs lèvres se trouvèrent, le désir si longtemps refoulé explosa en lui.

Ce contact l'électrisa, l'embrasant d'une passion si ardente qu'il eut l'impression d'être en feu. Lorsqu'il reprit sa respiration, il embrassa les paupières d'Emma, le bout de son nez, le lobe de ses oreilles, son cou souple et sensuel.

Quand elle gémit, il la souleva du sol et retint son souffle tandis qu'il la pressait contre son sexe durci. Il trouva la fermeture à glissière de sa robe et la fit descendre de manière à libérer ses seins.

— Oh, Emma…

Puis, brusquement, un éclair de lucidité traversa son cerveau embrumé, et il s'écarta d'elle.

— Qu'y a-t-il ? s'étonna-t-elle.

— Je me comporte comme un animal…

— Ce n'était donc que ça ? Une simple pulsion animale ?

La douleur qu'il perçut dans sa voix lui fit l'effet d'un coup de poing.

— Non, c'était bien plus que cela. Mais je n'en avais pas le droit, après ce que tu as vécu, alors que tu es encore si vulnérable…

— Tu as raison, Damien. Tu as toujours raison, et ça commence à m'agacer sérieusement. J'essaie d'aller de l'avant. J'ai échappé à ce monstre, mais il est toujours dans ma tête et l'horreur resurgit au moment le moins approprié.

— Je sais. Mais tu finiras par surmonter tout ça, Emma. Tu es la femme la plus déterminée que j'aie jamais connue.

— A titre d'information, je ne pensais pas à Caudillo quand nous nous sommes embrassés. Je ne pensais pas du tout, en fait.

— J'ai envie de t'embrasser encore, Emma. J'ai tellement envie de te faire l'amour que ça me rend dingue. Mais je veux être sûr que tu ne le regretteras pas. Je veux que tu sois prête… Je vais aller prendre une douche bien froide. Mais, avant cela, j'ai un service à te demander.

— Tout ce que tu voudras.

— Garde constamment cette nuisette rose à portée de main. Quand le moment sera venu, j'aimerais que tu la portes. Au début, en tout cas.

— Je te le promets de tout cœur, Damien Lambert.

Il sortit en hâte, sans oser lui donner un baiser d'adieu, laissant la porte entrouverte au cas où elle ferait un cauchemar et aurait besoin de lui.

Cette nuit, il pourrait lui porter secours. Mais, demain, il la ramènerait dans la zone de combats…

Emma était assise dans le cockpit à côté de Damien quand Enmascarado apparut à l'horizon. Elle rassembla ses forces en vue de lutter contre une attaque de panique ou une vague de nausée.

Mais, de façon surprenante, elle n'eut ni les mains moites ni l'estomac soulevé. Soit elle était en net progrès, soit elle se sentait rassurée par la présence de Damien.

Le yacht n'était nulle part en vue, ce qui voulait dire que Caudillo ne se trouvait pas ici. La forteresse lui parut moins intimidante que dans son souvenir, l'île beaucoup plus petite. Du moins, jusqu'à ce que l'avion entame sa descente.

— Nous allons décrire un cercle au-dessus de l'île, annonça Damien. Tu commenteras ce que tu vois.

— N'oublie pas que je n'en connais qu'une petite partie. Je suis arrivée de nuit et, ensuite, je suis restée confinée entre les murs de la maison.

— Parle-moi simplement de ce que tu reconnais. Le nord de l'île est juste au-dessous de nous.

— Voici la maison, dit-elle. Et cette petite crique à une centaine de mètres, là-bas, c'est l'endroit où il amarre généralement son yacht.

— Ça ressemble plus à une marina qu'à un embarcadère privatif.

— Oui, à cette différence que Caudillo en est le seul usager. Il y avait au moins deux douzaines d'ouvriers sur le quai la nuit de mon arrivée. J'étais encore sous l'effet du narcotique, mais je me rappelle qu'ils nous ont aidés à débarquer, et je suppose qu'ils ont ensuite nettoyé le bateau en vue du prochain voyage.

— Parle-moi de la maison.

— A condition de me promettre que tu ne vas pas essayer d'y pénétrer pour affronter Caudillo.

— Je m'y suis déjà engagé. Mais avoue que ce serait amusant de voir la tête qu'il ferait si tu débarquais avec toute une équipe des forces spéciales de l'US Navy, en lui disant que tu viens récupérer la moitié de ses biens, comme c'est ton droit en tant qu'épouse légitime.

— Ne plaisante pas là-dessus.

— Tu as raison. Ce n'est pas drôle. Mais je t'ai vue esquisser un sourire. Je vais décrire un nouveau cercle au-dessus de la partie nord, mais peux-tu me dire ce que sont ces bâtiments à l'ouest ?

— Je n'en ai aucune idée. J'ignorais même leur existence.

— Il pourrait s'agir des baraquements où il loge son armée… A-t-il déjà mentionné devant toi le nombre d'hommes qu'il employait ?

— Non, mais je présume qu'il devait y en avoir au moins

une cinquantaine, en comptant les gardes à l'intérieur de la maison. Peut-être davantage.

— Et, manifestement, personne ici ne s'étonne qu'un homme d'affaires ait besoin d'une milice privée ? Je suppose qu'il a dû acheter le silence des autorités.

— L'île lui appartient, lui rappela Emma. Il m'a dit qu'elle lui avait été offerte par un prince dont je n'avais jamais entendu parler, mais il mentait probablement…

— Et ce bâtiment rectangulaire, derrière le bosquet de goyaviers, reprit Damien en tendant le doigt vers la gauche, sais-tu à quoi il sert ?

— C'est l'entrepôt où se trouvaient les caisses d'armes emportées par les assaillants, la nuit de mon évasion. Leur bateau était amarré sur le quai situé juste derrière.

— Nous allons à présent avoir une nouvelle vue de la maison, côté sud. Elle a en effet tout d'une forteresse, avec ces hauts murs de pierre qui l'entourent… il n'y manque que les douves.

— Il n'y a ni douves ni pont-levis. On entre directement dans la pièce principale. C'est une vaste salle dépourvue de meubles, une sorte de gigantesque vestibule.

— Où se trouvait ton appartement ?

— Dans l'aile droite.

— Et ceux des deux autres femmes que tu as aperçues ?

— Je l'ignore. Pas assez près en tout cas pour que je puisse communiquer avec elles à travers les murs.

— Alors, il pouvait très bien détenir d'autres prisonnières que tu n'as jamais vues ?

— C'est possible.

Tout à coup, la lumière se fit dans l'esprit d'Emma. Elle aurait dû comprendre depuis longtemps. Toutes ces questions. Le survol de l'île, le voyage aux Caraïbes…

Damien ne projetait peut-être pas de mener lui-même une

opération de sauvetage, mais il comptait récolter tous les renseignements nécessaires à une éventuelle intervention.

— Tu vas transmettre ces informations au FBI, n'est-ce pas ?

— Nous en discuterons plus tard.

— Et si Caudillo a des informateurs au FBI comme il le prétend, combien de temps lui faudra-t-il pour me retrouver, à ton avis ?

— Il ne te retrouvera jamais, parce que je ne ferai rien avant d'avoir la certitude que tu ne cours plus aucun risque. Regarde les choses en face, Emma : tu ne te sentiras jamais en sécurité tant que Caudillo ne sera pas mort ou derrière des barreaux. Pour ce que nous en savons, il est peut-être déjà en train de choisir ta remplaçante. Il faut mettre fin à ses agissements.

Elle inspira profondément, luttant contre la peur qui la retenait captive, comme Caudillo autrefois. Elle avait cessé de mentir à Damien. Il était temps qu'elle arrête de se mentir à elle-même.

— Je partage ton avis, Damien. Au fond de moi, j'ai toujours su que je ne pouvais pas me contenter de m'enfuir et soulager ma conscience en passant un appel anonyme. Mais l'idée de me retrouver en face de lui me terrifie d'une manière indescriptible.

— Tu as toutes les raisons d'avoir peur, mais je ne veux pas te perdre à cause de ça, Emma, répondit-il en lui prenant la main. Je ne veux pas te perdre, point final.

— Nous sommes juste au-dessus de Misterioso, en ce moment, annonça Damien.

Emma se pencha pour mieux voir.

— Vue d'ici, elle a la forme d'un cerf-volant.

— Veux-tu que je vole plus bas pour voir si tu repères l'hôtel dont tu es tombée amoureuse ?

— Je crois qu'il se trouve tout au bout de la queue du cerf-volant. Mais je ne l'aime plus du tout, à présent. C'est là que j'ai rencontré le monstre.

— La plage a l'air superbe, reprit Damien, mais il n'y a pas de piste d'atterrissage digne de ce nom. On ne peut y arriver que par bateau ou par hélicoptère.

— C'est pourquoi nous avions réservé un bateau à l'avance, répondit-elle. Cela serait revenu moins cher d'en louer un sur place, mais Dorothy voulait à tout prix visiter une des îles les moins fréquentées par les touristes.

— Dorothy avait beaucoup de projets, pour quelqu'un qui s'est décommandé à la dernière minute.

— Je te l'ai expliqué, c'était à cause d'un problème financier. Et j'avais très envie de voir Misterioso, moi aussi.

— Comment en aviez-vous entendu parler ? Par une agence de voyages ?

— Non, Dorothy avait fait des recherches sur Internet. Elle était très malheureuse de devoir renoncer à ce voyage, et elle ne pouvait pas prévoir ce qui allait m'arriver. Si elle m'avait accompagnée, nous aurions peut-être été enlevées toutes les deux. Je sais qu'elle aurait bondi sur l'occasion de monter à bord de ce yacht fabuleux.

Néanmoins, Damien ne pouvait s'empêcher d'avoir des doutes. C'était Dorothy qui avait tout organisé, et son amie avait dû partir sans elle. Pourtant, elle n'avait pas prévenu les autorités en constatant qu'Emma avait cessé de lui donner des nouvelles et qu'elle n'était pas rentrée chez elle. Il n'allait pas aborder la question maintenant, car il avait perçu la tristesse dans la voix d'Emma à l'évocation de son amie. Elle pensait que Dorothy était peut-être morte. Il avait une autre idée à ce sujet, mais il ne voulait pas la bouleverser davantage.

Il décrivit un autre cercle au-dessus de l'île, en volant à

plus basse altitude pour mieux voir les trois yachts ancrés dans l'anse.

— C'est celui-là, murmura Emma en posant une main sur son bras. Le plus grand. C'est le yacht de Caudillo.

— Tu en es sûre ?

— Oui. Combien de yachts de cette taille peut-il y avoir dans les Caraïbes ? Si le bateau est là, cela signifie que Caudillo n'est pas loin. Si nous possédions un de ces drones utilisés par l'armée, nous pourrions l'envoyer sur lui et le réduire en miettes.

Sa voix était dure, saccadée comme un tir de mitrailleuse, et Damien se sentit lui aussi envahi par des pensées meurtrières. Il aurait aimé étrangler ce salaud de ses propres mains.

Diverses possibilités surgirent dans son esprit, et il s'efforça de les passer en revue de façon rationnelle. Il pouvait atterrir sur l'une des autres îles et louer un bateau pour se rendre sur Misterioso. Ils iraient ensuite voir les autorités et porteraient plainte contre Caudillo.

La police ne pourrait certainement pas le laisser en liberté, une fois qu'Emma leur aurait raconté le calvaire qu'elle avait enduré. Mais Caudillo était connu et respecté, à Misterioso, alors qu'Emma et lui étaient des intrus. Il ne faisait guère de doute que les autorités se rangeraient du côté du milliardaire.

Il pourrait aussi appeler le FBI pour lui demander de l'aide. Mais, quand on vérifierait les informations sur Emma Muran, on découvrirait qu'elle était mariée à Caudillo, et l'histoire de l'enlèvement perdrait alors beaucoup de sa crédibilité.

D'où le certificat de mariage. Pour Caudillo, il constituait une assurance contre toute plainte que pourrait déposer Emma. Sans doute ce faux document avait-il été établi tout récemment, après son évasion.

Tandis qu'il réfléchissait, le yacht se mit en mouvement. Damien reprit de l'altitude et, impuissant, regarda le navire s'éloigner vers le large.

— J'espère qu'il va être englouti par une vague monstrueuse, dit Emma à voix basse.

— Oui, souhaitons-le.

Mais, au cas où ce vœu ne serait pas exaucé, mieux valait prévoir un plan de rechange. Et faire en sorte d'inciter le FBI à y jouer un rôle actif.

Pour cela, il devait retrouver Dorothy Paul. En vie, de préférence.

Le moment était venu également de renégocier le contrat passé avec Emma. Les frères Lambert travaillaient mieux en équipe.

— Nous voici rentrés au bercail, dit Damien en s'arrêtant sous l'auvent du garage du ranch. Respire cette bonne odeur de fumier et de terre humide !

— J'espère que tu ne comptes pas arrêter l'élevage pour te lancer dans la poésie ! Mais je suis heureuse, moi aussi, d'être de retour, et j'ai hâte de revoir Belle.

— Fonce vite l'arracher aux griffes de maman, je me charge des bagages.

— Ta mère va me demander si nous avons retrouvé la trace du père de la petite.

— Dis-lui que c'était une fausse piste.

— Cela me répugne de lui mentir.

— Tu peux choisir de lui dire la vérité. La décision t'appartient.

— Je ne veux pas l'entraîner dans le monde terrifiant de Caudillo. Je devrais plutôt laisser Belle aux soins de Carolina et disparaître comme je l'avais prévu initialement. Tu détiens maintenant suffisamment d'informations que tu peux transmettre au FBI, à la CIA ou au Bureau de répression des fraudes.

— Nous y revoilà ! Tu ne penses qu'à fuir.

— C'est la seule solution sensée.

— Elle ne résout absolument rien. Et je ne suis pas encore prêt à alerter les autorités.

— Qu'est-ce qui t'en empêche ?

— Ce faux certificat de mariage rend l'accusation d'enlèvement moins crédible et, si Caudillo possède des relations en haut lieu ainsi qu'il l'affirme, la fouille de l'île ne produira aucun résultat car il aura été prévenu.

— Je n'avais pas pensé à ça.

— Si nous allions voir le FBI avec le peu d'éléments dont nous disposons, le dossier risque de se perdre dans un dédale bureaucratique et se retrouver tout en bas de la pile.

— Et nous n'avons aucune preuve. Il faut regarder les choses en face, Damien. Nous sommes dans une impasse. Caudillo a gagné.

— Il gagnera si nous nous avouons vaincus, et je n'en ai aucunement l'intention. Allez, va vite retrouver Belle.

Elle obéit et gravit le perron au pas de course. Damien avait toujours été heureux de rentrer chez lui. Mais jamais il n'avait éprouvé un tel bonheur qu'en cet instant, en voyant Emma franchir le seuil de sa maison.

Son portable sonna au moment où il jetait les bagages sur son épaule. Il regarda le numéro affiché sur l'écran. C'était celui du détective privé qu'il avait engagé pour retrouver le père de Belle.

— J'ai peut-être de bonnes nouvelles pour vous, annonça l'homme.

— Je vous écoute.

— Je crois avoir localisé le Juan Perez que vous cherchez.

11

— Que pouvez-vous me dire au sujet de cet homme ? demanda Damien.

— Tout d'abord, c'est le seul qui corresponde à peu près au profil. Le hic, c'est qu'il habite à Fort Worth et pas à Dallas.

— Ce n'est pas très important, répondit Damien.

— Le Perez en question est ouvrier dans le bâtiment, reprit le détective, et il travaille depuis six ans dans la même entreprise. Pas de casier judiciaire, pas de dettes. Et, selon son propriétaire, il paie toujours son loyer à temps.

— C'est tout à son honneur, mais je ne vois rien là-dedans qui indique qu'il pourrait être le père de Belle, en dehors de son nom.

— J'y arrive. Il a vingt-neuf ans et il est célibataire. Il est né au Texas, donc ce n'est pas un immigré clandestin. D'après son voisin, il envoie régulièrement de l'argent à sa famille au Mexique, ainsi qu'à une petite amie enceinte. Mais le voisin a ajouté qu'il n'évoquait plus ce sujet depuis quelques semaines, donc qu'il avait pensé qu'entre-temps la fille avait peut-être accouché.

— Avez-vous rencontré Perez lui-même ?

— Pas encore, mais je suis passé devant le chantier où il travaille en ce moment, et je l'ai reconnu grâce à la photo qui figure sur son site Internet.

— Il a un site internet ?

— Oui. Il rénove des voitures pour arrondir ses fins de mois.

— Quand saurez-vous s'il est bien le père d'une petite fille appelée Belle ?

— Ce soir, je l'espère. Il prend généralement une bière après le travail. J'irai dans le bar qu'il fréquente habituellement. En nouant conversation avec lui, je devrais arriver à savoir s'il est bien celui que nous cherchons.

— Envoyez-moi par mail le lien vers son site, ainsi que l'adresse de ce bar, et laissez-moi me charger du reste.

— Vous ne voulez pas que je termine mon enquête ?

— Je ne veux pas que vous effrayiez ce type. Si ce n'est pas le Perez qui nous intéresse, vous pourrez reprendre les recherches.

— Entendu. Tenez-moi au courant.

— Je n'y manquerai pas, mais transmettez-moi ces renseignements dans les minutes qui viennent.

Damien éprouvait des sentiments mitigés à la perspective de retrouver le père de Belle. Il savait que rendre l'enfant à son père biologique était la meilleure chose à faire. Mais, lorsque la petite ne serait plus là, plus rien ne retiendrait Emma au ranch.

Or, la garder près de lui était la seule façon d'assurer sa protection. Il devait au plus vite mettre Caudillo hors d'état de nuire, pour leur bien à tous.

Son portable sonna de nouveau.

Cette fois, les nouvelles étaient catastrophiques.

Carolina était assise à même le parquet du séjour, entourée de ses trésors. Elle avait soigneusement sorti un à un ses souvenirs d'une des caisses descendues du grenier.

Tendant la main vers une boîte rouge en forme de cœur, elle la prit dans sa paume, aussi tendrement qu'elle aurait bercé Belle, et caressa le brocart qui la recouvrait.

Hugh lui avait offert ce coffret et la bague en saphir qu'il renfermait pour leur premier anniversaire de mariage. Leur vrai anniversaire, pas celui qu'ils avaient officiellement instauré pour que Damien ne découvre pas qu'il était né avant leur mariage.

Sur l'anneau étaient gravés les mots : « A toi pour l'éternité ».

Elle avait toujours la bague, mais Hugh n'était plus là…

Elle leva les yeux. Emma venait d'entrer dans la pièce, tenant Belle contre sa poitrine.

— Excusez-moi, dit la jeune femme. Je ne savais pas que vous étiez là. Je ne voulais pas vous déranger…

— Vous ne me dérangez pas, bien au contraire. J'étais perdue dans mes souvenirs, et cela ne me vaut rien. Un peu de compagnie me fera du bien. Sybil et Pearl préfèrent m'éviter quand je suis d'humeur nostalgique, et mes fils aussi.

Ella alla s'asseoir près d'elle. Carolina ramassa une photo qui lui avait fait venir les larmes aux yeux quelques minutes plus tôt. Cette fois-ci, elle amena un sourire sur ses lèvres.

— C'est Hugh, la première fois où il a essayé de donner un bain à Damien. Ils étaient tous les deux trempés, et le sol aussi.

Emma prit la photo pour l'examiner de plus près.

— Quel âge Damien avait-il à ce moment-là ?

— Six mois. Je ne crois pas que Hugh ait eu le courage de le baigner de nouveau avant qu'il commence à marcher. A vrai dire, j'étais presque aussi incompétente que mon époux en la matière. Ni lui ni moi n'avions l'habitude des bébés. Pauvre Damien ! Il nous a servi de cobaye.

— Manifestement, cela ne lui a pas si mal réussi.

— Il ne nous a apporté que des satisfactions. Hugh et moi étions très fiers de nos trois fils.

— Votre mari doit encore beaucoup vous manquer.

— A chaque minute de la journée.

— Quel genre d'homme était-il ?

— Répondre à cette question pourrait me prendre des heures. Mais, pour vous le décrire en quelques mots, la formule la plus appropriée serait sans doute : un personnage hors du commun. Quand il entrait dans une pièce, il éclipsait tout le monde. Il était sociable, plein d'entrain, et tenait toujours parole.

— Vous vous êtes construit une belle vie, tous les deux.

— Hugh adorait ce ranch. Il aimait également le monde des affaires, mais ce domaine était comme un prolongement de lui-même.

— Ce devait être quelqu'un de remarquable.

— En effet, même si je dois reconnaître qu'il n'était pas parfait. Il avait tendance à croire qu'il savait toujours tout mieux que les autres. Un trait de caractère dont Damien a hérité, ainsi que vous avez dû le constater.

— Oui, il a un tempérament assez autoritaire, admit Emma en souriant.

— Vous pouvez donc imaginer que les accrochages étaient fréquents, entre Hugh et lui.

— Comment vous êtes-vous rencontrés, Hugh et vous ?

— J'étais secrétaire médicale d'un cabinet de neurochirurgiens. Un jour, un type superbe est entré dans mon bureau et, quand il m'a souri, j'ai failli m'évanouir. Malheureusement, Hugh était venu accompagner son père qui était atteint d'une tumeur au cerveau… Il est décédé deux mois plus tard. Hugh vivait à Dallas, à l'époque, et était le PDG de la société Lambert. A la mort de son père, il a décidé de nommer un nouveau dirigeant à la tête de l'entreprise et de venir s'installer ici. Il m'a expliqué ses projets le soir même où il m'a demandé de l'épouser. J'ai accepté immédiatement.

— C'était un peu hasardeux d'épouser un homme que vous ne connaissiez que depuis deux mois.

— Nous étions éperdument épris l'un de l'autre.

— Et vous n'avez jamais éprouvé le moindre regret ?

— Mon seul regret, c'est que l'histoire se soit terminée trop vite, répondit Carolina en écrasant une larme. Quand vous déciderez de vous marier, Emma, n'écoutez que votre cœur. Lui seul doit guider votre choix… A présent, poursuivit-elle en se relevant, je ferais mieux de ranger tout ce fouillis. Oh, comment ai-je pu oublier de vous en parler ? Le shérif est passé vous voir ce matin.

— Que me voulait-il ?

— Vous dire que la mort de Julio a été officiellement reconnue comme un homicide involontaire commis en état de légitime défense.

— Quel soulagement !

— Il vous rappellera plus tard. Je crois qu'il a besoin que vous lui indiquiez votre numéro de sécurité sociale, pour les documents administratifs.

Emma avait déclaré être soulagée, mais son expression demeurait soucieuse, ne put s'empêcher de constater Carolina. Comme celle de Damien à leur retour, deux heures plus tôt. Son instinct maternel lui disait que ce n'était pas seulement leur échec à retrouver le père de Belle qui les préoccupait.

— Si vous avez besoin de quoi que ce soit, Emma, n'hésitez pas à me le demander. Et si vous voulez tout simplement parler, je suis disponible également.

— En fait, je dois passer quelques appels longue distance. M'autorisez-vous à utiliser votre téléphone ? Je paierai les communications.

— Appelez qui vous voudrez.

— Merci. Si vous voulez bien m'excuser, je vais le faire tout de suite, avant que Belle décide que c'est l'heure de son repas.

Quand elle fut sortie, Carolina contempla de nouveau la photo de Hugh et Damien.

Comme je voudrais que tu sois là, Hugh ! Quelque chose tracasse Emma et Damien, et je crois qu'il aurait grand besoin de tes conseils.

Si tu le vois de là-haut, donne-lui un coup de main. Mais abstiens-toi de le sermonner, pour une fois.

Emma s'efforçait désespérément de repousser une nouvelle attaque de panique.

Le shérif voulait son numéro de sécurité sociale. Si elle lui donnait le vrai, il découvrirait qu'elle ne s'appelait pas Emma Smith. Si elle lui en donnait un faux, il percerait vite le mensonge.

Et alors il rouvrirait l'enquête. Et, dans tous les cas de figure, elle ne pouvait que perdre.

Et tout ça pour rien. Elle aurait pu avouer sa véritable identité. Personne n'avait signalé sa disparition, on n'avait jamais lancé aucun avis de recherche à son sujet.

Toutes ces nuits où elle avait tenté de se réconforter en se disant qu'on la cherchait partout, qu'on allait venir à son secours… Quelle triste plaisanterie !

Après ces mois de captivité sur cette île horrible, elle allait de nouveau être jetée en prison.

Damien était convaincu de pouvoir tout arranger. Mais il n'y parviendrait pas.

Caudillo finirait par triompher. Il la tuerait, puis repartirait vers des ports tropicaux à bord de son yacht de luxe, en riant de leurs efforts dérisoires pour le terrasser.

Elle leva les yeux en entendant un coup léger contre la porte.

— Entrez.

— J'ai de bonnes nouvelles, annonça Damien en s'avançant vers elle.

Mais son expression démentait clairement ses paroles.

— Le détective privé pense avoir localisé le père de

Belle, poursuivit-il. Je vais à Fort Worth pour vérifier l'information.

— Quand pars-tu ?

— Dans une dizaine de minutes, répondit-il en regardant sa montre.

Emma fit un pas en arrière, luttant contre un flot d'émotions contradictoires. Elle aurait dû souhaiter que cette piste soit la bonne, car Belle avait besoin de son père. Et, une fois que l'enfant aurait été confiée à celui-ci, elle-même serait libre de quitter le ranch.

Elle perdrait à la fois Belle et Damien mais, quoi qu'il advienne, elle finirait inéluctablement par les perdre tous les deux. Ils ne lui appartenaient pas. Et de toute façon, si elle restait ici, Caudillo la retrouverait sans difficulté.

— Je pars avec toi, Damien. Et ne discute pas, cette fois. Si je dois remettre Belle entre les mains de cet homme, je veux m'assurer que c'est bien son père et qu'il prendra soin d'elle.

— Dans ce cas, retrouve-moi devant le garage dans dix minutes.

Cinq lui suffiraient pour être prête. Au moins, elle aurait ainsi l'impression de faire quelque chose.

Le bar était bruyant et surpeuplé.

— Il y a une table dans le coin, au fond, dit-elle en montrant l'emplacement d'un petit mouvement de tête.

— On a une meilleure vue d'ici, répondit Damien en promenant son regard sur la salle. J'aimerais l'observer un peu avant de l'aborder. C'est lui, là-bas, tout au bout du comptoir. Avec la chemise bleue à carreaux et le jean visiblement neuf. Apparemment, il s'est changé avant de venir ici.

Emma le repéra à son tour. Juan Perez porta une canette de bière à ses lèvres et but goulûment, puis se pencha vers la jeune femme assise à côté de lui et sourit comme si elle venait de dire quelque chose de divertissant.

A cette vue, Emma sentit la colère monter en elle.

— Si c'est le père de Belle, il ne la mérite pas. Quand je pense que la mère de son enfant est morte en tentant de le rejoindre…

— Ne le juge pas trop vite.

— C'est déjà fait. Il ne me plaît pas, même si mon opinion ne change rien à la situation. Comment allons-nous nous y prendre ? Nous ne pouvons quand même pas l'aborder en lui annonçant tout de go que sa petite amie est morte et que son enfant est aux Etats-Unis…

Une serveuse s'arrêta près d'eux et sourit à Damien comme s'il était le prince charmant qu'elle attendait depuis toujours.

— Que désirez-vous ?

— Que dirais-tu d'une margarita ? s'enquit Damien en se tournant vers Emma.

— Pas pour moi, répondit-elle. Pas tout de suite, en tout cas.

— Je prendrai une bière, déclara Damien. Nous allons nous asseoir à la table libre au fond de la salle.

— Pas de problème. Je saurai vous retrouver.

— Ça, je veux bien le croire, murmura Emma quand la serveuse se fut éloignée. On dirait que tu lui as tapé dans l'œil.

— Elle songe avant tout à son pourboire, plaisanta-t-il.

Il n'avait pas conscience de l'effet qu'il produisait sur les femmes, se dit-elle. Ce n'était pas seulement dû à son physique séduisant et viril, mais à son maintien, son allure, aux vibrations qui émanaient de lui. Il possédait une autorité naturelle, sans paraître pour autant arrogant. Une qualité dont bien peu d'hommes pouvaient se targuer…

Elle s'assit à la table du fond et regarda Damien se diriger vers le bar et entamer les manœuvres d'approche. Elle n'entendait pas ce qu'il disait, mais elle le vit faire signe au barman de servir une autre bière à Perez. Quand ce fut fait, les deux hommes la rejoignirent à la table.

— Alors, comme ça, vous connaissiez mes parents ? demanda Juan.

— En fait, c'est la mère de votre fille que nous connaissons, répondit Damien.

Juan recula sa chaise et leva les mains comme pour parer des coups.

— Vous devez faire erreur. Je n'ai pas de fille.

— N'aviez-vous pas une petite amie enceinte, au Mexique ?

— Je le pensais mais, en fin de compte, le gosse n'était pas de moi.

— Qu'en savez-vous ? s'enquit Emma.

— Elle m'a dit qu'elle avait décidé d'épouser l'autre type. Si bien que, maintenant, je n'ai même plus de petite amie. J'essayais d'en trouver une autre quand vous m'avez interrompu.

— Quand avez-vous parlé à votre amie mexicaine pour la dernière fois ? reprit Damien.

— Il y a quelques mois de ça, quand elle m'a appelé pour m'annoncer qu'elle voulait rompre. Mais j'ai appris par ma mère qu'elle avait accouché la semaine dernière. Et que c'était un garçon, déclara Juan en se levant. Ecoutez, je ne sais pas comment vous avez eu mon nom, mais il y a erreur sur la personne.

— Et vous êtes certain de ne pas avoir une petite fille de deux mois prénommée Belle ?

— On ne peut plus certain. J'espère que vous trouverez le gars que vous cherchez, mais je vous assure que ce n'est pas moi.

Emma fut envahie par un immense soulagement, mais elle ne tenait pas à en examiner la cause de trop près. Car elle risquait alors de découvrir qu'elle était surtout soulagée à l'idée de pouvoir garder Belle pendant encore quelque temps…

— J'ai l'impression que nous avons fait ce voyage pour rien, soupira-t-elle.

— Mais, puisque nous sommes ici, je connais un merveilleux petit restaurant italien où nous pourrions dîner.

— Nous ferions mieux de téléphoner à ta mère d'abord. Elle a peut-être prévu quelque chose pour ce soir.

— Je l'ai vue avant de partir. Elle m'a dit que nous pouvions rentrer aussi tard que nous le voulions. Elle est assez déprimée en ce moment, et s'occuper de la petite ne peut que lui être bénéfique.

— Ton père lui manque énormément.

— Je sais. Elle nous répète constamment que le chagrin ne se guérit pas si facilement. Il s'en va et il revient.

— Alors nous devons vraiment la laisser profiter de Belle. En outre, j'ai un sérieux problème dont j'aimerais discuter avec toi.

— Si c'est grave à ce point, nous ferions mieux de commander cette margarita d'abord.

— D'accord.

Après avoir bu quelques gorgées, Emma prit une profonde inspiration et se lança :

— Je m'attends à ce que le shérif Garcia vienne me passer les menottes d'un jour à l'autre.

— Aucun risque, répondit Damien. Il a reconnu que tu étais en état de légitime défense.

— Oui mais, à présent, il veut mon numéro de sécurité sociale. Quand il découvrira que j'ai menti sur mon identité, il m'arrêtera à coup sûr.

— Donne-lui tout simplement ton vrai numéro et ton vrai nom. Explique-lui que tu as menti parce que tu étais paniquée. Il n'engagera pas de poursuites contre toi.

— Qu'est-ce qui te permet de l'affirmer ?

— Il sait que Carolina t'aime bien. Il ne va pas chercher d'ennuis à l'amie de quelqu'un qui contribue toujours généreusement à sa campagne d'élection.

— Il a admis la légitime défense uniquement parce que je suis hébergée au ranch Lambert ? Cela s'apparente fort à de la corruption.

— Disons simplement qu'il a été assez intelligent pour reconnaître ton innocence.

— Donc tu penses qu'il n'y a pas lieu de s'inquiéter ?

— J'en suis sûr.

Emma termina sa margarita en un temps record. C'était la première qu'elle buvait depuis son enlèvement, et la déguster en compagnie de Damien rendait son goût meilleur encore que dans son souvenir.

Ils s'attardèrent devant leurs verres sans éprouver le besoin de parler davantage, dans une douce intimité. Emma s'efforça de savourer l'instant présent et de chasser Caudillo de ses pensées. Elle voulait graver cette soirée dans sa mémoire, pour le jour où Damien ne serait plus qu'un vieux souvenir.

Si toutefois elle vivait aussi longtemps.

Un air de country résonna dans la salle, et la piste de danse se remplit soudain. Emma se mit à battre du pied en mesure.

— Veux-tu danser ? demanda Damien.

— Oui, avec plaisir.

Il la serra contre lui tandis que leurs corps se balançaient au rythme de la musique. Quand celle-ci s'arrêta, il ne la lâcha pas. Elle leva les yeux, et le désir qu'elle lut dans son regard lui donna le vertige.

Il inclina la tête et leurs lèvres se touchèrent. Elle fondit sous son baiser et un feu d'artifice explosa dans ses veines.

Puis elle fut parcourue d'un violent frisson et eut l'impression que l'ombre de Caudillo venait de s'abattre sur elle, obscurcissant tout. Elle se raidit et se dégagea.

— Excuse-moi si je me suis montré un peu trop pressé.

— Ce n'est pas toi, murmura-t-elle en réprimant ses larmes.

— Ce n'est rien, Emma. Tu as besoin d'un peu de temps. Je comprends.

— Je suppose que l'horreur est comparable au chagrin, elle s'en va et elle revient. On n'en guérit pas instantanément.

— Cette histoire n'est pas encore terminée, Emma. Quand elle le sera, tu pourras commencer à guérir. Ce monstre et ses menaces disparaîtront bientôt à jamais de ta vie, je te le promets.

Damien ne savait pas à qui il se mesurait, songea Emma.

— Que dirais-tu d'aller dîner, maintenant ? reprit-il.

Mais elle avait les nerfs à fleur de peau et un repas en tête à tête avec lui n'aurait fait que la perturber davantage. Aussi répondit-elle :

— Si tu n'y vois pas d'inconvénient, je préférerais avaler un hamburger en vitesse et rentrer au ranch.

— Entendu.

— Si tu continues à te montrer aussi conciliant, tu n'arriveras jamais à te débarrasser de moi.

— Qui a dit que je le souhaitais ?

Le lendemain matin, Damien ne se montra pas pendant le petit déjeuner. Et il n'avait toujours pas fait son apparition au milieu de la matinée, quand Emma rejoignit Carolina sous la véranda.

Belle était d'excellente humeur ce jour-là. Emma avait étalé une couverture à côté d'elle sur le sofa et avait installé l'enfant dessus, afin qu'elle puisse gigoter à son aise sous son œil vigilant.

— Tu es vraiment adorable ce matin, n'est-ce pas, mon

cœur ? Je crois que tu te plais ici. T'es-tu bien amusée sans moi, hier soir ?

— Je ne sais pas si elle s'est amusée, déclara Carolina, mais elle nous a procuré une agréable distraction. Grand-maman lui a parlé davantage qu'elle n'a parlé à Sybil au cours du dernier mois.

— Vous vous entendez bien avec votre belle-mère. Avez-vous toujours cohabité avec elle ?

— Comme je vous l'ai déjà raconté, Hugh est venu s'installer ici après la mort de son père et, quand nous nous sommes mariés, Pearl nous a laissé la suite parentale.

— C'était très attentionné de sa part.

— Oui, mais j'avais le sentiment de l'avoir délogée de chez elle. Elle m'a expliqué qu'elle ne pouvait pas se résoudre à dormir seule dans la chambre qu'elle avait partagée si longtemps avec son mari. A l'époque, je n'avais pas vraiment compris, mais aujourd'hui je commence à voir ce qu'elle voulait dire.

— Peut-être les choses vous apparaîtront-elles différemment, avec le temps.

— C'est possible, mais cette maison est faite pour y élever des enfants. A ma mort, elle reviendra à Damien, et je serais ravie de lui céder l'aile principale lorsqu'il aura décidé de se marier et de fonder sa propre famille.

— Qu'en est-il de Tague et de Durk ?

— Ils hériteront chacun d'un tiers des biens familiaux, à l'exception de la maison. Hugh tenait à ce que celle-ci revienne à notre premier-né. Mais j'espère de tout cœur que Tague et Durk se construiront une maison sur la propriété quand ils se marieront. Ils sont trop attachés à ce ranch pour s'installer ailleurs.

— Et Sybil ?

— Elle a emménagé ici il y a dix ans, après le décès subit

de son mari. C'est moi qui le lui ai proposé. La demeure est suffisamment grande pour que chacun y ait ses aises.

— Je suis frappée par l'harmonie qui règne entre vous tous.

— Cela ne demande qu'un peu de patience et d'amour.

— Savez-vous où se trouve Damien ? demanda Emma.

— Il m'a dit qu'il avait une affaire à régler. Je lui ai promis de veiller à ce que vous ne vous ennuyiez pas, et j'ai deux ou trois idées à vous proposer.

— Ce n'est pas nécessaire. Je n'aurai aucun mal à me trouver une occupation.

— Dans ce cas, accordez-moi une faveur.

— Tout ce qui est en mon pouvoir.

— Faites-moi sortir d'ici. Joignez-vous à moi pour le déjeuner, puis je vous emmènerai avec Belle découvrir la région. Je vous montrerai l'école où sont allés mes fils et si nous en avons le temps, je vous ferai visiter l'église.

— Cela me plairait beaucoup, mais je n'ai pas de siège pour bébé…

— Si, vous en avez un, désormais. J'ai demandé à une amie qui se rendait en ville de m'en acheter un.

— Oh, comme c'est gentil ! Dans ce cas, j'accepte volontiers votre proposition.

— Parfait. Nous pourrions nous mettre en route dès 11 heures et demie, si cela vous convient ?

— Je serai prête, répondit Emma.

Mais cette perspective était loin de l'enthousiasmer. Elle commençait à en avoir assez de jouer le rôle qu'elle s'était attribué et de devoir mentir à son hôtesse. Elle ne pourrait pas continuer ainsi bien longtemps, d'autant qu'elle partirait bientôt. C'était peut-être l'occasion ou jamais de demander à Carolina si elle acceptait de se charger elle-même de retrouver le père de Belle.

Ensuite, Emma disparaîtrait comme elle l'avait toujours

prévu. Damien ne comprendrait pas et lui en voudrait, mais c'était le meilleur service qu'elle pouvait lui rendre.

Baissant les yeux sur Belle, elle prit un des petits pieds potelés dans sa main. Quitter le bébé et Damien allait être sans doute la chose la plus difficile qu'elle ait jamais eu à accomplir.

Là encore, Caudillo en était le responsable.

Si elle avait eu un doute sur le rôle influent que Carolina occupait dans la région, il aurait été dissipé dès qu'elles entrèrent dans le petit café où son hôtesse l'invita à déjeuner.

Elles étaient à peine assises à leur table qu'une dame d'âge mûr élégamment vêtue vint les rejoindre. Posant un journal sur la table, elle tapota du doigt la photo illustrant la chronique mondaine.

— As-tu vu ça, Carolina ?

— Oui, j'ai lu l'article en prenant mon petit déjeuner.

Emma se pencha pour examiner la photo de plus près. Elle reconnut Carolina dans une robe du soir rouge. La légende disait : « Le gouverneur Miller et Carolina Lambert inaugurent la nouvelle aile de l'hôpital pédiatrique de Dallas, financée par la Fondation Lambert. »

— Alors c'est vrai ? s'enquit la femme.

— C'est vrai que le gouverneur et moi avons coupé le ruban. Cette nouvelle aile était un projet de longue date, comme tu le sais, Mary Anne.

— Je ne parle pas de ça ! Je te demande si c'est vrai que le gouverneur et toi…

— Nous avons assisté ensemble à une soirée destinée à récolter des fonds pour l'hôpital, ça s'arrête là, répliqua Carolina d'un ton tranchant. A présent, assieds-toi, et laisse-moi te présenter mon invitée.

Mary Anne dévisagea Emma comme si elle venait seulement de s'apercevoir de sa présence.

— Emma, je vous présente une de mes meilleures amies, qui a la fâcheuse habitude de croire tous les ragots qu'elle entend et de les répandre aussi vite qu'elle le peut.

— Le gouverneur Miller est un homme très séduisant, tu dois quand même le reconnaître, Carolina, objecta Mary Anne.

— Et quantité de femmes aimeraient mettre le grappin sur lui, mais je n'en fais pas partie. Mary Anne, voici Emma Smith. Et le ravissant petit ange qu'elle tient dans ses bras se prénomme Belle.

— Enchantée, déclara Mary Anne en tendant la main. Je ne savais pas que tu avais des invités cette semaine, Carolina.

— C'était une visite surprise.

— J'aurais aimé passer plus de temps en votre compagnie, reprit la femme en pinçant les lèvres, mais j'ai des courses à faire. Ravie d'avoir fait votre connaissance, Emma. Votre fille est adorable.

Elle s'éloigna en faisant cliqueter ses talons sur les dalles d'ardoise.

— N'avez-vous pas l'impression qu'une tornade vient de traverser la salle ? plaisanta Carolina.

— Un peu, mais elle a l'air plutôt gentille, répondit Emma.

— C'est une grande amie, et elle m'a beaucoup soutenue après la mort de Hugh. Elle a juste un peu trop tendance à prêter l'oreille aux cancans.

— Vous avez une vie sociale très remplie. Notre présence chez vous doit vous gêner dans vos activités.

— Pas du tout. Depuis la mort de Hugh, je m'ingénie à occuper le temps de mon mieux, pour combler le vide et éviter de me noyer dans mon chagrin. Votre arrivée a été pour moi une véritable bénédiction.

— Je suis heureuse que vous vous montriez si bienveillante envers nous, parce que…

Elle fut interrompue par la serveuse venue prendre leur commande. Elle laissa Carolina choisir pour elle et en profita pour examiner la salle.

Presque toutes les tables étaient occupées et un certain nombre de personnes déambulaient dans la boutique attenante au restaurant, où l'on vendait des ustensiles de cuisine colorés et originaux.

— Oak Grove doit être une localité plus importante que je ne le croyais, dit-elle quand la serveuse se fut éloignée. Je n'aurais jamais pensé y trouver un café et une boutique aussi raffinés.

— Vous seriez étonnée de connaître le chiffre de la population locale. L'agglomération est très étendue. Beaucoup de petits ranchs ont été rachetés par des habitants de Dallas qui viennent y passer le week-end. Certaines des plus grandes propriétés appartiennent à des joueurs de base-ball professionnels ou même à des stars de cinéma. Mais la plupart des résidents sont simplement de modestes éleveurs qui aiment leur métier.

— Mais aucun domaine n'est aussi vaste que le vôtre ?

— Pas dans cette partie de l'Etat. Vivre dans un ranch est très agréable, Emma.

— J'en suis convaincue.

— Damien adore son travail. Je ne l'imagine pas vivre ailleurs, mais je voudrais qu'il trouve la femme qu'il lui faut et qu'il tombe amoureux. Je ne suis sans doute pas très objective, mais je pense qu'il ferait un mari et un père remarquables. Et, ajouta-t-elle avec un sourire espiègle, d'un point de vue tout à fait égoïste, j'ai très envie d'avoir des petits-enfants.

La conversation prenait un tour complètement différent de celui qu'aurait souhaité Emma. Si elle voulait exposer sa demande, elle devait le faire tout de suite.

Belle l'en empêcha en se mettant à pleurer.

— Elle doit avoir faim, dit Carolina. Si vous me laissiez lui donner son biberon, pour pouvoir déguster tranquillement votre repas ?

— Mais vous ne pourrez pas profiter du vôtre !

— Ça m'est égal. M'occuper de Belle est un plaisir.

Peut-être devait-elle saisir la balle au bond, songea Emma. Tendant le bébé à Carolina, elle sortit le biberon du sac et commença :

— Je vois combien vous vous êtes attachée à Belle. Vous allez sans doute penser que j'abuse de votre gentillesse, mais…

A cet instant précis, la serveuse apporta les boissons. Et, avant même qu'elle ne soit repartie, une femme franchit le seuil du restaurant, agita la main en direction de Carolina et fonça droit vers leur table.

Emma allait devoir remettre sa requête à plus tard. Mais certaines choses ne pouvaient pas attendre, et un nouveau plan commença à prendre forme dans son esprit.

12

Damien n'était toujours pas rentré quand Emma et Carolina regagnèrent le ranch. Mais, pendant le trajet, Emma avait amplement eu le temps de réfléchir. Elle ne pouvait plus continuer ainsi.

Elle était en train de tomber amoureuse de Damien. Et Carolina commençait à voir en elle une belle-fille potentielle.

Cependant, rien n'avait changé en ce qui concernait Caudillo. Même si Damien continuait à lui affirmer qu'elle ne risquait rien, elle savait que Caudillo n'allait pas renoncer aussi facilement.

Une fois dans sa chambre, elle décrocha le téléphone et appela son ancien bureau à Nashville.

— Je voudrais parler à Dorothy Paul, s'il vous plaît, dit-elle à la standardiste.

— Pourriez-vous répéter le nom ?

— Dorothy Paul. Elle est agent technique.

— Dorothy Paul ne travaille plus ici. Voulez-vous que je vous passe un autre membre du service ?

— Non. Attendez. C'est bien à Sally Jenkins que je parle ?

— Oui. Qui êtes-vous ?

Elle hésita, mais elle devait à tout prix savoir si Dorothy était encore en vie.

— C'est Emma Muran, Sally.

— Ça alors ! Comment vas-tu ? Tu es toujours mariée, n'est-ce pas ?

— Comment l'as-tu appris ?

— Tout le monde ne parlait que de ça. Nous l'avons d'abord su par Dorothy, bien sûr, mais Arnold Sawyer nous l'a ensuite confirmé quand tu lui as envoyé ta démission. Tu pars en vacances et tu te retrouves mariée à un milliardaire vivant dans un palais aux Caraïbes ! J'en étais malade de jalousie. A-t-il un frère ?

— Non, bredouilla Emma, avec l'impression d'avoir soudain basculé dans une autre dimension. J'essaie de contacter Dorothy. Sais-tu où je pourrais la joindre ?

— Tu n'ignores pas qu'elle a démissionné juste après toi, n'est-ce pas ?

— Non, nous avons perdu tout contact après mon départ.

— Tu plaisantes ! Tu n'es pas au courant de la bonne nouvelle ?

— Elle a obtenu une promotion ?

— Bien mieux que ça. Elle a gagné à la loterie. Pas le supergros lot, mais suffisamment pour arrêter de travailler et aller s'installer dans l'Oregon.

— Crois-tu que quelqu'un du bureau connaîtrait son adresse ou son numéro de téléphone ? Ou même simplement le nom de la ville où elle réside ?

— J'en doute fort. Dorothy est simplement entrée en coup de vent un matin, a jeté une liasse de billets de cent dollars en l'air comme si c'étaient des confettis et nous a annoncé qu'elle déménageait vers l'Oregon.

— Pourquoi l'Oregon ?

— Elle ne l'a pas dit, et tout s'est passé si vite que personne n'a pensé à le lui demander. Tu t'imagines à quel point Sawyer était contrarié. Perdre deux agents techniques en quelques jours, et sans qu'aucune de vous n'ait donné son préavis…

— Et lui, est-il toujours là ?

— Oui, malheureusement. Et toujours aussi hautain envers nous autres, humbles employés. Il était absent ces quinze derniers jours, occupé à je ne sais quel projet ultrasecret, mais il doit rentrer demain, si tu veux lui téléphoner. Ça m'étonnerait toutefois qu'il connaisse la nouvelle adresse de Dorothy.

— Je l'appellerai peut-être quand même. D'autres nouvelles sensationnelles ?

— Kevin Greene et sa femme ont divorcé, Mary Nell est enceinte… Je crois que c'est tout.

— Dans ce cas, je vais te laisser travailler.

— Comment ? Tu ne m'invites pas à te rendre visite dans ton paradis ? J'en suis profondément vexée.

— Le paradis, c'est très surfait, tu sais…

Au ranch Lambert, le dîner du mardi était servi dans la salle à manger et non dans la cuisine. Ce soir-là, il y avait au menu des enchiladas au poulet, des haricots noirs, le meilleur flan qu'Emma eût jamais goûté — et une tension suffocante dans l'air.

Ce n'était pas Carolina qui avait préparé le repas. Apparemment, une femme d'âge mûr prénommée Alda se chargeait de la cuisine du lundi au vendredi.

C'était une Hispanique au rire sonore qui, avec ses manières joviales, ressemblait davantage à une amie qu'à une domestique. Elle plaisantait avec Pearl tout en faisant le service et roucoulait à l'adresse de Belle, épargnant ainsi à la tablée de se retrouver plongée dans un silence embarrassé interrompu seulement par des bruits de mastication.

Belle elle-même était moins placide que d'habitude. Elle ne pleurait pas, mais elle geignait et se tortillait comme si quelque chose la gênait. Emma la changeait sans cesse de position, sans parvenir à l'apaiser.

Elle n'avait pas eu l'occasion de se retrouver seule avec Damien depuis sa conversation avec Carolina. Mais il était assis en face d'elle et elle voyait bien qu'il était profondément contrarié. Elle était certaine que c'était à cause d'elle.

Quant à Carolina, elle avait les yeux rouges et légèrement gonflés. Sans doute s'était-elle laissée aller à un nouvel accès de chagrin, présuma Emma.

Tague lui-même était inhabituellement silencieux. Et Sybil avait déserté pour aller dîner en ville avec une amie.

Il était difficile de croire que c'était là la famille joyeuse et détendue dans laquelle elle avait fait irruption quelques soirs auparavant.

Sa venue avait suffi à assombrir l'atmosphère. Elle avait l'impression d'être ce personnage de bande dessinée qui avait un nuage noir toujours suspendu au-dessus de la tête.

— Si vous voulez bien nous excuser, je vais vous voler Emma pendant un petit moment, déclara Damien dès que les assiettes à dessert eurent été desservies.

— Je vais prendre Belle, offrit Carolina.

— C'est mon tour de la bercer, protesta Pearl. Tu accapares ce bébé depuis son arrivée.

— Dans ce cas, va t'installer dans un fauteuil à bascule sous la véranda, et je te l'apporterai.

— Ça ne t'ennuie pas d'aller chercher l'anorak que maman t'a prêté, pour que nous allions nous promener un peu ? reprit Damien en se tournant vers Emma. Je réfléchis mieux en marchant.

— Cela me convient parfaitement. En fait, quand tu auras appris ce que j'ai découvert cet après-midi, tu n'auras sans doute plus envie que je revienne ici.

— Je serai au bureau, si tu veux me voir plus tard, annonça Tague.

— Accorde-nous une heure, répondit Damien.

Cela ne présageait décidément rien de bon, songea Emma en fermant sa parka, avant de suivre Damien au-dehors.

Il la conduisit jusqu'au vieux pneu accroché à la branche

d'un chêne, une trentaine de mètres derrière la piscine. Il avait passé beaucoup de temps sur cette balançoire de fortune quand il était gamin, la faisant monter aussi haut qu'il le pouvait avant de sauter à terre.

Tous ses amis avaient des portiques dans leur jardin, mais son père avait refusé d'en acheter un, affirmant que cela empêchait les enfants de laisser libre cours à leur imagination. Ce n'était qu'une fois parvenu à l'âge adulte que Damien avait compris qu'il avait raison.

Il ne savait pas pourquoi il pensait à cela maintenant, sauf qu'il allait lui falloir une bonne dose d'imagination pour trouver la meilleure façon de s'y prendre. Il avait passé la journée à essayer d'obtenir de nouvelles informations susceptibles de confirmer ou de démentir la mauvaise nouvelle qu'il avait apprise à leur retour des Caraïbes.

Rien de ce qu'il avait découvert n'était favorable à Emma.

— Assieds-toi sur le pneu, lui dit-il, sous le coup d'une inspiration soudaine.

— Je préfère rester debout.

— Assieds-toi, s'il te plaît.

— Tu m'as fait venir ici pour me dire quelque chose.

— Oui mais, étant donné ce que j'ai à t'annoncer, il vaudrait mieux avoir l'esprit clair et être d'humeur un peu plus optimiste que nous ne le sommes en ce moment.

Elle se hissa sur le pneu.

— Maintenant, lève les pieds du sol et accroche-toi bien.

Il agrippa le bord du pneu, le tira en arrière, puis lui imprima une bonne poussée. Emma s'envola dans les airs, comme il le faisait quand il avait sept ou huit ans et que ses plus graves soucis étaient les tables de multiplication ou une réprimande pour avoir bavardé en classe.

Il la poussa de plus en plus haut, jusqu'à ce que ses pieds frôlent les branches basses de l'arbre et qu'elle glapisse de peur comme une écolière. Enfin, il laissa la balançoire ralentir progressivement d'elle-même. Juste avant qu'elle ne s'immobilise complètement, il prit les mains qu'Emma tendait vers lui et l'attira dans ses bras.

Elle resta blottie un long moment contre lui et il dut faire appel à toute sa volonté pour la lâcher.

— Quel était le but de ce petit intermède ? demanda-t-elle.

— La vie, la liberté et la recherche du bonheur. Bon, à toi l'honneur. Qu'as-tu à me dire ?

— Marchons un peu.

En les voyant se promener main dans la main sous le clair de lune, on aurait pu les prendre pour des amoureux insouciants, n'eût été la tension dans la voix d'Emma.

Damien l'écouta lui relater sa conversation avec la standardiste de son ancien bureau. Plus rien ne pouvait le surprendre, désormais.

— Nous savons tous les deux qu'il est peu vraisemblable que Dorothy ait gagné à la loterie le mois même où j'ai été enlevée, soupira Emma.

— En effet, admit-il.

— Crois-tu possible qu'elle ait été de mèche avec Caudillo dès le début ?

— Je sais que ce doit être difficile d'admettre qu'une femme que tu considérais comme une amie ait pu te trahir de la sorte. Mais, oui, je crois qu'il y a une forte chance qu'elle t'ait littéralement vendue à lui.

— Dans ce cas, elle n'avait sûrement pas conscience de la portée de ses actes. Je ne peux pas penser qu'elle m'ait envoyée en pleine connaissance de cause vers un sort aussi effroyable.

— Nous ne le saurons sans doute jamais.

— Je refuse de rester dans l'incertitude, Damien. Je sais que j'étais la première à vouloir fuir loin de tout ça, au début, mais c'est terminé. J'ai la ferme intention de retrouver Dorothy et de lui parler face à face. Je veux qu'elle entende ce qu'a été ma vie jour après jour, entre les mains de ce monstre.

Il aimait la voir ainsi, pleine d'énergie et de combativité, et s'en voulait d'autant plus de devoir lui porter ce nouveau coup au moral. Il la saisit par le bras pour l'obliger à s'arrêter, puis serra ses deux mains dans les siennes.

— Je sais où se trouve Dorothy, Emma, mais lui parler ne te servira à rien.

— Où est-elle ?

— Dans une maison de repos à Portland.

— Pourquoi ? Que lui est-il arrivé ?

— Trois mois après ton enlèvement, un voisin l'a trouvée effondrée sur le volant de sa nouvelle voiture de luxe, dans le garage fermé de sa nouvelle maison dans l'Oregon. L'intoxication au monoxyde de carbone a provoqué de sérieuses lésions cérébrales. Apparemment, elle retrouve par moments une certaine lucidité mais, la plupart du temps, elle se contente de répéter des phrases dépourvues de sens.

Emma se raidit et se dégagea.

— Elle a dû prendre conscience de ce qu'elle m'avait fait et tenter de se suicider.

— Si elle avait éprouvé des remords, à mon avis, elle aurait plutôt prévenu la police afin qu'on aille te secourir.

— Donc tu ne crois pas qu'il s'agissait d'une tentative de suicide ?

— Je n'en suis pas convaincu.

— Tu penses que Caudillo a voulu l'assassiner ?

— Lui, ou un tueur qu'il a engagé.

— Pour la punir de l'avoir trompé, poursuivit Emma, comprenant son raisonnement. Elle lui avait dit que je pourrais lui donner accès aux dossiers secrets, alors que cela m'était impossible. Elle m'a incitée à me rendre à Misterioso afin qu'il puisse m'enlever plus facilement. Et je suis tombée tout droit dans le panneau !

— Tu faisais confiance à Dorothy.

— J'aimerais quand même la voir, Damien. Peut-être ma vue déclenchera-t-elle une réaction dans une partie de son cerveau encore intacte ? Mais je ne veux pas t'obliger à délaisser une fois de plus ton travail pour m'emmener là-bas. Je peux y aller seule.

— Et retomber entre les pattes de Caudillo ?

— Je ne vois pas pourquoi…

— Réfléchis. C'était ta meilleure amie. Il s'attend forcément à ce que tu ailles la voir.

— As-tu une meilleure idée ?

— Peut-être, mais il faudrait que tu acceptes de modifier un des points de notre accord.

— Lequel ?

— Je dois tout raconter à Tague et Durk. J'ai besoin de l'aide de gens à qui je puisse me fier, et il n'y a personne en qui j'aie davantage confiance que mes frères.

— S'ils possèdent un grain de bon sens, ils te conseilleront de te débarrasser de moi au plus vite et d'oublier Caudillo.

— Aucun risque, surtout quand ils sauront toute la vérité. Ils diront qu'il est grand temps de donner une bonne leçon à ce salopard, de l'empêcher définitivement d'enlever et de torturer des femmes et de s'enrichir par le trafic d'armes. Mais ils emploieront certainement un vocabulaire beaucoup plus imagé.

— Il serait plus simple et plus sûr pour vous tous que je sorte tout simplement de ta vie.

— Tu sais, si tu continues à me menacer de t'enfuir, je vais finir par faire un complexe et redouter que tu me vomisses dessus.

— Pas de danger, à moins que tu me fasses tournoyer dans ce pneu, au lieu de me balancer !

— Dans l'immédiat, je veux simplement que tu me laisses un peu de temps. Rentre à la maison, et ne dis rien de tout ça à maman et à grand-mère, ni à Sybil quand elle reviendra. Inutile de les alarmer.

— Tu ne rentres pas avec moi ?

— Pas tout de suite. Je vais rejoindre Tague dans le bureau et nous conférerons avec Durk par téléphone. Il attend mon appel.

— Dois-je comprendre que tu leur as déjà tout dit ?

— Non, mais je comptais le faire ce soir, que tu sois d'accord ou pas. Il faut mettre un terme aux agissements de Caudillo et tu mérites de reprendre une vie normale, sans être constamment hantée par la peur.

— Soit. Dis-leur tout ce que tu voudras, Damien. Mais s'ils préfèrent que je m'en aille, je veux que tu me le dises.

— Je te le promets, mais ce ne sera pas le cas.

De ses lèvres, il effleura rapidement celles d'Emma, et ce simple contact suffit à l'électriser.

— Et plus vite tu retrouveras une vie normale, plus vite je pourrai te voir dans cette nuisette rose vif — ou sans rien du tout. Sinon, je vais finir par devenir complètement dingue.

Dans sa chambre du Ritz-Carlton de La Nouvelle-Orléans, Caudillo s'étira voluptueusement sur son lit. Ce n'était pas tout à fait aussi luxueux qu'à bord de son yacht, mais celui-ci voguait actuellement vers Rio de Janeiro sans lui, conformément au plan qu'il avait conçu.

L'entrepôt de l'île avait été vidé de toutes ses armes et rempli de caisses de noix de cajou. Et si on retrouvait des traces de l'ADN d'Emma à l'intérieur de la maison, il n'avait pas à s'en inquiéter. Après tout, elle était sa femme, même si elle avait choisi de le quitter.

Il prit le menu du service d'étage et le parcourut jusqu'à ce qu'il ait trouvé un plat de fruits de mer à son goût. La vie était belle.

Il allait s'occuper d'Emma et, ensuite, il réglerait définitivement son compte à Dorothy Paul, même s'il devait reconnaître que cette tentative ratée pour l'éliminer lui avait apporté une immense satisfaction. Quelle bonne plaisanterie ! Se retrouver à l'état de légume, alors qu'elle était si contente d'avoir touché sa récompense ! Mais elle n'aurait pas dû lui mentir en lui faisant croire qu'Emma occupait un poste important.

Son portable vibra. Il le porta à son oreille.

— Vous m'appelez bien tard. Vous devez avoir une nouvelle à m'annoncer.

— Je sais où se cache Emma Muran.

13

— Bon sang ! s'écria Durk. Quand tu as dit qu'Emma avait de sérieux ennuis, j'ai pensé qu'elle avait émis des chèques en bois ou menti à la police mexicaine. Je n'aurais jamais imaginé qu'elle était poursuivie par un malfaiteur d'envergure internationale qui menace la sécurité de notre pays.

— C'est vrai, renchérit Tague. Si ces armes tombent entre les mains des cartels de la drogue, c'est déjà grave. Mais s'il s'agit d'organisations terroristes…

— Si on ajoute à ça que ce type enlève, torture et assassine des femmes, c'est vraiment le mal personnifié, reprit Durk.

— Ce qui m'ennuie le plus, dit Damien, c'est que Caudillo semble toujours tout prévoir, comme il l'a fait en se procurant un certificat de mariage. Et je suis sûr que c'est lui qui est responsable de l'état de Dorothy Paul.

— Tu as sans doute raison. Que ce soit pour se venger ou l'empêcher de parler, cela montre jusqu'où il est capable d'aller pour éviter d'être pris.

— Moi, je dis qu'on devrait le dénoncer au FBI et les laisser s'en charger, déclara Tague. Contentons-nous de veiller sur la sécurité d'Emma.

— Je ne sais pas, répondit Durk. Je n'arrête pas de penser aux femmes qu'il a enlevées et tuées. Il y en a peut-être des douzaines…

— Ce serait moins compliqué s'il opérait à partir du territoire des Etats-Unis, dit Damien. Mais, une fois que les armes sont sorties du pays, ça devient délicat. Même si le FBI réussit à rassembler assez de preuves pour l'arrêter, cela risque de leur prendre des mois pour mettre la main sur lui, avec toutes les lois et les réglementations qu'ils sont obligés de respecter.

— Si nous étions en mesure d'affirmer qu'il détient une citoyenne américaine en otage en ce moment même, la procédure pourrait être accélérée, objecta Durk. Mais ce n'est pas le cas.

— C'est vrai, reconnut Tague, mais s'il faut attendre des mois pour obtenir son arrestation, qui sait combien de femmes il pourrait enlever entretemps ?

— Damien, tu étudies le sujet depuis plusieurs jours, dit Durk. Tu dois bien avoir des idées sur la manière de procéder ?

— J'y ai beaucoup réfléchi. Caudillo est malin, cela ne fait aucun doute. Nous devons nous montrer plus rusés que lui.

— As-tu un plan ? s'enquit Tague.

— D'après tout ce que j'ai vu et entendu, je crois que Caudillo disait la vérité en affirmant avoir des relations haut placées. Cela explique qu'il soit resté si longtemps impuni. J'ai l'intuition qu'il a un informateur au Bureau de répression des fraudes de Nashville. C'est sans doute ainsi qu'il a découvert que Dorothy lui avait menti au sujet des dossiers auxquels Emma avait accès. Peut-être, à ce moment-là, l'informateur lui-même ne connaissait-il pas exactement le statut d'Emma parce qu'il travaillait dans un autre département.

— Suspectes-tu quelqu'un en particulier ?

— Non, mais je crois que si les médias annonçaient l'arrestation imminente d'un agent de ce Bureau, ce salaud se trahirait peut-être.

— Je ne te suis pas, dit Durk.

— Moi, je crois que si, rétorqua Tague. Et ça me plaît. Le coupable se doutera bien que Caudillo ne voudra pas courir le risque qu'il le dénonce. Donc il s'enfuira ou fera un geste tellement désespéré qu'il se trahira. Peut-être même se livrera-t-il de lui-même à la police avant que Caudillo ne le fasse éliminer.

— Dans un cas comme dans l'autre, une fois qu'il aura été identifié, les autorités lui offriront peut-être de le prendre sous leur protection s'il les aide à piéger Caudillo, ajouta Damien. J'admets qu'il y a une chance infime pour que cela marche, mais il faut tenter le coup. Il me reste simplement quelques détails à mettre au point.

— Ta seule chance de réussir, déclara Durk, c'est d'obtenir la collaboration du Bureau de répression des fraudes ou une autre agence gouvernementale. J'ai un très bon ami à la CIA, Jerry Delaney, à qui je peux faire confiance. Si je l'appelais demain matin, pour lui demander ce qu'il en pense ?

— Bonne idée, répondit Damien. Mais fais-lui bien comprendre que nous avons affaire à un psychopathe et qu'en aucun cas Emma ne doit être mêlée à la capture de Caudillo. Il ne doit faire aucune déclaration publique risquant de conduire ce salopard jusqu'ici.

— Ne t'inquiète pas. J'ai de la famille au ranch, tu te rappelles ? En fait, je crois qu'il serait temps d'engager des agents de sécurité.

— Je m'en occuperai à la première heure demain matin. Merci, les gars. Je savais que je pouvais compter sur votre soutien.

— C'est à cela que servent les frères, mais n'oublie pas que je ne peux pas obliger Delaney à intervenir s'il ne le veut pas. Nous devons seulement espérer que lui et ses supérieurs partageront notre point de vue.

Assise sur le bord du lit, Emma regardait Belle dormir dans le berceau où Damien avait dormi autrefois. D'un sommeil si doux, si innocent…

— Ta maman t'aimait énormément, petite princesse, murmura-t-elle en passant un doigt sur la joue veloutée du bébé. J'espère que tu t'en souviendras toujours. Peut-être te retrouverai-je un jour, quand tu seras assez grande pour comprendre, et alors je te raconterai à quel point elle t'aimait.

Elle se leva et se dirigea vers la fenêtre.

Les paroles de Carolina résonnaient sans fin dans sa tête, tel un air suave de musique country.

« Ecoutez votre cœur, Emma. Lui seul doit guider votre choix. »

Elle avait raison. Ne pas l'écouter, c'était laisser s'enfuir les instants les plus précieux de la vie.

Emma n'en avait déjà perdu que trop. Mais comment pourrait-elle reprendre le cours de sa vie tant que la peur ne la quitterait pas ?

Damien resta dehors pendant une bonne demi-heure après que Tague eut regagné la maison. Il aimait les bruits du ranch la nuit. Le hululement d'une chouette. Le coassement des grenouilles dans la mare voisine. Un tatou grattant le sol au-dessous d'un buisson.

La seule lumière à l'arrière de la maison, quand il rentra enfin, émanait des appliques sous les placards de la cuisine, qu'ils laissaient souvent allumées la nuit. Il s'avança vers l'évier et se versa un verre d'eau.

— Qu'est-ce qui te tracasse, Damien ?

Il se retourna en entendant la voix de sa mère. Elle était assise à la table.

— Rien. Que fais-tu toute seule ici à cette heure ?

— Je pensais à toi et à l'inquiétude que je lis sur ton visage. Je sais que cela concerne Emma. A-t-elle des ennuis ?

— Pas d'autres que ceux que tu connais déjà.

— Il a été établi qu'elle était en état de légitime défense. Pourtant, vous paraissez plus angoissés que jamais, tous les deux.

Elle avait toujours su percer ses mensonges, songea Damien. Inutile d'essayer de lui cacher la vérité. Mais il pouvait cependant l'atténuer un peu.

— Emma doit encore surmonter certains problèmes liés à son passé, dit-il en s'asseyant face à elle. Je m'efforce de l'y aider.

— Quel genre de problèmes ?

— Un ex qui la harcèle.

— Cet homme est-il dangereux ?

— Peut-être. C'est pourquoi je lui ai demandé de rester ici, mais ne t'inquiète pas, je compte faire appel à un service de sécurité, afin qu'aucun de vous ne soit en danger.

— Si je peux t'aider en quoi que ce soit, dis-le-moi.

— Je te serais reconnaissant de ne pas aborder le sujet avec Emma. Elle risquerait de s'enfuir du ranch.

— Je ferai ce que tu me diras. J'aime bien Emma.

— Moi aussi, maman. Je l'aime beaucoup.

S'emparant d'une photo posée sur la table, il la brandit dans le faible éclairage.

— Qui est le bébé à qui papa est en train de donner un bain ?

— C'est toi.

— J'ai l'air content, mais papa beaucoup moins.

— Tu l'avais aspergé de la tête aux pieds et il ronchonnait. Je riais tellement que j'ai eu du mal à prendre la photo sans bouger. Mais ç'a toujours été l'une de mes préférées.

— Même bébé, j'avais déjà le don de le mettre en colère…

— Il se mettait en colère contre tout le monde. Ton

père était parfois un peu dur envers toi, Damien, mais il a toujours été fier de toi.

— J'ai une question à te poser, maman… Qui était Damien Briggs ?

— S'agit-il d'une espèce de jeu ? Je n'ai guère l'esprit à ça.

— Ce n'est pas un jeu. En descendant les cartons du grenier, l'autre jour, j'ai vu un acte de naissance au nom de Damien Briggs. Il est né le même jour que moi, mais le nom de sa mère était Melissa Briggs.

Carolina tressaillit comme s'il l'avait frappée.

— Tu as dû mal lire.

— Non, c'était exactement ce qui était inscrit sur le papier. Le nom du père avait été laissé en blanc. Je ne suis pas vraiment ton fils, n'est-ce pas ?

Elle enfouit son visage entre ses mains.

— Je présume que j'ai la réponse à ma question, murmura Damien en faisant mine de se lever, mais elle lui saisit le bras.

— Tu es mon fils de la seule manière qui compte, Damien. Je ne t'ai pas donné naissance, mais je t'ai aimé dès la seconde où je t'ai vu. J'ai bâti ma vie autour de toi. Aucune mère ne peut aimer son fils biologique davantage que je t'aime. Tu le sais sûrement.

Des larmes ruisselaient sur ses joues. Il aurait dû dire quelque chose pour la consoler, Damien s'en rendait compte, mais aucun mot de réconfort ne lui vint.

— Qu'est-il advenu de Melissa Briggs ?

Elle prit une profonde inspiration, puis relâcha lentement son souffle.

— Je n'ai jamais parlé beaucoup de ma famille parce que je n'en voyais pas la raison mais, pour comprendre ma sœur Melissa, tu dois connaître notre histoire. Notre mère nous a confiées à notre grand-mère quand j'avais dix ans, et Melissa, douze. Elle n'est jamais revenue nous chercher. Plus tard, nous avons appris qu'elle était morte d'une overdose.

— Et votre père ?

— Je ne l'ai jamais connu, j'ignore jusqu'à son nom. Quoi qu'il en soit, grand-mère a fait de son mieux pour nous élever, mais elle était pauvre et avait ses propres problèmes.

— Lesquels ?

— D'après les médecins, elle était atteinte d'une dépression chronique mais, en y repensant, je pense qu'elle souffrait de troubles de la personnalité. Si bien que nous étions plus ou moins livrées à nous-mêmes, Melissa et moi… Cela a été plus difficile pour elle que pour moi. J'étais la bonne élève, elle était la rebelle. J'ai obtenu une bourse pour aller à l'université, elle est partie pour La Nouvelle-Orléans et y a travaillé comme danseuse exotique. J'allais entrer à la faculté de médecine quand j'ai appris qu'elle et son petit ami avaient été abattus au cours d'un hold-up. Les policiers t'ont trouvé sur le siège arrière de leur voiture. Tu avais quatre semaines à ce moment-là, à peu près l'âge de Belle aujourd'hui.

— Alors vous m'avez adopté, papa et toi ?

— Hugh ne figurait pas encore dans le tableau. Quand je suis allée à l'enterrement, l'assistante sociale t'a déposé dans mes bras. Je n'oublierai jamais cet instant. C'était comme si tu étais entré dans mon cœur. Dès lors, tu es devenu une partie de moi, comme le sang qui coule dans mes veines.

— De toi, peut-être, mais je n'étais pas du sang de Hugh. Il a été obligé de m'accepter pour pouvoir t'épouser.

— Ce n'est pas vrai, Damien, et ne l'appelle pas Hugh. C'était ton père. C'est lui qui a tenu à te cacher que nous t'avions adopté, afin que tu ne te sentes pas différent de tes frères. Dans son esprit, tu étais son fils.

— Je ne suis pas un Lambert.

— Tu fais partie de la famille au même titre que Tague et Durk.

— Vous auriez dû me dire la vérité.

— Ton père et moi avons peut-être commis une erreur de jugement, mon fils, mais nous t'avons toujours donné tout notre amour.

Damien était comme assommé.

Toute sa vie n'avait été qu'un mensonge.

Il sortit sans dire un mot. Il se sentait épuisé, mais, au lieu de se diriger vers sa chambre, il se retrouva devant la porte d'Emma.

Il frappa une fois puis entra. Elle était étendue dans son lit et se redressa à son arrivée. La pièce était plongée dans l'obscurité, mais un rayon de lune caressait son visage, la faisant ressembler à une apparition angélique.

— Excuse-moi, je ne savais pas que tu étais déjà couchée, bredouilla-t-il.

Elle lui fit signe d'approcher et lui ouvrit les bras.

14

Ce fut seulement alors qu'il reprit ses esprits, et il s'arracha à elle. Ce n'était pas le moment. Pas encore.

— Tu sembles bouleversé, dit Emma. C'est Caudillo, n'est-ce pas ? Qu'est-il encore arrivé ?

— Cela n'a rien à voir avec lui, répondit-il, se demandant pourquoi il était venu.

Emma avait déjà bien assez de ses propres soucis sans devoir encore se charger des siens.

— Assieds-toi, dit-elle en tapotant le matelas près d'elle.

Il obéit, sans pouvoir se résoudre à affronter son regard scrutateur.

— J'étais juste venu te souhaiter bonne nuit, mais je ne veux pas réveiller Belle.

— Tu mens très mal, Damien. Que se passe-t-il ? Et ne t'inquiète pas. Si nous parlons tout bas, nous ne la réveillerons pas. Elle dort profondément.

— Des problèmes familiaux. Pas la peine de t'ennuyer avec ça.

— Ainsi, mes problèmes te concernent, mais je ne dois pas me mêler des tiens ?

— Ce n'est pas ce que je voulais dire.

Il ne lui avait jamais été facile de partager ses émotions. Pourtant, au lieu de partir, il s'étendit à côté d'elle.

— J'ai joué franc-jeu avec toi, reprit-elle. Je me sentirai un peu trahie si tu refuses d'en faire autant.

Trahi. C'était exactement ce qu'il ressentait, lui aussi. Et par les gens en qui il avait le plus confiance !

— Bon, lâcha-t-il. Tu l'auras voulu.

Il lui répéta ce que sa mère venait de lui révéler, en s'efforçant de contenir sa colère et sa frustration. Emma l'écouta sans l'interrompre. Quand il se tut, elle déclara :

— Je comprends que cela a dû te causer un choc.

— C'est un euphémisme. J'ai cru pendant trente ans que j'étais un Lambert. Mais ce n'est pas vrai.

— De quoi parles-tu ? Ils t'ont adopté. Tu *es* un Lambert !

— Légalement, oui, mais porter ce nom représente davantage que ça. C'est une lignée. Des traditions, des terres et des maisons transmises de génération en génération.

— C'est tout simplement être un des membres de cette famille, rétorqua Emma. Ta mère en est un bon exemple. Elle n'est pas une Lambert par le sang, mais elle est l'âme de ce clan. Il suffit de passer quelques minutes dans cette maison pour le constater.

— C'est différent. Maman est pratiquement une sainte. Moi… je suis le fils d'un couple de malfaiteurs tués au cours d'un braquage.

— Et alors ? Tu viens de me dire que la mère de Carolina était morte d'une overdose. Ta maman ne se drogue pas pour autant.

— Tu ne comprends pas, Emma. Je ne suis pas celui je croyais être. Tague et Durk sont des Lambert. Je ne suis qu'une mauvaise imitation.

— Il n'y a rien de mauvais en toi, Damien.

— Ne joue pas sur les mots.

— Es-tu en train de me dire que si, un jour, en faisant preuve d'une grande imagination, nous nous mariions toi et moi et adoptions Belle, elle ne serait pas une Lambert ? Qu'elle serait tenue à l'écart des traditions et n'aurait pas le droit de porter la robe de mariée de Carolina ou d'hériter de la perruque de Sybil ?

— Elle ne pourra pas en hériter. La perruque accompagnera Sybil dans sa tombe. Mais tu sais bien que Belle deviendrait un membre à part entière de la famille. Elle en fait déjà presque partie.

— C'est exactement où je voulais en venir.

— Pas tout à fait. La vérité, c'est qu'il y a toujours eu une distance entre Hugh et moi. Il était plus dur envers moi qu'envers Tague et Durk. C'est seulement maintenant que j'en comprends la raison. Il ne me considérait pas comme son fils.

— Rien de ce que tu m'as dit ne le démontre. La plupart des hommes traitent leur fils aîné différemment des autres. Un de mes profs de psychologie disait que les pères cherchent une image d'eux-mêmes dans leur premier-né. En voyant en eux leurs propres défauts, ils se sentent obligés d'inciter leur fils à les corriger. Ils se montrent plus indulgents à l'égard des cadets.

— Intéressante théorie.

— Pendant que nous y sommes, veux-tu que je te parle de ma propre famille ? Il est temps que tu saches à ton tour d'où je suis issue. Quand j'avais six ans, ma mère m'a fait venir dans le séjour et nous a annoncé, à mon père et moi, qu'elle avait besoin de temps pour « se trouver ». J'ai cru qu'elle parlait d'une sorte de jeu de cache-cache, jusqu'au moment où elle a pris sa valise et m'a embrassée, en disant qu'elle ne savait pas quand elle reviendrait. Je l'ai suivie jusqu'à la porte en pleurant et en lui criant de ne pas me laisser. C'est l'un de mes souvenirs d'enfance les plus marquants.

— A-t-elle fini par se trouver ?

— Non, mais elle a trouvé Jim, le barbier, Raphael, le

joueur de tennis professionnel, et Simon, le coiffeur. Je pourrais continuer la liste pendant des heures.

— Tu as connu chacun de ses amants ?

— Non, mais mon père me parlait d'eux, pour que je sache bien que ma mère était une traînée. Puis, un jour, il m'a prouvé combien il était supérieur à elle en ne rentrant pas du travail. Il n'est plus jamais revenu.

— Que lui est-il arrivé ?

— Nul ne le sait. J'imagine qu'il en a eu assez d'être père, comme sa femme en avait eu assez d'être mère. Et j'ai commencé à passer d'une famille d'accueil à une autre.

— Tu sembles t'en être très bien sortie, pour quelqu'un qui avait si mal démarré dans la vie.

— J'ai eu la chance, vers l'âge de onze ans, de tomber sur la mère d'accueil la plus aimante et la plus intelligente qu'une fillette comme moi pouvait souhaiter. Elle a changé ma vie et m'a permis de ne plus me sentir rejetée… Oui, j'ai surmonté ce handicap. Maintenant, il me reste à surmonter ma peur de Caudillo. Mais j'ai fait des progrès. Grâce aux Lambert, et à l'un d'entre eux en particulier.

Elle se blottit contre lui, et il sentit sa volonté faiblir. Il mourait d'envie de lui faire l'amour, mais il tiendrait bon. Il attendrait un moment plus propice, quand elle serait débarrassée de Caudillo à jamais. Pour l'instant, il devrait se contenter de la serrer dans ses bras.

Il n'arrivait toujours pas à accepter le fait de ne pas être le fils de Carolina et Hugh. Mais il tenait Emma contre son cœur et Caudillo dans son collimateur.

Il s'occuperait du reste le moment venu.

Il était 9 heures du matin et Damien venait d'attribuer aux ouvriers du ranch leurs tâches pour la journée quand il reçut un appel de Durk.

— Je suis surpris d'avoir de tes nouvelles aussi tôt. Je présume que tu n'as pas encore eu le temps de voir Delaney.

— En fait, nous avons pris un café ensemble à 8 heures.

— Avait-il déjà entendu parler de Caudillo ?

— Oh, oui ! Il m'a dit que leurs services avaient opéré des descentes dans la résidence d'Enmascarado à deux reprises au cours des cinq dernières années. A chaque fois, en collaboration avec les autorités caribéennes. La première fois, l'entrepôt était rempli de bananes. La seconde, de sacs de noix de cajou.

— Manifestement, il avait été prévenu. Que pense Delaney de mon hypothèse selon laquelle Caudillo aurait un informateur au Bureau de répression des fraudes ?

— Il admet que c'est possible. Ils ont mis en place une nouvelle stratégie qui consiste à empêcher Caudillo de se procurer des armes, plutôt que de l'arrêter une fois en possession des marchandises.

— De toute évidence, cette stratégie ne donne pas de meilleurs résultats que l'ancienne.

— Delaney l'a reconnu lui-même.

— Et les enlèvements ? Y a-t-il eu des enquêtes à ce sujet ?

— Je sais que ça ne va pas te plaire, Damien, mais Delaney a émis quelques doutes sur la réalité de cet enlèvement, surtout après avoir appris l'existence d'un acte de mariage.

— Emma dit la vérité.

— De ton point de vue. Delaney voit les choses différemment. Il dit que Caudillo a une réputation de play-boy international et que les femmes se jettent à son cou. Il a un yacht, il est riche et, toujours d'après Delaney, il possède un charme certain.

— C'est la réaction à laquelle je m'attendais, soupira Damien, et c'est pour cela que je ne voulais pas m'adresser à la CIA ou au FBI.

— La bonne nouvelle, c'est que ton idée plaît assez à

Delaney. Le plus dur va être d'obtenir le feu vert pour la mettre en application.

— J'espère qu'ils ne laisseront pas d'informations trop précises filtrer dans la presse. Caudillo est rusé. Il ne faut pas qu'il flaire le piège.

— As-tu une suggestion à faire sur la façon de rédiger le communiqué ?

— Quelque chose comme : « Selon des rumeurs non confirmées, un fonctionnaire du Bureau de répression des fraudes de Nashville pourrait être interpellé dans les jours qui viennent pour conduite contraire à l'éthique. »

— C'est peut-être un peu trop vague.

— Je ne le pense pas. Caudillo saura déchiffrer le message et son informateur aussi, c'est tout ce qui compte.

— Tu as raison. Il faudra transmettre l'information à Tague.

— Je n'y manquerai pas. Delaney pense-t-il avoir une chance d'obtenir le feu vert de sa hiérarchie ?

— Une chance infime, donc ne te réjouis pas trop vite. Ils ont déjà dépensé beaucoup de temps et de moyens pour appréhender Caudillo, sans aucun résultat.

— Cette fois-ci, ça pourrait marcher, dit Damien avec conviction.

La conversation terminée, il téléphona à l'agence de sécurité à laquelle il avait fait appel deux ans plus tôt, quand Carolina avait reçu des lettres de menace. Il s'était révélé qu'elles émanaient en fait d'un fêlé tout à fait inoffensif. Mais l'agence avait fait preuve d'une parfaite compétence et déployé des gardes tout autour de la propriété. Par ailleurs, tous leurs cow-boys étaient bons tireurs, et ils avaient toujours une arme sur eux pour se protéger contre les serpents.

Pour le moment, rien ne laissait supposer que Caudillo

savait qu'Emma se trouvait ici. Mais Damien préférait ne prendre aucun risque.

— Il faut la laver sous le menton, Damien. Relève-lui la tête. Elle ne va pas se casser.

— Elle a un triple menton. Lequel dois-je nettoyer ?

— Tous.

Donner un bain à Belle s'avérait être une tâche bien plus éprouvante qu'il ne l'aurait pensé, et il avait hâte d'en avoir terminé.

— Mais elle est tellement glissante, avec tout ce savon... Si elle t'échappait des mains pendant que je la lave ?

— J'ai l'impression que tu as peur d'elle, Damien.

— C'est vrai. Elle gigote en tous sens, elle donne des coups de pied, et sa tête n'a pas l'air de tenir en place. Quand je la tiens, j'ai toujours peur de laisser tomber quelque chose.

— Elle est fragile, mais pas à ce point, répondit Emma en souriant. As-tu eu des nouvelles du détective qui recherche son père ? reprit-elle, changeant brusquement de sujet.

— Non, pas depuis notre voyage à Fort Worth.

— Je me demande combien de temps le service de protection de l'enfance laissera Belle à notre garde, si nous ne retrouvons pas son père.

— Ne vont-ils pas tout simplement attendre que nous leur demandions de venir la chercher ?

— C'est peu probable. Un bébé n'est pas un objet trouvé, Damien. Je soupçonne ta mère d'avoir usé de ses relations pour qu'on nous autorise à la garder aussi longtemps.

— Mais Belle est très bien ici. Ce n'est pas comme si elle n'avait pas de foyer, protesta Damien.

— Officiellement, si. Je suis sûre que la loi prévoit un délai au-delà duquel elle devra partir d'ici pour être placée dans une famille d'accueil.

— Mais c'est absurde ! L'arracher à cette maison où elle

a une kyrielle de grand-mères, de grand-tantes et d'oncles honoraires pour lui chercher une autre famille où elle sera peut-être beaucoup moins heureuse…

— C'est ainsi, soupira Emma, sortant le bébé de la baignoire tandis que Damien enroulait une serviette-éponge autour du petit corps ruisselant.

A ce moment, son portable se mit à sonner. Il regarda l'écran, dans l'espoir qu'il s'agissait de Durk. Mais le numéro était masqué.

— Allô ?

— Je voudrais parler à ma femme. Emma est-elle là ?

15

Damien passa dans le couloir afin qu'Emma ne puisse entendre la conversation.

— Qui diable êtes-vous ?

— Inutile de vous montrer impoli. Je désire simplement transmettre un message à ma femme.

— Je vous écoute.

— Dites-lui qu'elle me manque et que j'espère qu'elle n'a pas oublié nos soirées romantiques. Et aussi que je compte la revoir bientôt.

— Espèce de fumier ! Comment osez-vous appeler ici ?

— Et vous, comment osez-vous me voler mon épouse ?

Il y eut un déclic et la communication fut coupée.

Damien bouillonnait de colère et il ne voulait pas qu'Emma le voie ainsi. Elle comprendrait aussitôt qu'il était arrivé quelque chose de terrible. Rangeant le portable dans sa poche, il sortit par la porte de derrière.

Le garde armé surveillant l'arrière de la maison le salua d'un signe de tête et Damien lui rendit son salut. Il demanderait que l'on renforce le niveau d'alerte dès qu'il se serait suffisamment calmé. Mais il devait parler à Durk sans attendre.

— La cote d'alerte a été atteinte, annonça-t-il dès que son frère eut décroché.

— Que s'est-il passé ?

— Caudillo sait qu'Emma est ici. Contacte Delaney, pour savoir si nous pouvons compter sur son appui.

— D'accord. Je te rappelle tout de suite.

Damien discutait avec le chef du service de sécurité lorsque Durk rappela.

— Bon, frangin, j'ai informé Delaney que Caudillo t'avait téléphoné. Je crois que cela l'a convaincu que ce salopard se trouvait peut-être aux Etats-Unis et pas à bord de son yacht, au large des côtes sud-américaines. La CIA est d'accord pour mettre ton plan en œuvre, mais elle veut aussi envoyer une équipe au ranch.

— Quand cela ?

— Le dispositif prendra effet dès maintenant, à condition qu'Emma accepte leurs conditions. Une équipe de Dallas viendra la chercher et l'emmènera dans une résidence protégée où elle restera jusqu'à ce que tout danger ait été écarté.

— Je peux me charger moi-même de sa protection.

— Ne fais pas échouer toute l'opération parce que tu refuses cette petite concession, Damien. Si tu veux coincer Caudillo, accepte. Delaney ne pense pas qu'il viendra au ranch en personne. Si telle était réellement son intention, il ne t'aurait pas prévenu par téléphone. Il est plus vraisemblable qu'il projette simplement d'éliminer son informateur puis de disparaître. Après tout, grâce à cet acte de mariage, il a désamorcé toute action qu'Emma pouvait intenter contre lui. Elle n'a aucune preuve, c'est sa parole contre la sienne.

— Dans ce cas, Delaney ne devrait voir aucune objection à ce que ce soit moi qui emmène Emma en lieu sûr.

— N'y compte pas. Et ils veulent également que toute la famille évacue le ranch. Vous pouvez venir habiter chez moi, à Dallas.

— Très bien. Tague les conduira là-bas. Je reste ici. Si Caudillo se montre, je veux faire partie du comité d'accueil.

— J'ai dit à Delaney que tu tenais absolument à participer à l'opération. Ça ne lui a pas plu, mais il a fini par y consentir.

— Je demanderai à quelques-uns des membres du service de sécurité d'accompagner la famille à Dallas.

Quand il rejoignit Emma, Damien avait le cœur qui battait à se rompre. Elle allait être bouleversée d'avoir mis les habitants du ranch en danger, mais elle obéirait aux instructions de la CIA si cela signifiait que le règne de terreur de Caudillo allait peut-être se terminer.

Emma déposa un baiser sur les joues satinées de Belle avant de la tendre à Carolina. Dehors, les agents de la CIA l'attendaient impatiemment.

— Je ne comprends rien à ce qui se passe, soupira Carolina, mais nous prendrons bien soin de Belle.

Emma la serra dans ses bras, puis dit au revoir au reste de la famille, en gardant Damien pour la fin.

— Je préférerais rester avec toi, murmura-t-elle tandis qu'il l'enlaçait.

— Je sais, mais ce sera bientôt fini et, ensuite, je ne te quitterai plus d'une semelle, à tel point que tu en auras vite assez de me voir.

— Sois prudent, Damien. Je t'en prie, fais attention à toi. Ne cherche pas à jouer les héros.

— Ne t'inquiète pas. La CIA est là pour ça.

Il l'embrassa, puis monta à bord de la berline noire.

Elle avait la poitrine serrée par l'angoisse tandis que la voiture s'éloignait.

Elle avait su dès le début qu'elle finirait par mettre Damien et sa famille en péril. Personne ne gagnait jamais contre Caudillo.

*
* *

En définitive, Damien et Durk demeurèrent tous les deux au ranch. Tague étant le plus jeune, c'était lui qui avait été désigné pour escorter les femmes à Dallas.

— Je présume que Delaney t'a autorisé à rester ici à la seule fin de me surveiller, plaisanta Damien pendant qu'ils sellaient leurs chevaux.

— Non, je lui ai simplement déclaré que les frères Lambert travaillaient toujours en équipe.

Il en avait toujours été ainsi. Mais ça, c'était avant que Damien ne découvre qu'il n'était pas un Lambert. Il s'efforça de réprimer la colère qui remontait en lui à cette pensée.

— Alors, que se passe-t-il du côté de Nashville ?

— Personne au bureau n'a été informé de l'opération, à part ceux qui se trouvent au sommet de la hiérarchie, répondit Durk. Quand la nouvelle aura été diffusée dans les médias, tout le service va entrer en effervescence.

— Delaney sera sur place ?

— Oui, avec une demi-douzaine d'agents et un des gros bonnets du Bureau de répression des fraudes. Ils seront installés dans le local de surveillance, devant les écrans de contrôle des caméras placées dans les couloirs. Ils pourront voir toutes les allées et venues.

Ils montèrent en selle et lancèrent leurs chevaux au galop, pour ralentir en arrivant à proximité de Beaver Creek. L'endroit où Damien avait découvert Emma, vendredi soir. A présent, il priait pour que le monstre auquel elle avait échappé vienne au ranch. Il n'avait encore jamais tué un homme, mais il se sentait capable d'abattre Caudillo d'une balle dans le cœur, s'il le fallait.

Cette éventualité était cependant peu probable. L'agent de la CIA qui dirigeait les opérations leur avait ordonné de se tenir à l'écart, mais avait promis de les alerter dès que Caudillo aurait été repéré. *Si* on le repérait.

— Merci d'être resté avec moi, dit Damien. Je suis content d'avoir un peu de compagnie.

— Un pour tous, tous pour un. C'est la devise des Lambert.

Le problème qui le hantait resurgit à l'esprit de Damien. Il contempla les prairies s'étendant devant lui. C'était bien plus qu'un ranch, c'était un héritage qui n'aurait jamais dû lui revenir. Il lui était impossible de garder plus longtemps le silence.

— Je ne suis pas vraiment un Lambert.

— Je vois ce que tu veux dire, rétorqua Durk. Moi aussi, par moments, je suis prêt à nier tout lien de parenté avec vous, et pourtant je ne vous vois que le week-end. Qui t'a encore tapé sur les nerfs ? Maman ? Sybil ? Grand-mère ?

— Je parle sérieusement, Durk. J'ai été adopté.

— C'est cela, oui. Et moi, je vais me présenter à l'élection présidentielle.

— Je ne plaisante pas.

Durk le dévisagea comme s'il lui était subitement poussé des cornes.

Damien lui expliqua ce qu'il avait découvert. Quand il eut terminé son récit, ils restèrent tous deux silencieux un long moment.

— Je n'en avais pas la moindre idée, reconnut Durk, l'expression stupéfaite. Mais cela ne change rien.

— Pour moi, si.

— Pas pour nous. Tu es mon frère, au même titre que Tague. Rien n'y changera quoi que ce soit.

— Tu es obligé d'admettre que ça explique pas mal de choses. Par exemple, l'attitude de papa envers moi. Rien de ce que je pouvais faire ne trouvait grâce à ses yeux. Je n'étais pas son fils.

— Si papa ne te considérait pas comme son fils aîné, comment se fait-il qu'il t'ait légué la maison et les meubles ? Ce qui signifie que c'est à toi qu'il revient de perpétuer les traditions familiales, le repas de Noël, les rodéos à l'automne, la fête au début de la saison de football… Il ne t'aurait jamais transmis ce rôle s'il ne te considérait pas comme un membre de la famille.

— Je suis sûr qu'il ne l'a fait que sur l'insistance de maman.

— Même elle n'avait pas autant d'influence sur lui.

— Laissons tomber le sujet, déclara Damien. J'ai d'autres soucis en tête en ce moment.

— Bonne idée, reconnut Durk. Rentrons à la maison.

La maison qui n'aurait pas dû être celle de Damien, dans laquelle il allait attendre la venue d'un fou dangereux qui ne se montrerait peut-être pas. Mais s'il ne venait pas, Damien ne renoncerait pas à le retrouver. Il sauverait Emma de Caudillo, même si c'était la dernière chose qu'il devait accomplir.

Caudillo éteignit la radio et se rangea sur le bas-côté de la route. Une arrestation imminente d'un agent du Bureau de répression des fraudes, quelques heures après l'appel qu'il avait passé au ranch Lambert ?

S'ils le croyaient assez stupide pour se jeter dans la gueule du loup, ils n'étaient que des imbéciles. Mais leur petit stratagème allait sûrement flanquer une frousse bleue à cette fouine d'Arnold Sawyer…

Il sortit de sa poche son portable impossible à tracer et tapa un numéro pour ordonner l'exécution de l'informateur.

Dommage qu'il ne puisse s'en charger lui-même, mais il avait une tâche beaucoup plus importante à accomplir.

Il était tellement facile de se montrer plus malin que ses adversaires que ça n'était même pas amusant.

16

— Avez-vous entendu la nouvelle ?

Arnold Sawyer releva les yeux du dossier qu'il était en train de lire et sourit à sa secrétaire.

— Laquelle ?

— Quelqu'un du bureau va être arrêté pour conduite contraire à l'éthique.

— Qui a couché avec qui ?

— S'il ne s'agissait que de ça, ça n'intéresserait pas les journaux, seulement les gens du service, comme le coup de fil d'Emma hier…

Arnold faillit s'étrangler avec sa salive.

— Vous avez parlé à Emma Muran ?

— Pas moi, la standardiste. Il semble que la lune de miel avec son play-boy milliardaire soit déjà terminée. Mais cette info-ci est beaucoup plus sérieuse. Quelqu'un aurait livré des renseignements confidentiels à des personnes non autorisées et serait sur le point d'être arrêté.

Emma s'était évadée. Quelqu'un allait être inculpé pour avoir vendu des informations. Arnold sentit ses mains devenir moites, son estomac se serrer. Il était dans le pétrin !

Il se contraignit à préserver les apparences jusqu'au départ de sa secrétaire. Il devait partir d'ici au plus vite. Il n'avait même pas le temps de faire disparaître toutes les preuves compromettantes.

Aucune importance. Il n'était pas près de revenir.

Il se dirigea vers la porte, puis revint sur ses pas pour

prendre son ordinateur portable. Il contenait des fichiers qui pourraient lui être utiles.

La porte se rouvrit et, avant qu'il ait eu le temps de se retourner, il entendit le verrou se refermer.

— On se préparait à filer, Sawyer ?

— Qui êtes-vous ?

— Un ami d'ami.

— Comment êtes-vous entré ici ?

— Ça n'a pas été facile. Tu as semé la panique dans la maison, mais on n'allait quand même pas interdire l'accès au livreur de boissons gazeuses.

— Je n'ai rien dit à personne ! Je vous le jure. J'ai toujours fait tout ce que Caudillo me demandait. Je lui ai remboursé au centuple la somme qu'il m'a versée pour payer l'opération de ma fille !

— C'est bon, calme-toi, et retourne t'asseoir à ton bureau. On va bavarder, et peut-être trouvera-t-on un moyen de s'entendre.

Arnold obéit. Deux secondes plus tard, il sentit le couteau s'enfoncer dans sa chair, lui tranchant la carotide. Le sang jaillit à flots. Des images de sa femme et de sa fille surgirent dans son esprit, puis firent place aux ténèbres.

Il était 15 h 10 lorsque Damien et Durk apprirent qu'un certain Arnold Sawyer, un cadre du service de répression des fraudes ayant plus de vingt ans d'ancienneté et un parcours irréprochable, avait été assassiné dans son bureau. Il avait joué un rôle majeur dans les perquisitions infructueuses effectuées sur l'île d'Enmascarado. Caudillo savait choisir ses complices.

— Alors, tout est fichu, soupira Durk. Les morts ne parlent pas.

— Oui, mon plan tombe à l'eau, admit Damien.

— Ce n'est pas ta faute si Sawyer est mort.

— Peut-être, mais ça ne me console pas pour autant, répondit Damien en se versant une nouvelle tasse de café.

Cette attente interminable commençait à lui porter sur les nerfs.

— Ce silence a quelque chose d'inquiétant, tu ne trouves pas ? demanda-t-il à son frère.

— C'est justement ce que j'étais en train de penser. Si Caudillo doit venir, j'espère qu'il ne tardera pas.

Mais cet espoir se révéla vain. Le crépuscule tomba, puis une nuit noire sans la moindre étoile enveloppa le ranch.

Durk s'étendit sur le canapé tandis que Damien rajoutait du bois dans la cheminée.

— Si je m'endors, réveille-moi à la moindre alerte.

— Entendu.

Les premiers rayons du soleil filtraient à travers les fenêtres quand Damien ferma enfin les yeux. Dans le théâtre de son esprit, le rideau se leva aussitôt, et Emma fit son entrée en scène. Mais elle n'était pas seule.

Un monstre hideux était avec elle, l'attirait sur ses genoux, lui caressait les cheveux. Effleurait sa chair tendre avec ses mains qui ressemblaient à des serres.

— Tu ne pourras pas la sauver, cria le monstre. Tu n'es pas un Lambert.

La voix était celle de son père.

Damien se réveilla en sursaut, le cœur battant la chamade. La clarté du soleil emplissait la pièce. Son téléphone sonnait. Bondissant de la chaise où il s'était endormi, il répondit, priant pour qu'on lui annonce l'arrestation de Caudillo.

— Ici Jerry Delaney. J'ai des nouvelles pour vous.

— J'espère qu'elles sont bonnes.

— Excellentes. Vous n'avez plus à vous préoccuper de Caudillo, également connu sous le nom d'Anton Klein.

— Dois-je comprendre que vous l'avez arrêté ?

— Non. Il est mort. Il semble qu'il ne se trouvait pas aux Etats-Unis quand il vous a appelé.

— Comment le savez-vous ?

— Une explosion s'est produite à bord de son yacht cet après-midi, à peu près au même moment où Sawyer était égorgé. Cinq matelots sont portés disparus, projetés à la mer par le souffle de la déflagration. Mais le corps de Caudillo a été retrouvé à bord et identifié par le capitaine.

— Donc vous n'avez pas d'autre preuve de sa mort que la parole du commandant de bord ?

— Si. Le bateau a regagné le port, et les autorités locales ont vérifié les empreintes du cadavre. Elles correspondent à celles de notre homme. Et, maintenant, j'aimerais vous passer quelqu'un.

— C'est fini, Damien. C'est fini pour de bon. Le monstre est mort.

La voix d'Emma tremblait d'excitation.

— Je rentre au ranch. J'ai hâte de te revoir.

— Je t'attends.

Il aurait eu tellement d'autres choses à lui dire… Qu'il l'aimait. Qu'il ne voulait plus la quitter. Mais il en aurait tout le temps plus tard. Emma était hors de danger et elle revenait près de lui.

Emma ne pouvait plus s'arrêter de sourire. Son cœur débordait de bonheur.

Elle savait qu'il lui arriverait encore de faire des cauchemars. De se réveiller le matin en se croyant encore, l'espace d'une seconde terrifiante, prisonnière sur cette île sinistre. Mais, petit à petit, les séquelles de cette douloureuse expérience s'estomperaient. Elle n'oublierait jamais les horreurs qu'elle avait vécues, mais elle ne les laisserait pas lui voler son bonheur.

Quand la voiture se gara devant la grande maison, Damien

l'attendait sur le perron. Elle se jeta dans ses bras, et il la fit tournoyer comme si elle était une enfant, lui donnant le vertige. Puis il l'étreignit si fort qu'elle en eut le souffle coupé.

Quand leurs lèvres se rencontrèrent, elle fondit sous son baiser. Elle aurait pu rester ainsi toute une éternité, si le reste de la famille n'était pas accouru pour lui souhaiter la bienvenue.

Quelques instants après, ils étaient tous réunis dans la véranda et Tague débouchait une bouteille de champagne. Emma s'installa dans le fauteuil à bascule, berçant Belle dans ses bras, tandis que la pièce retentissait de rires et de joyeuses exclamations.

— J'ai un aveu à vous faire, murmura Carolina en s'asseyant près d'elle.

— Un jour comme aujourd'hui, je suis prête à tout vous pardonner.

— Hier soir, j'étais à bout de nerfs, et je me suis dit que je devais entreprendre quelque chose de positif pour me changer les idées. J'ai passé quelques coups de fil, et j'ai ainsi appris que la fille d'une de mes amies était directrice régionale de l'organisme qui se charge de placer les enfants dans des familles d'accueil. Je lui ai donc téléphoné pour lui exposer la situation.

— Et que vous a-t-elle dit ? demanda Emma en retenant son souffle.

— Qu'ils avaient beaucoup de mal à trouver des familles d'accueil pour les tout-petits en ce moment. Elle ne voit pas d'objection à confier Belle à vos soins jusqu'à ce qu'on ait retrouvé le père, à condition que vous suiviez la formation destinée aux parents d'accueil, et que votre candidature soit approuvée par la commission. Je suis certaine que ce sera le cas.

— Je pourrai garder Belle ?

— Uniquement si vous le souhaitez. Et si vous acceptez

de rester dans la région. Mais il s'agit seulement d'un placement provisoire, jusqu'à ce que le père de la petite ait été retrouvé.

Les yeux d'Emma se remplirent de larmes.

— Je ne sais que dire. J'ai tellement envie de continuer à m'occuper de Belle… Quand je devrai la rendre à sa famille, ce sera un vrai déchirement, mais il faudra bien que je le supporte. Merci. Merci pour tout.

— Je l'ai fait un peu par égoïsme, vous savez ? Je n'ai pas plus envie que vous de me séparer d'elle.

Et si Damien l'aimait autant qu'elle l'aimait, Carolina verrait son vœu s'exaucer. Mais, jusqu'ici, Damien ne lui avait pas parlé d'amour. Peut-être était-il uniquement mû par le désir de la protéger.

Non, elle ne le croyait pas. Il n'avait pas encore prononcé le mot, mais elle lisait l'amour dans ses yeux, elle le sentait dans ses gestes.

Pourtant, quand elle le chercha des yeux, elle s'aperçut qu'il avait disparu.

Carolina s'éclipsa par la porte de derrière et suivit Damien le long du sentier menant à l'écurie. Elle serrait dans sa main droite la lettre qu'elle chérissait depuis tant d'années. Pressant l'allure, elle rattrapa son fils et glissa un bras sous le sien.

— Cela ne te ressemble pas de fuir les réjouissances familiales !

— C'est que je ne sais plus très bien si j'ai encore ma place dans cette famille. Tu aurais dû me dire la vérité plus tôt.

— Je m'en rends bien compte à présent mais, au début, tu étais encore trop petit. Et, quand tu es devenu grand, j'ai trouvé que ça ne valait pas la peine de me quereller avec Hugh, qui s'y serait opposé. De toute façon, dans notre cœur, tu as toujours été notre fils. Je ne comprends d'ailleurs pas comment tu peux ne pas le voir.

— Est-ce toi qui as insisté pour que papa me lègue la maison ?

— Nous n'avons jamais abordé ce sujet, Damien. Tu étais l'aîné, la maison te revenait de droit. Ecoute, il y avait parfois des différends entre Hugh et toi, mais il t'aimait. Et si ma parole ne suffit pas à t'en convaincre, ceci y parviendra peut-être.

Elle lui tendit la lettre, puis fit demi-tour et retourna vers la maison.

Damien s'adossa contre la porte de la sellerie pour entamer sa lecture.

« Bon anniversaire, ma femme adorée. »

Il eut d'abord l'impression de commettre une indiscrétion en lisant cette déclaration d'amour à sa mère. Ce ne fut qu'en arrivant aux derniers paragraphes qu'il comprit pourquoi elle la lui avait remise.

« Je suis toujours émerveillé par ce miracle que représente notre fils, Damien. Tu m'as apporté l'amour et la joie de vivre, Damien me donne une raison d'essayer de me comporter de manière exemplaire. Je m'attendais à l'aimer, mais je ne pensais pas qu'il deviendrait le centre de notre vie et que je prendrais tant de plaisir à le regarder et à jouer avec lui.

Je prie seulement pour que nous ayons d'autres fils et que nous les chérissions autant, si toutefois c'est possible. »

Damien relut la lettre, plus lentement cette fois, pour mieux s'imprégner du sens de ces lignes. Le sentiment de trahison qui l'habitait commença à se dissiper. Peut-être avait-il mal jugé son père. Et il devait reconnaître lui-même qu'au plus profond de son âme il se considérait comme un membre de la famille Lambert…

Il devait prendre le temps de méditer sur ce dilemme. Dans l'immédiat, il devait réfléchir à la meilleure façon de demander Emma en mariage. Et il réfléchissait toujours mieux à cheval.

Une heure plus tard, Damien n'était toujours pas rentré. Comme Belle commençait à s'agiter, Emma l'enroula dans une couverture et sortit avec elle dans le jardin pour profiter du soleil. La vague de froid était passée et la température, en ce mois de janvier, frôlait les vingt degrés.

Elle alla s'asseoir sur la balançoire et bougea doucement les pieds pour lui imprimer un mouvement régulier, dans l'espoir d'apaiser le bébé.

— Tu as été un miracle dans ma vie, Belle. Sans toi, je ne serai pas restée ici assez longtemps pour tomber amoureuse de Damien.

Entendant des pas derrière elle, elle se retourna vivement.

— Ainsi, tu es amoureuse de lui, hein ? Comme c'est mignon !

Caudillo. Seulement, cette fois, il ne s'agissait pas d'un cauchemar.

Elle ouvrit la bouche pour crier, mais la main gauche de Caudillo se plaqua sur ses lèvres, tandis que, de la main droite, il lui enfonçait la pointe d'un couteau entre les omoplates. Elle sentit un filet de sang chaud s'écouler le long de son dos.

— Si tu cries, je tue le bébé. Tu sais que j'en suis capable, alors ne me tente pas.

Cette fois, il fit courir la lame le long de son bras, et le sang ruissela sur le sol.

— Lève-toi et dirige-toi vers ce bosquet. C'est la corde qui t'attend, ma chérie.

Une terreur paralysante glaça les veines d'Emma.

— Tu es censé être mort.

— Et toi, tu es censée être sur l'île d'Enmascarado.

— Tu ne te trouvais pas à bord du yacht au moment de l'explosion, murmura-t-elle, la réalité se faisant brusquement jour en elle.

— Comment l'as-tu deviné ?

— Mais c'est toi qui as tout combiné. Tu as tué tes hommes.

— Tout le monde doit mourir un jour.

— Comment as-tu réussi à falsifier les empreintes digitales ?

— Que tu es bête ! L'argent achète tout. Je suis sûr que ton nouveau petit ami le sait, lui. C'est l'un des hommes les plus riches du Texas. Mais tu aimes le luxe, c'est ce qui t'a attirée vers moi.

— Damien ne te ressemble en rien, Caudillo. En rien.

— Je n'en suis pas convaincu, mais ça n'a pas d'importance. Tu ne vivras pas assez longtemps pour le découvrir. Bon, en route !

Elle se mit en marche, comme hébétée.

— Nous n'étions pas obligés d'en arriver là, Emma. De toutes les filles que j'ai choisies, tu es la seule que j'aurais pu aimer. Mais mon contact te répugnait.

Il la poussa brutalement et, en trébuchant, elle s'enfonça à l'intérieur du bosquet.

— Maintenant, pose le bébé sur l'herbe et enlève ces affreux vêtements. Une vraie femme ne voudrait jamais être vue dans un tel accoutrement, même morte ! railla-t-il, s'esclaffant de cette plaisanterie macabre.

Il allait la tuer. Mais pas rapidement. Ce n'était pas son style. Elle se rappela l'histoire de cette femme qu'il avait torturée, lui tranchant d'abord les seins, puis…

Non. Elle ne se laisserait pas paralyser par la peur. Elle devait sauver sa peau. Elle ne voulait pas mourir.

— Si tu veux que je me déshabille, tu devras le faire toi-même.

Il la projeta sur le sol et posa la pointe de la lame sur la poitrine de Belle.

— C'est ça que tu veux ?

— Non, implora-t-elle, le cœur serré d'effroi. Ne fais pas de mal à Belle, je t'en supplie, Caudillo. Je ferai tout ce que tu voudras, mais ne lui fais pas de mal.

Lentement, elle ôta ses vêtements. Et ce fut seulement lorsqu'elle fut nue qu'elle aperçut la corde se balançant à la branche d'un chêne, quelques mètres plus loin. Il allait la torturer, et ensuite il la pendrait.

17

Damien venait de mettre pied à terre quand son portable sonna. Il décida d'abord de l'ignorer, avant de voir que l'appel émanait de Carson Stile.

— Je présume que tu veux m'annoncer que Caudillo est mort, lança Damien en guise de salutation.

— Non, je veux te prévenir qu'il se trouve dans la région de Dallas, tout près de ton ranch.

— Qu'est-ce qui te fait croire une chose pareille ?

— Il a retiré de l'argent au distributeur automatique du centre commercial où tu m'as incité à acheter ces ridicules éperons.

Damien jeta le téléphone par terre et se rua vers la maison.

— Où est Emma ? demanda-t-il à Carolina.

— Elle est sortie avec Belle. Que se passe-t-il ?

— Où est-elle allée ?

— La dernière fois que je l'ai vue, elle se dirigeait vers la vieille balançoire.

— Où sont Tague et Durk ?

— Ils sont partis se balader dans la camionnette de Tague.

— Enferme-toi dans la maison et verrouille les portes. Appelle mes frères et dis-leur de revenir ici en quatrième vitesse. Je crois que Caudillo rôde dans les parages.

— Mais je pensais qu'il était mort !

Sans prendre le temps de lui donner des explications, Damien s'empara de son pistolet et s'élança à la recherche d'Emma.

Mais il ne trouva que du sang. Des gouttelettes d'un rouge cramoisi, dans la poussière au-dessous de la balançoire. *Oh, mon Dieu, faites que je n'arrive pas trop tard*, implora-t-il muettement. S'il était arrivé malheur à Emma…

Ce fut alors qu'il l'aperçut à travers les arbres. Elle était nue, pieds et mains liés, un nœud coulant autour du cou. Ses pieds touchaient encore le sol, mais l'extrémité de la corde se trouvait entre les mains de Caudillo. S'il la tirait d'un coup sec, il lui briserait les vertèbres.

Belle gisait dans l'herbe, les yeux clos, immobile. Une terreur sans nom tordit le ventre de Damien.

— Si tu me tues, Damien te pourchassera jusqu'au bout du monde pour te le faire payer.

— Crois-tu réellement que je puisse avoir peur d'un cow-boy ?

Damien n'avait jamais tué jusqu'à présent, mais rien ne lui aurait fait plus plaisir que tirer une balle dans la tête de ce salaud.

Au demeurant, Caudillo ne lui laissait pas d'autre choix. Si ce monstre le voyait, il tirerait immédiatement sur la corde et Emma mourrait.

Damien devait l'abattre du premier coup. Il posa le doigt sur la détente, visa et tira.

En entendant la détonation, Emma crut, l'espace d'une seconde, que c'était le craquement de ses cervicales et qu'elle était morte. Mais les pleurs de Belle la ramenèrent aussitôt à la réalité.

Caudillo était allongé sur le sol, dans une mare de sang.

Damien se précipita vers elle, lui retira la corde et l'étreignit avec force.

— Tu n'as rien ? T'a-t-il fait du mal ?

— Non, il commençait seulement à s'échauffer. C'est

la torture mentale qui lui plaisait surtout, répondit-elle en tremblant. Est-il mort ?

— Mort et bien mort. Même Caudillo ne peut pas survivre avec la cervelle réduite en bouillie.

Otant sa chemise, il l'en drapa.

— Je n'ai jamais eu aussi peur de ma vie. Je ne veux plus jamais revivre cela.

— Belle non plus, apparemment, dit Emma en prenant le bébé dans ses bras.

L'enfant se tut immédiatement. Emma la donna à Damien pendant qu'elle enfilait ses vêtements.

Puis il lui passa un bras autour des épaules et l'attira de nouveau contre lui.

— Je suis fou de toi, Emma. Je ne sais pas comment j'ai pu tomber amoureux si vite, mais le fait est là.

— Moi aussi, Damien. Je crois que je t'ai aimé dès le premier instant. Comme ton père et ta mère, nous étions faits l'un pour l'autre.

— Dois-je en déduire que tu acceptes de m'épouser ?

— Sans la moindre hésitation.

Levant les yeux, elle vit Durk et Tague accourir vers eux.

— Que diable se passe-t-il ? Maman m'a hurlé au téléphone de rentrer à toute vitesse, et puis j'ai entendu un... Bon sang !

Durk s'arrêta net en découvrant le cadavre.

— S'agit-il de celui auquel je pense ?

— C'est le monstre, admit Emma. Il n'était pas mort, mais à présent il l'est. Votre frère m'a sauvé la vie.

— Que s'est-il passé ?

— Je te raconterai tout cela plus tard, répondit Damien. Pour le moment, appelle le shérif, et informe-le qu'il y a eu un autre homicide en état de légitime défense au ranch.

— J'appellerai également Delaney. Il va avoir du mal à accepter l'idée qu'il s'est laissé berner.

— Vous allez bien, la petite et vous ? s'enquit Tague.

— Mieux que bien. Nous sommes en vie, rétorqua Emma.

Elle cala Belle contre son épaule tandis que Damien lui passait un bras autour de la taille.

— Rentrons à la maison, cow-boy.

La maison qui allait devenir leur foyer.

Décidément, Carolina avait raison. Une femme devait toujours écouter son cœur.

Découvrez la suite des aventures des Héritiers d'Oak Grove le mois prochain, dans le Black Rose 244.

LYN STONE

Gardienne d'un secret

BLACK *ROSE*

éditions HARLEQUIN

Titre original : IN HARM'S WAY

Traduction française de JULIA TAYLOR

83-85, boulevard Vincent-Auriol, 75646 PARIS CEDEX 13.
Service Lectrices — Tél. : 01 45 82 47 47
www.harlequin.fr

1

— Alors, qu'en penses-tu, Kick ? Tu la crois coupable ?

Tout en posant la question à son coéquipier, Mitch Winton tendait le cou pour observer la femme assise sur le lit de la chambre voisine. Les mains croisées sur ses genoux, elle se tenait très raide, le dos droit comme un « i ». Depuis le couloir où il se tenait, Mitch ne pouvait voir son visage. Elle avait la tête tournée, probablement pour éviter de regarder le corps de la victime. Près d'elle, un officier en uniforme montait la garde.

— Nous n'avons aucune raison de penser le contraire, répondit Kick Taylor.

— Tu l'as déjà interrogée ?

— Seulement quelques minutes. Elle est restée de glace. Impossible d'en tirer quoi que ce soit, elle ne m'a quasiment rien dit.

— OK. Passe-moi quand même l'enregistrement.

Kick hésita, puis tendit le petit magnétophone à Mitch.

— Il n'y a pas grand-chose à entendre. Elle n'a pas bougé depuis mon arrivée. Davis et Mackie m'ont dit qu'elle ne s'était même pas levée pour aller leur ouvrir la porte.

— C'est elle qui a appelé la police ?

— Affirmatif.

Mitch soupira. Kick avait le don de l'énerver. Ne pouvait-il pas tout simplement répondre oui ?

— Comment se fait-il que nous soyons de service ce

soir ? s'enquit-il. Ai-je coché la mauvaise case sur le tableau de service ?

— La femme de Smith est sur le point d'accoucher. Je me suis porté volontaire pour échanger avec lui et Williams.

— C'est lui qui te l'a demandé ? s'étonna Mitch.

Il connaissait bien Smith et ça ne lui ressemblait pas.

— Non, c'est moi qui le lui ai proposé. J'ai oublié de t'en parler, désolé. Je sais que tu es censé être en congé. Ne t'inquiète pas, je peux me charger seul de cette affaire.

Kick avait tendance à faire du zèle et ce n'était pas forcément une bonne chose. Quand il avait été transféré de la brigade des mœurs à celle des homicides, son nouveau chef avait décidé de lui faire faire équipe avec Mitch, dans l'espoir que celui-ci réfrène un peu son enthousiasme. Kick s'accaparait toujours les affaires. Enfin, il ne pouvait pas savoir à l'avance que ce meurtre aurait lieu…

Les inspecteurs de la brigade des homicides étaient censés paraître un peu blasés, ou du moins expérimentés. Les familles des victimes avaient du mal à faire confiance à un jeune policier qui donnait l'impression d'enquêter sur son premier meurtre. C'était tout à fait différent de la brigade des mœurs où Kick avait passé les cinq années précédentes.

— Quelle élégance ! dit Mitch en s'accroupissant à côté du cadavre.

L'homme, blanc, tout juste la quarantaine, un peu plus d'un mètre quatre-vingts, était extrêmement bien habillé. Il devait être séduisant, sans ce trou au milieu du front.

— J'adore ta cravate, ajouta-t-il.

— Tu parles à moi ou à lui ? demanda Kick.

— A toi. C'est original, une cravate avec des canards.

— Merci, répondit Kick sans paraître saisir l'ironie de sa remarque.

Il effleura sa cravate d'une main distraite, mais s'abstint d'expliquer à Mitch pourquoi il était sur son trente et un un mercredi soir à minuit passé. C'était un oiseau de nuit et Nashville était une ville très vivante. Il y avait toujours plein de choses à y faire à n'importe quelle heure du jour ou de la nuit. Il devait être en plein milieu d'un rendez-vous galant quand il avait été appelé.

Mitch devait admettre qu'il l'enviait un peu. Il ne se souvenait même plus de son dernier rendez-vous. Quand le téléphone avait sonné, il dormait déjà depuis longtemps. Il se sentit vieux tout d'un coup pour un homme de trente-six ans. Travailler sur un meurtre, c'était difficile, surtout la nuit. Une heure de plus, et il aurait été en congé pour deux semaines, songea-t-il à regret.

— L'arme, dit son partenaire en pointant du doigt un Beretta par terre à côté du corps.

— Je l'avais deviné, fit Mitch sèchement comme un des techniciens le ramassait pour le mettre dans un sac plastique. Quelqu'un a entendu le coup de feu ?

— Je n'ai pas encore eu le temps de me renseigner là-dessus. Tu devrais rentrer chez toi.

— Quoi ? Et rater tout ça alors que nous nous amusons tellement bien ? rétorqua Mitch avec un petit rire sarcastique.

Les techniciens s'affairaient autour d'eux, prélevant les empreintes aux quatre coins de la pièce tandis que Kick mesurait la taille d'une tache près d'une table basse. Le médecin légiste serait bientôt là pour examiner le corps et l'emmener à la morgue. Mitch savait que sa présence n'était pas indispensable et que Kick et le légiste, à eux deux, étaient tout à fait capables de faire du bon travail.

De nouveau, il jeta un regard à la femme dans l'autre pièce. Qui était-elle ? Un simple témoin ou le principal suspect ? Difficile de se faire une idée.

— Elle vit ici ?

— Non, mais ils étaient toujours mariés. Elle dit qu'elle vient d'arriver de New York. Andrews devait l'attendre. Il y a une bouteille de vin au frais. Deux verres étaient sortis, et il y a des cacahuètes dans un bol sur la table. Tout est éparpillé maintenant, mais il avait tout préparé pour son arrivée.

— Cette affaire paraît relativement simple, dit Mitch. La cause de la mort ne fait aucun doute : une balle dans la tête. Y a-t-il des signes d'effraction ?

— Non. Il lui a ouvert la porte et l'a fait entrer.

— Peut-être a-t-il ouvert à quelqu'un d'autre avant elle ? Il ne faut rien exclure.

Kick émit un petit rire.

— Ne te laisse pas distraire par son physique. Elle est belle, c'est vrai, mais de jolis doigts peuvent aussi appuyer sur la détente, tu sais ?

— N'oublie pas qu'il nous faut des preuves, rétorqua Mitch.

Kick prétendait que l'affaire était close, mais l'enquête ne faisait que commencer et il se sentait obligé de le rappeler à l'ordre.

— J'y travaille, d'accord ? maugréa Kick.

Mitch ne releva pas et reprit son examen du corps.

— Il est mort là où il est tombé, on dirait.

Kick marmonna quelque chose en consultant un carnet d'adresses trouvé dans le tiroir sous le téléphone.

— Le chef te cherchait, cet après-midi, après ton départ. Il voulait te voir avant tes congés. Sûrement pour te parler de la fusillade. Le type est toujours en vie ?

— Aux dernières nouvelles, répondit Mitch en observant le salon. Celui qui a fait ça a laissé un sacré bazar. Tu as les choses en main ?

— Absolument. Tu peux y aller si tu veux. Je lui parlerai dès que j'aurai fini ici, ajouta-t-il en faisant un signe de tête en direction de la femme.

— Inutile, je m'en charge. Je suis passé au commissariat

prendre une voiture banalisée au cas où il y aurait besoin d'appréhender un suspect.

— Tu crois que je vais te laisser jouer les preux chevaliers avec cette demoiselle en détresse ? Il n'en est pas question. C'est moi qui l'interrogerai.

— Non, tu vas rester ici pour parler aux voisins, répondit fermement Mitch.

Sa réaction l'étonnait lui-même. Il avait beau avoir plus d'ancienneté que Kick, il ne s'était jamais servi de son grade pour lui donner des ordres auparavant. Mais son partenaire se montrait tout sauf professionnel et ouvert d'esprit. Il avait déjà décidé qu'ils avaient trouvé le coupable. Mitch voulait simplement s'assurer qu'ils ne commettaient pas d'erreur.

— As-tu pris ses empreintes et prélevé les résidus de tir ? reprit-il.

— Pas encore, dit Kick.

Mitch appela Abe Sinclair et lui demanda, à voix basse, d'effectuer les prélèvements habituels sur Mme Andrews afin de détecter d'éventuelles traces de poudre sur ses mains, puis de prendre ses empreintes digitales. Tout devait être fait en bonne et due forme.

Puis, s'éloignant du cadavre, il s'isola, autant que possible, malgré l'agitation qui régnait autour de la scène de crime, pour prendre connaissance de l'enregistrement. Le magnétophone contre son oreille, il écouta les questions de Kick, faites sur un ton cassant, et les réponses laconiques de Mme Andrews. Son exposé des faits était bref, très bref.

Il la voyait mieux de là où il se tenait à présent. Abe appliquait de la paraffine sur ses mains et elle semblait n'y prêter aucune attention. Grande et élancée, elle était très belle, et son élégant tailleur beige, sa coiffure impeccable et ses boucles d'oreilles en or lui conféraient une allure on ne peut plus classique. Elle paraissait très calme, comme l'avait dit Kick. Pas plus bouleversée que cela par tout ce qui se passait autour d'elle. Mais cela ne voulait rien dire. Elle était peut-être en état de choc.

Sur l'enregistrement, elle parlait d'une voix douce et cultivée, d'un ton monotone ne trahissant quasiment aucune émotion. Comme un robot qui aurait une jolie voix. Elle appelait la victime par son prénom mais n'utilisait pas le « nous » qui aurait indiqué une relation intime. Bien sûr, si elle l'avait tué, elle ne devait pas penser à lui comme à l'autre moitié de son couple…

Elle disait avoir touché le corps pour vérifier s'il était toujours en vie. Ou peut-être pour expliquer la présence de ses empreintes. Elle admettait aussi avoir touché le revolver avant de se rendre compte de ce qu'elle faisait.

A la fin de l'enregistrement, il rangea le magnétophone dans sa poche et, entrant dans la chambre, il fit signe à Abe et à l'officier chargé de la surveiller de les laisser seuls.

— Madame Andrews ? Je suis l'inspecteur Winton, dit-il en s'asseyant sur une chaise à un mètre du lit. Est-ce bien vous qui avez découvert le corps ?

— Oui, murmura-t-elle.

Puis elle leva les yeux vers lui, de beaux yeux bleus bordés de longs cils bruns et brillants de larmes. Il ne devait ressentir aucune compassion envers elle ; on n'avait aucun avenir dans cette profession si on ne parvenait pas à garder une distance, si difficile que cela soit. Cependant, s'il avait vu beaucoup de visages pleins de tristesse, jamais un visage ne le toucha autant que celui de cette femme.

Que se passait-il ? Il la trouvait belle, oui, très attirante même. Mais il y avait autre chose, quelque chose de plus qui lui échappait.

C'était la première fois qu'une femme lui faisait perdre ses moyens et c'était une sensation très désagréable. Peut-être devrait-il laisser Kick se charger de cette affaire, après tout. Bizarrement, cependant, il n'en avait aucune envie. Pas quand elle le regardait avec ces grands yeux tristes, comme si elle comptait sur lui pour tout arranger. Et surtout pas quand il savait Kick prêt à l'arrêter sans preuves tangibles.

Mitch s'était toujours considéré comme un excellent juge de la nature humaine. Et, selon lui, les femmes étaient plus faciles à cerner que les hommes, parce qu'elles avaient tendance à moins dissimuler leurs émotions. C'était peut-être un peu sexiste de penser ainsi, mais il avait souvent eu l'occasion de le vérifier.

— Avez-vous tué votre mari, madame Andrews ?

La question lui avait échappé et il se traita intérieurement d'imbécile. Il était bien trop tôt pour lui poser une question pareille. Personne ne lui avait encore lu ses droits, à moins que Kick ne l'ait fait avant de l'enregistrer, ce dont il doutait.

Il espérait qu'elle n'avouerait pas tout de suite. Et, pour être tout à fait honnête, il espérait qu'elle n'avait pas de raisons d'avouer quoi que ce soit. Evidemment, l'arrêter sur-le-champ et ne pas avoir à partir à la recherche d'un meurtrier inconnu lui permettraient de finir tranquillement sa nuit. Mais, pour une raison inexplicable, il ne voulait tout simplement pas que ce soit elle la meurtrière. Cette pensée le heurtait.

Une femme, bien sûr, était parfaitement capable de commettre un meurtre. Mais c'était quelque chose qu'il ne parvenait pas à accepter. Ses parents lui avaient appris à traiter les femmes avec le plus profond respect, à les admirer et à les vénérer. Il avait toujours du mal à croire qu'une femme puisse tuer son prochain, et, en tant que flic, c'était l'une de ses principales faiblesses. Une faiblesse qu'il avait un mal fou à surmonter. Cette fois encore, il n'avait aucune envie d'aller à l'encontre de ce qu'il ressentait et c'était un problème.

Si seulement une autre équipe avait été de service ce

soir-là, pensa-t-il. Pour sa part, il avait vraiment besoin d'une bonne nuit de sommeil.

Ce qu'elle vivait abasourdissait Robin.

— Non, je ne l'ai pas tué. C'est moi qui ai appelé la police, répondit-elle.

— Désolé, ça ne suffira pas à vous sortir de ce pétrin, rétorqua l'inspecteur en haussant les épaules comme s'il se fichait bien de ce qu'elle pouvait dire. Parfois, un meurtrier appelle justement la police pour éviter d'être considéré comme un suspect… Mais nous y reviendrons plus tard. Pour l'instant, nous devons élucider certains points.

Il sortit un carnet noir et un stylo de sa poche et lui sourit. Se prenait-il pour l'inspecteur Columbo ? Elle détestait son accent traînant du Sud, aux modulations à la fois âpres et enjôleuses. Il parlait si lentement qu'elle avait envie de terminer ses phrases pour en finir plus vite.

Oui, en finir et sortir de ce cauchemar. C'était trop dur. Trop dur d'y penser maintenant. Des images abominables l'assaillaient… Elle reporta son attention sur l'homme assis face à elle. A vrai dire, celui-ci ne ressemblait guère à l'idée qu'elle se faisait d'un inspecteur. Avec sa barbe de plusieurs jours et ses cheveux châtains trop longs, il n'avait pas l'air très professionnel. Il avait dû enfiler à la hâte ses vêtements froissés de la veille. Ceux-ci — un pantalon en toile et un sweat-shirt arborant le blason de l'université du Tennessee — étaient totalement incongrus et bien trop décontractés pour la situation. Il n'avait même pas de chaussettes, juste des chaussures bateau en cuir très usées. Tout cela lui paraissait particulièrement désinvolte. De toute façon, elle n'avait jamais eu confiance en un homme. Et celui-ci ne lui en inspirait aucune.

Le pire, c'est qu'en dépit de tout cela il était sympathique.

Son sourire lui donnait envie de se laisser aller et de se blottir contre lui pour se faire consoler.

Ce qui était hors de question, bien sûr.

— En entrant dans l'immeuble, avez-vous vu quelqu'un ? Dans le parking ? Une voiture qui démarrait, peut-être ?

— Non, répondit-elle simplement.

Ses réponses ne semblaient pas l'intéresser beaucoup. A moins qu'il ne soit tout bonnement fatigué. Ce qui ne fut pas sans inquiéter Robin. Peut-être ennemi du moindre effort, cet homme allait la jeter en prison par pure paresse, parce qu'elle était là et que l'accuser était facile, plus facile que de rechercher la personne qui avait vraiment tué James.

Elle frissonna. James était mort, *assassiné*, son corps gisait sur le sol de la pièce voisine. Elle aurait aimé ne pas y penser, c'était trop horrible, mais son esprit la ramenait sans cesse à cette atrocité. Et *cet homme*, cet inspecteur, s'imaginait qu'elle était capable de faire ça.

Il revint à la charge.

— Vous dites être arrivée de New York ce soir pour rendre visite à votre mari ?

Elle ne voulait pas parler des raisons de sa présence à Nashville. Elle ne voulait pas parler du tout. Pourquoi n'ordonnait-il pas à d'autres policiers de pourchasser le meurtrier de James ? D'ériger des barrages routiers, de faire tout ce qui était nécessaire pour capturer un assassin ? S'ils parlaient et agissaient tous avec la même lenteur, dans la région, ils ne devaient pas arrêter beaucoup de criminels.

— Madame Andrews ? insista-t-il. Pourquoi êtes-vous venue ?

— Pour lui rendre visite, répondit-elle sèchement.

— Dois-je en conclure que vous aviez une… comment dit-on, déjà ? Une relation… longue distance ?

— Nous sommes séparés. Depuis près d'un an.

Il fronça les sourcils et gribouilla quelques mots dans son carnet.

— D'accord. Et comment définiriez-vous votre relation avec votre mari ? Etait-elle amicale ?

— Oui. James et moi étions amis depuis plusieurs années lorsque nous avons décidé de nous marier. Au bout d'environ six mois, il a été clair que nous avions fait une erreur, nous étions tous deux d'accord là-dessus. Il a été muté à Nashville et je suis restée à New York. Son entreprise a un bureau ici.

— Oui, Townsend Inc., vous l'avez dit. Alors pourquoi êtes-vous venue lui rendre visite si vous étiez séparés ?

— Il m'a appelée la semaine dernière. Afin de savoir si j'avais prévu d'aller voir ma mère en Floride. J'y vais tous les ans pour son anniversaire et il le savait. Il voulait que je prenne un vol avec une correspondance à Nashville pour passer un peu de temps ici et que nous puissions parler.

— De quoi ?

Elle laissa la question faire son chemin dans son esprit. Le regard bleu du policier était si pénétrant qu'il semblait lire en elle. Elle se mordit la lèvre et détourna le regard. Elle devait se concentrer sur ses réponses et non sur l'horreur qui menaçait de s'emparer d'elle et de l'engloutir.

James était mort. Elle ne l'aimait plus, mais elle avait gardé une grande affection pour lui. C'était peut-être un homme faible, surtout quand il s'agissait des femmes, mais ils étaient responsables de l'échec de leur relation, elle tout autant que lui. L'étincelle qu'il y avait eue entre eux n'était autre que cela, une étincelle, et non le feu de la passion qu'ils imaginaient au début. Elle s'était éteinte aussi vite qu'elle avait paru. Heureusement, leur amitié était restée intacte.

L'inspecteur s'éclaircit la gorge pour capter de nouveau son attention. Elle tourna la tête vers lui et étudia son visage. Cet homme était sur le point de l'arrêter. Elle le sentait.

— Je vous ai demandé de quoi vous deviez parler avec votre mari. Vous aviez des choses à régler ?

— Oui, je crois… Je devais aussi lui rapporter quelque chose qu'il disait avoir oublié à New York. Un CD.

— De musique ?

— Non, c'était pour son travail ; pour la compagnie d'assurances, d'après ce qu'il m'a laissé entendre. Il ne voulait pas que je le lui envoie par la poste, de peur qu'il ne se perde en route.

— Vous ne l'avez pas mentionné lors de votre entretien préliminaire avec l'inspecteur Taylor.

Elle haussa les épaules.

— Il ne m'a pas posé la question. Il m'a juste demandé de lui dire ce qui s'était passé après mon arrivée ici.

— Bien… Alors cette chose qu'il avait à vous dire, reprit-il d'un air entendu. Voulait-il que vous vous réconciliiez ?

— Non, je suis sûre que non. James et moi ne sommes que des amis, maintenant, dit-elle avant de se souvenir qu'il était mort. Nous *n'étions* que des amis.

Sa voix se brisa sur ces derniers mots.

— Pourquoi n'avez-vous pas divorcé ?

Robin poussa un long soupir.

— Nous en avons parlé plusieurs fois. Je pensais que c'était une bonne idée. Mais lui…

Elle hésita un instant.

— Il était peut-être prêt à lancer enfin la procédure. Il ne me l'a pas dit au téléphone.

— Et, à présent, vous n'avez plus besoin de divorcer, conclut l'inspecteur en secouant la tête d'un air triste.

Elle l'observa, surprise. Que sous-entendait-il par là ? Et pourquoi prenait-il cet air attristé, comme s'il en avait quoi que ce soit à faire ? N'avait-il aucune décence ? L'homme qu'elle avait épousé venait d'être tué. Ne comprenait-il donc pas l'horreur que cela pouvait représenter pour elle ?

Mais non, bien sûr. Ce policier n'avait pas d'état d'âme à avoir. Il ne faisait que son travail, il devait la traiter comme une suspecte avant d'établir son innocence ou sa culpabilité.

Elle devait s'efforcer par conséquent d'être précise, lui donner toutes les informations qui pourraient lui être utiles et l'aider à se disculper. Si elle ne faisait pas attention, la personne qui avait tué James s'en sortirait. Et elle devrait peut-être payer pour ce crime qu'elle n'avait pas commis.

Elle prit une profonde inspiration et tenta de retrouver une voix calme et posée.

— J'ai pris un taxi de l'aéroport et suis arrivée ici vers 22 h 30. Désolée, mais je n'ai pas regardé l'heure exacte, c'était peut-être dix minutes plus tôt ou plus tard. Je suis sûre que l'entreprise de taxis pourra vous éclairer sur ce point. Oh ! et mon avion avait une heure de retard, ajouta-t-elle tout en se disant que chaque détail pouvait être important. C'était le vol 1247 d'American Airlines. Vous pouvez vérifier la liste des passagers.

— Bonne idée, je le ferai, dit-il comme s'il n'y avait pas pensé auparavant. Alors, vous êtes arrivée ici et…

Robin s'empressa de poursuivre.

— James était… Il était comme ça quand je l'ai trouvé. La porte n'était pas fermée à clé, l'appartement avait été saccagé et il était allongé par terre. Comme ça…

Tout cela était surréaliste. La mort de James, le fait qu'elle doive tout répéter une seconde fois, la voix douce et chantante de l'inspecteur. L'attitude naturelle et bienveillante de ce dernier la surprenait. Comme s'il faisait cela tous les jours… Etait-ce le cas ? Voyait-il des choses pareilles tous les jours ? Pourtant, Nashville n'était pas New York. Y avait-il autant de meurtres ici ?

Le souffle court, elle risqua malgré elle un coup d'œil vers le salon où se trouvait le corps de James. Il était allongé sur le ventre à côté de la table basse, les yeux ouverts et la tête baignant dans une mare de sang. Le flash d'un appareil photo crépita et éclaira la scène pendant une seconde.

Elle ferma les yeux aussi fort qu'elle le pouvait.

— Pourraient... pourraient-ils le couvrir, s'il vous plaît ?

— Bien sûr. Ne vous inquiétez pas, répondit l'inspecteur d'un ton faussement compatissant.

Il faisait forcément semblant. Qu'est-ce que cela pouvait bien lui faire, à lui, que le corps de James soit ainsi exposé, ou que cela puisse la faire souffrir ? Il n'avait pas connu James et il ne la connaissait pas.

— Dès qu'ils auront terminé ce qu'ils ont à faire, ils le couvriront, poursuivit-il. En attendant, asseyez-vous donc de l'autre côté du lit, madame, comme ça, vous ne le verrez pas. Cela vous est pénible, n'est-ce pas, de le voir ainsi ?

Si sa voix était pleine de douceur, il l'observait avec une intensité qui la mettait très mal à l'aise. Son phrasé et son attitude détendue contrastaient de façon saisissante avec son regard perçant bleu acier, qui guettait la moindre de ses hésitations, tel un faucon s'apprêtant à fondre sur elle.

— Bien sûr que cela m'est pénible ! James était un homme bien et c'était mon mari, s'exclama-t-elle en laissant échapper un sanglot.

Elle secoua la tête, qu'elle avait enfouie dans ses mains.

— S'il vous plaît, officier Wendall...

— C'est inspecteur, inspecteur Winton, rectifia-t-il d'une voix qui ne trahissait pas la moindre trace d'impatience.

Il lui tendit quelque chose ; elle cligna les yeux ; il s'agissait d'un mouchoir en coton blanc orné d'un W brodé en fil bleu roi dans un coin.

Robin n'en revenait pas. Jamais un homme ne lui avait offert son mouchoir. C'était un geste tellement désuet qu'elle hésita à l'accepter. Elle le fit, sans savoir pourquoi. Elle ne pleurait même pas. Sa gorge lui faisait mal, son cœur aussi, et elle était terrifiée, mais ses yeux étaient secs.

— Allez-vous m'arrêter ? demanda-t-elle.

Elle regretta aussitôt sa question. Ne lui donnait-elle pas l'air coupable ? Il lui offrit ce sourire compatissant qui ne la trompait pas une seconde.

— Pas pour l'instant, lui rassura-t-il. Mais vous allez devoir venir avec moi au commissariat pour signer une déclaration écrite.

— Je vous ai déjà tout dit. L'autre inspecteur a tout enregistré et vous avez pris des notes.

— Nous avons besoin d'une déclaration formelle, madame. Je comprends que vous ayez d'autres choses à faire, mais je sais que vous voulez nous aider autant que possible.

— Bien sûr, répondit-elle, résignée.

Elle voulut protester, mais cela ne servirait à rien. Elle n'avait pas le choix.

— Très bien, dit-il. Vous pourrez appeler votre famille et toutes les personnes que vous aurez besoin de contacter depuis le commissariat. S'il vous plaît, ne touchez à rien ici pour le moment, d'accord ? J'ai besoin de jeter encore un petit coup d'œil dans le salon, puis nous pourrons y aller. Je n'en ai que pour quelques minutes.

Ne rien toucher. C'était évident ; or, ce n'était pas du tout ce qu'elle avait fait. Non seulement elle s'était précipitée vers James en arrivant, mais elle avait même touché le pistolet. Quelle idiote d'avoir fait ça ! Combien de fois avait-elle vu des gens faire la même chose à la télévision et pensé qu'ils étaient des imbéciles ? Cela devait être un réflexe, en fait.

Elle avait touché le cou de James pour voir si le pouls battait encore. Comment aurait-elle pu s'en empêcher ? S'il avait été encore vivant, elle aurait pu l'aider. Mais il n'y avait rien eu à faire. Son corps était froid. Le souvenir de sa peau glacée sous ses doigts la fit frémir.

Paniquée, elle avait saisi le téléphone du salon pour appeler les secours, puis s'était ruée dans la chambre afin de s'éloigner de la vision atroce du mort et attendre l'arrivée de la police.

Les draps ayant été arrachés du lit, elle s'était assise sur le matelas. La police trouverait sûrement un peu partout des fibres de ses vêtements. Pourquoi n'était-elle pas sortie tout de suite de l'appartement ? Elle aurait pu appeler la police de l'extérieur…

Ses doigts étaient maculés de résidus de cire. Pourquoi avaient-ils fait cela, déjà ? Ah oui, le policier avait marmonné quelque chose sur le fait qu'ils devaient prélever ses empreintes, croyait-elle se rappeler.

Mais, surtout, elle avait du sang sur les mains. Le sang de James. C'était quand elle s'était agenouillée sur la moquette à côté de lui.

Soudain, elle fut prise de nausée. Il était trop tard pour s'inquiéter de détruire de nouveau des preuves dans la salle de bains. Elle se leva d'un bond et fonça aux toilettes. Elle n'avait rien dans le ventre, n'ayant rien avalé depuis le petit déjeuner de la veille.

Une fois la nausée dissipée, Robin se redressa et se tourna face au miroir pour se laver la figure. Le flacon de l'après-rasage préféré de James était posé au coin du lavabo. Une vision familière qu'elle reçut comme un choc. Bouleversée, elle tomba à genoux et, pressant le mouchoir de l'inspecteur contre son visage, elle céda à une crise de sanglots en pensant à l'homme qu'elle avait cru aimer.

James ne pouvait pas être mort. Il n'avait que trente-sept ans, seulement six ans de plus qu'elle. C'était trop jeune pour mourir. Qui avait pu vouloir le tuer ? C'était un homme bien. Il ne l'avait pas mérité.

Elle réussit enfin à recouvrer la maîtrise d'elle-même. S'étant débarbouillée, elle frotta ses mains pour ôter le sang séché de ses ongles et s'assit sur le siège des toilettes. Elle avait les jambes en coton et ne se sentait pas encore capable de retourner dans la chambre pour attendre l'inspecteur.

Au bout d'un moment qui lui parut une éternité, il la rejoignit enfin.

— Vous allez bien ? s'enquit-il.

— Non, dit-elle en secouant la tête. Non, je ne vais pas bien.

Prudemment, il s'approcha d'elle, d'un air inquiet, puis, du bout du doigt, il écarta de son front quelques mèches de cheveux. Elle aurait dû repousser sa main. Vu la situation, le geste était déplacé et certainement inopportun. Mais, curieusement, il était aussi réconfortant.

Réconfortant ? Mais non, voyons. Il fallait vraiment qu'elle se méfie, au contraire : cet homme était dangereux. Du reste, les hommes séduisants l'étaient toujours d'une manière ou d'une autre. En général, elle arrivait facilement à cerner leur personnalité. Mais pas celui-là, pas cet inspecteur.

Il faisait pourtant preuve de gentillesse envers elle, même si elle voyait bien qu'il croyait qu'elle avait tué James. La façon dont il la regardait et les questions qu'il lui avait posées étaient sans équivoque.

Mais s'il la considérait coupable de meurtre, pourquoi feindre de s'inquiéter pour elle ? Pour gagner sa confiance, peut-être ? Pour la prendre au piège ? Oui, ce devait être ça. Elle devait faire attention, très attention.

— Allons-y, dit-il. Une bonne dose de caféine ne vous fera pas de mal. A moi non plus, d'ailleurs. Je vous promets que cela ne prendra pas longtemps.

Il la tira par le coude et l'aida à se relever, sans la brusquer. Puis il glissa sur son épaule la sangle du sac à main qu'elle avait laissé sur le lit et l'escorta hors de la chambre et dans le salon, où il prit soin de se placer entre elle et le corps de James, afin qu'elle ne puisse pas le voir. Elle lui en fut reconnaissante. Après tout, il aurait pu l'obliger à revoir le corps.

Elle chercha du regard sa valise ainsi que l'étui de son ordinateur portable et, ne les trouvant pas, n'osa pas les réclamer. La police avait probablement besoin de les examiner.

L'inspecteur avait-il exploré le contenu de son sac à main pendant qu'elle était dans la salle de bains ? Winton, se répéta-t-elle. L'inspecteur Winton. Elle devait essayer de se souvenir de son nom.

L'appartement de James donnait sur une passerelle avec un escalier à chaque bout reliant les deux bâtiments qui composaient l'immeuble de quatre étages. Des voisins en pyjama se tenaient devant les portes de leurs appartements et les observèrent, l'inspecteur Winton et elle, tandis qu'ils quittaient l'immeuble. Il la mena directement à une berline de couleur claire garée sous un lampadaire.

Une ambulance était arrivée ; ses gyrophares étaient allumés et ses portes arrière, ouvertes. Il y avait des officiers de police en uniforme et d'autres véhicules garés tout autour, formant une sorte de périmètre de sécurité autour de l'entrée de l'immeuble. Un peu plus loin, une équipe de télévision interviewait certains des passants qui s'étaient amassés là.

Si elle avait loué une voiture, elle aurait pu retourner à l'aéroport et s'envoler pour la Floride, mais ce n'était plus possible désormais. Comme elle aurait aimé que tout cela ne soit qu'un cauchemar !

Lorsque Winton ouvrit la portière arrière de la berline, elle obéit sans un mot et se retrouva comme un animal en cage. Cela paraissait n'être qu'une voiture banalisée, mais à l'intérieur c'était bien une voiture de police, une cloison grillagée protégeant le chauffeur et le passager avant des criminels qu'ils transportaient. Sans même essayer, elle savait déjà que les portières ne s'ouvraient que de l'extérieur.

Il ne l'avait pas menottée, mais il la soupçonnait d'être la coupable, c'était certain. Sans doute était-elle l'unique suspecte. Envisageaient-ils seulement que quelqu'un d'autre ait pu perpétrer ce crime infâme ?

2

Mitch avait beau détester les interrogatoires, il excellait dans cette partie de son travail. Après douze ans dans la police, dont quatre en tant qu'inspecteur, ses techniques étaient efficaces et il savait pouvoir se fier à son instinct. Vu l'état dans lequel elle était, s'il n'obtenait pas les aveux de Robin Andrews, c'était forcément qu'elle était innocente.

— Suis-je en garde à vue ? Dois-je appeler un avocat ? s'enquit-elle en entrant dans le commissariat.

Il ne manquait plus que ça. Un avocat ne ferait que compliquer l'affaire un peu plus.

— Si vous voulez appeler un avocat, c'est votre droit, répondit-il, mais vous n'êtes pas en état d'arrestation. J'ai simplement besoin d'un témoignage écrit. C'est la procédure habituelle.

Mitch n'avait aucune envie de passer le reste de la nuit à attendre l'arrivée d'un avocat pour s'entendre dire ensuite qu'il avait le choix entre l'arrêter ou la libérer. Il voulait en finir au plus vite.

— Nous serons dans la salle numéro trois, dit-il à Nick Simon, en poste à l'accueil ce soir-là.

Prenant le bras de Robin Andrew, il la guida le long du couloir. Il espérait qu'elle n'était pas coupable, il doutait d'ailleurs sincèrement qu'elle le soit, mais les faits étaient contre elle. Elle avait un mobile possible, se trouvait sur les lieux du crime, avait le sang de la victime sur les mains et ses empreintes étaient sur l'arme. Des preuves circonstancielles, certes, mais qui n'arrangeaient pas son cas.

Selon les statistiques, le conjoint était coupable dans la plupart des cas. Bien sûr, c'était elle qui avait prévenu la police, mais, comme il le lui avait dit plus tôt, elle aurait pu le faire afin de détourner les soupçons ; il pouvait très bien s'agir d'un crime passionnel.

La victime avait été tuée d'une balle dans la tête ; l'arme avait été abandonnée à côté du corps et l'appartement, saccagé. Ce dernier point le faisait tiquer. Une fouille rapide et néanmoins méthodique des lieux semblait avoir été effectuée. Une épouse ayant abattu son mari dans un accès de rage incontrôlé n'aurait pas fait montre d'autant de méthode. Mais peut-être cherchait-elle quelque chose ? Et si elle avait trouvé ce qu'elle cherchait, où l'avait-elle caché ? Et si elle ne l'avait pas trouvé, pourquoi avoir appelé la police et l'avoir attendue assise sur le lit de la victime ?

Cela ne collait pas. Tant pis. Il prendrait sa déposition et tenterait de découvrir ses failles et ses incohérences.

Il devait se montrer vigilant, même s'il ne pouvait s'empêcher d'admirer sa beauté. Car Robin Andrews était vraiment très belle. Blonde, svelte, les traits fins et aristocratiques, elle semblait, malgré sa taille — plus d'un mètre soixante-quinze — aussi fragile que du cristal. Or, il ne pouvait pas se permettre de laisser cela influencer son opinion. Dans un accès de folie, elle avait très bien pu tirer sur son mari, cela s'était déjà vu.

Mais elle ne l'avait pas fait. Il était persuadé qu'elle ne l'avait pas fait. Cependant, ce qu'il ressentait n'avait aucune importance. Son travail était d'établir son innocence ou sa culpabilité, et il n'abandonnerait pas tant que ce ne serait pas fait.

— Par ici, dit-il en montrant la porte au bout du couloir.

Il lâcha son bras. Sans un mot, elle passa devant lui d'un

pas vif. Elle aussi avait l'air pressée d'en finir. Il voyait bien qu'elle était extrêmement effrayée. Mais de quoi avait-elle peur ? D'être jugée coupable d'un crime qu'elle n'avait pas commis ou de laisser échapper quelque chose qui pourrait l'incriminer ?

Heureusement, elle n'avait pas reparlé d'appeler un avocat.

Il la fit asseoir sur une chaise droite.

— Détendez-vous, madame Andrews. Cela ne prendra pas longtemps. Ne soyez pas nerveuse. Je reviens dans une petite minute.

Mitch alla leur chercher deux tasses de café. A en juger par l'odeur du liquide marron clair dans la cafetière, il datait de plusieurs heures. Il ajouta du sucre et du lait en poudre, espérant que cela masquerait un peu le goût de ce que ses collègues prenaient pour du café, puis retourna dans la salle d'interrogatoire.

— Tenez, dit-il en posant une tasse sur la table devant elle.

Sans un mot, elle considéra la tasse d'un air apeuré avant de la prendre entre ses mains pour essayer de se réchauffer. Avec l'air conditionné à fond, la température de la pièce était glaciale.

Ses longs doigts fins ne portaient plus de traces de sang à présent — seulement celles de l'encre utilisée pour prélever une nouvelle fois ses empreintes en arrivant au poste de police. Il lui avait expliqué que cela leur servirait à distinguer ses empreintes à elle de celles qu'ils trouveraient sur la scène du crime. Mais l'explication n'avait pas paru la rassurer.

Ils avaient également procédé à un second test de paraffine, au cours duquel elle lui avait certifié qu'ils ne trouveraient aucune trace de résidu de tir sur elle. Elle croyait peut-être avoir réussi à tout ôter avec de l'eau et du savon.

Lui lire ses droits constitutionnels la ferait probablement paniquer, mais c'était nécessaire. Mitch n'était pas sûr, le connaissant, que Kick en ait pris la peine. Tout devait être fait strictement selon les règles, au cas où elle fondrait en larmes durant l'interrogatoire et avouait le meurtre.

— Vous avez le droit de garder le silence, dit-il d'une voix aussi douce que possible.

Elle l'écouta avec attention pendant qu'il lui récitait ses droits, hochant la tête à intervalles réguliers. Il valait mieux pour elle appeler un avocat, vu la situation dans laquelle elle se trouvait, et il n'avait pas le droit d'essayer de l'en dissuader ou de l'en empêcher. Elle n'en connaissait probablement pas à Nashville. D'après ce qu'il savait d'elle, elle ne devait connaître personne dans le sud des Etats-Unis, mis à part son défunt mari et sa mère en Floride.

— Voulez-vous que je vous trouve un avocat, madame Andrews ?

Elle leva les yeux vers lui et le dévisagea avec une bravoure qu'il savait feinte.

— Je ne suis pas en état d'arrestation ? demanda-t-elle.

— Non, madame, vous êtes en garde à vue afin que nous puissions vous interroger. Alors, si vous pensez tenir des propos qui pourraient vous incriminer, il serait sage d'avoir un avocat à vos côtés.

C'était un piège, bien sûr. Le sous-entendu était clair. Exiger la présence d'un avocat serait un aveu implicite de culpabilité. Y renoncer n'était évidemment pas sans risque, mais elle aurait au moins l'air innocent. Mitch n'aimait pas jouer à ce genre de petit jeu, mais il en connaissait parfaitement les règles.

— Non, je ne pense pas avoir besoin d'un avocat, répondit-elle. Je n'ai rien à cacher, inspecteur Winton. Demandez-moi tout ce que vous voulez savoir.

Il lui adressa un sourire bienveillant. Cela faisait partie de sa stratégie pour la mettre à l'aise. Mais était-ce vraiment une stratégie ? Tenait-il un rôle ou était-il sincère ? Lui-même ne le savait pas. Ouvrant le tiroir de la table en métal gris, il en sortit du papier et un stylo.

— Ecrivez tout ce qui s'est passé depuis votre arrivée à l'aéroport, c'est tout ce dont j'ai besoin pour l'instant.

Elle l'observa d'un air méfiant.

— D'accord, fit-elle en prenant le stylo.

Elle prit le temps de réfléchir. La pauvre, elle devait nager en pleine confusion. Il était tard et elle était encore sous le choc. C'était cruel de la mettre dans une situation aussi stressante, mais Mitch n'avait pas le choix.

Il attendit qu'elle ait terminé de rédiger son compte rendu des événements de la soirée. Celui-ci achevé, il en prit connaissance avant de se livrer à un interrogatoire serré, l'obligeant à revenir sur tous les points qui nécessitaient d'être clarifiés. Après quoi, il fut encore plus convaincu de son innocence — et son instinct ne le trompait jamais.

Il avait eu recours à toutes les techniques d'interrogatoire qu'il connaissait, allant jusqu'à lui assurer qu'il comprenait très bien qu'une femme délaissée puisse perdre la tête et commettre l'irréparable sans la moindre raison apparente. Elle ne lui avait pas répondu, se bornant à le regarder comme s'il était fou de justifier le meurtre ainsi. Soit elle n'avait rien à se reprocher, soit elle n'avait absolument aucune morale. Il l'avait même accusée ouvertement. Mais elle avait répété mot pour mot sa version de ce qui s'était passé et, dans un accès de colère, lui avait demandé d'arrêter de perdre son temps et de se mettre immédiatement à la recherche du meurtrier de James Andrews.

S'il se trompait et qu'elle était, contre toute attente, coupable, les preuves matérielles devraient le démontrer, car toutes ses réponses étaient logiques et cohérentes. Ses réactions, également, étaient celles d'une personne innocente. Elle l'était donc, vraisemblablement.

Ou alors elle était très, très intelligente.

Pour l'instant, rien ne justifiait l'arrestation de Robin Andrews. Elle devrait simplement rester à Nashville jusqu'à ce que toutes les preuves aient été examinées.

Les prélèvements effectués sur ses mains n'avaient détecté aucun résidu indiquant qu'elle ait tiré sur James Andrews. Ses empreintes se trouvaient sur l'arme, mais il était clair qu'elle n'avait fait que la toucher. Elle aurait pu porter des gants et les jeter ensuite. Mais, dans ce cas, où étaient-ils ? Et où étaient les éclaboussures de sang qu'elle aurait reçues si elle lui avait tiré dessus pratiquement à bout portant ? Sur quelqu'un d'autre, c'était évident. Elle n'avait pas commis ce meurtre. Il en était convaincu. Enfin presque.

En attendant, Kick et lui avaient un meurtrier à trouver.

Kick devait être en train d'interroger les voisins, comme il le lui avait demandé. Demain, il enquêterait sur la victime, ses amis, ses collègues, ses finances et ses ennemis. Kick et lui y travailleraient ensemble. Ils n'avaient pas d'autre affaire en cours ; ils pourraient donc se consacrer pleinement à celle-ci.

Impossible de lâcher Robin Andrews dans la nature, étant donné l'état où elle se trouvait après toutes les émotions de la nuit. Elle ne connaissait pas la ville et le jour n'était même pas levé. Soudain, il eut une idée.

— Où allez-vous dormir ? Vous savez, vous n'aurez pas le droit de quitter la ville tant que nous n'aurons pas bouclé l'affaire. Et vous ne pouvez évidemment pas retourner dans l'appartement de votre mari.

Elle écarquilla ses yeux rouges et cernés, et se mordit la lèvre en secouant la tête d'un air confus.

— Je n'avais pas prévu de dormir chez lui, même avant... James devait me réserver une chambre d'hôtel, mais il ne m'a pas dit lequel il avait choisi.

Elle avait l'air perdue et épuisée, et Mitch eut envie de la serrer contre lui et de lui dire que tout irait bien. En vérité, il résistait à cette envie furieuse depuis la première minute où il avait posé les yeux sur elle. Mais tout n'allait pas bien, c'était clair, et il n'avait aucune raison de se montrer familier avec elle.

— Venez avec moi, dit-il en prenant son bras. Je vais vous trouver un endroit où dormir. Vous me faites confiance ?

Elle leva vers lui ses grands yeux effrayés, comme une petite fille, et opina du chef. Il savait très bien qu'elle ne lui faisait pas confiance, mais elle avait trop peur que sa franchise ne l'offusque et qu'il la jette en prison. Il lisait en elle comme dans un livre ouvert.

C'était rassurant toutefois de penser qu'elle était exactement ce qu'elle semblait être : une femme terrifiée par une situation sur laquelle elle n'avait aucun contrôle.

Comme s'il avait oublié tout ce qu'il avait appris au cours de sa carrière dans la police, seuls les mots de ses parents résonnaient à ses oreilles : « Traite chaque femme avec le même respect que tu as pour ta mère ou tes sœurs. C'est le principe le plus important de tous. Chaque femme est la fille d'une mère. » Mitch avait l'impression d'entendre son père aussi clairement que s'il s'était trouvé juste à côté de lui. Que penserait de lui son père s'il le voyait à ce moment précis ? Et que penserait-il de Robin ? Elle était certainement très différente des femmes qu'il avait fréquentées. Cette pensée le fit sourire.

— Vous devriez vous reposer un peu avant d'appeler votre mère, dit-il. Il est encore trop tôt de toute façon. Si vous voulez, je peux demander à un prêtre ou à un ami d'aller prévenir la famille de votre mari. Donnez-moi leur adresse et je m'en occuperai.

Elle fouilla dans son sac, en sortit un petit carnet d'adresses et le lui tendit après avoir trouvé la page qu'elle cherchait.

— James n'a qu'une demi-sœur. J'aimerais mieux en

effet ne pas l'appeler moi-même. Je ne l'ai jamais rencontrée. Nous avons échangé des cartes de vœux, rien de plus.

— C'est comme si c'était fait. Votre mère sera-t-elle très affectée par la nouvelle de sa mort ? Je sais comment les mères peuvent être. Là encore, je peux envoyer quelqu'un…

— Elle se fera du souci pour moi, j'imagine, répondit-elle, mais elle ne connaissait pas bien James. Elle sera triste pour moi, bien sûr… Je l'appellerai.

Elle *imaginait* que sa mère s'inquiéterait pour elle ? Etrange. Lui n'envisagerait jamais d'épouser quelqu'un sans connaître sa famille. La sienne avait une telle importance dans sa vie ! Il racontait à ses proches quasiment tout ce qui lui arrivait. Bien sûr, ils pouvaient parfois être un peu trop présents, voire un peu étouffants, mais c'était normal. Il était pareil avec eux. C'était à cela que servait une famille.

Quand ils quittèrent la salle d'interrogatoire, son chef, le capitaine Hunford, attendait au bout du couloir. Mitch savait que quelqu'un les avait observés durant toute la séance, de l'autre côté du miroir sans tain : il l'avait senti pendant qu'il travaillait.

— Salut, chef ! Que faites-vous ici à une heure pareille ?

Tous trois se dirigèrent vers l'accueil. Les bureaux étaient déserts.

— Taylor m'a appelé quand il est arrivé sur la scène du crime, répondit Hunford d'une voix rauque et fatiguée. Je n'ai pas réussi à me rendormir, alors je suis venu.

— Je vous présente Robin Andrews, l'épouse de la victime. Madame Andrews, voici le capitaine Hunford.

— Madame, fit le capitaine avec un hochement de tête. Mitch, il faut que je vous parle un instant, ajouta-t-il avant de bifurquer sans crier gare vers son bureau.

Mitch respectait son chef. Ce dernier s'inquiétait parfois un peu trop de l'opinion générale mais, après tout, cela devait avoir son importance. Hunford avait vingt ans de carrière, c'était donc un homme expérimenté et sérieux. A voir son expression, cependant, Mitch savait que la conversation qu'ils s'apprêtaient à avoir allait être désagréable.

Il jeta un regard à Robin. Elle dormait pratiquement debout.

— Attendez-moi ici, dit-il en indiquant une chaise. Je reviens dans une minute.

Sur un dernier regard en arrière pour vérifier qu'elle n'en profitait pas pour partir en douce, il entra dans le bureau d'Hunford et ferma la porte derrière lui.

Il fit un bref compte rendu des résultats des premiers prélèvements d'empreintes et de résidus de tir.

— Alors, qu'en pensez-vous ? demanda Mitch. Avez-vous entendu tout l'interrogatoire ?

— La plus grande partie. Nous n'avons pas assez d'éléments pour l'arrêter. Pas encore, du moins. Je lirai son témoignage et assisterai Taylor. Je vous cherchais, cet après-midi. Vous êtes suspendu de vos fonctions, en attendant les résultats de l'enquête.

Mitch eut un soupir de frustration. Une suspension lui paraissait être une réaction exagérée. Certes, c'était la procédure habituelle chaque fois qu'un flic utilisait son arme de service. Mais l'homme sur lequel il avait tiré la veille était lui-même armé et Mitch n'avait pas eu d'autre choix que d'intervenir. N'importe quel policier à sa place aurait agi de la même façon, et maintenant il était suspendu. C'était un peu fort de café.

— Je dois passer en commission ?

— Winton, vous avez tiré sur quelqu'un, vous savez donc très bien à quoi vous attendre. Vous avez blessé ce garçon au bras et à la jambe. D'après le médecin, il en gardera des séquelles toute sa vie.

Mitch leva les yeux au ciel.

— Il a de la chance d'être en vie, s'exclama-t-il. Il a tiré sur deux personnes en plein milieu du restaurant avant que je ne riposte pour l'arrêter.

— Je sais. Vous avez fait ce que vous deviez faire, dit Hunford en baissant les yeux. Mais ses victimes ne sont pas mortes. Et ce garçon…

— Il a trente et un ans et il était armé d'un neuf millimètres, l'interrompit Mitch. Je me suis identifié en tant que policier et l'ai sommé d'arrêter. Malgré cela, il a tourné son arme vers moi. Quand un type est sous l'emprise de la cocaïne, on ne peut pas le convaincre de se rendre. Il n'écoutait pas. Si j'avais hésité un instant de plus, je serais mort, c'est aussi simple que ça. J'aurais pu le tuer et cela aurait été justifié, vous le savez aussi bien que moi.

— Je sais, mais ça ne change rien. Vous devez me rendre votre badge et votre arme de service. Vous aviez prévu de prendre deux semaines de vacances, de toute façon. Partez, changez d'air et laissez la commission se charger de cette affaire. Nous réglerons les détails à votre retour. Ne vous inquiétez pas, je vous défendrai.

Mitch acquiesça, résigné, et détacha son insigne de sa ceinture pour le lancer sur le bureau d'Hunford. Puis il retira son arme de service de l'intérieur de sa veste. Son second pistolet était attaché à sa cheville, dissimulé sous son pantalon. Avec un soupir, il ôta les balles de son arme de service et la posa prudemment sur le bureau.

— Tenez. Dites, ça ne vous ennuie pas si je file un coup de main à Taylor pour l'affaire Andrews ? Officieusement, bien entendu…

Hunford le dévisagea d'un air surpris.

— Je croyais que vous partiez à la pêche…

— Je n'avais encore rien décidé. Je préférerais rester dans le coin pour me rendre utile. Je n'aime pas être payé à ne rien faire.

— Hum. C'est d'accord. Mais soyez discret, compris ?

Ne faites pas de vagues. Souvenez-vous que vous êtes censé être suspendu de vos fonctions.

— Pas de problème. C'est tout, chef ? Je peux y aller ? demanda Mitch en se dirigeant vers la porte.

— Qu'allez-vous faire d'elle ? Lui trouver un hôtel ?

Hunford fit un signe de tête en direction de Robin, qu'il pouvait voir à travers la vitre qui séparait son bureau de la zone d'accueil.

— Non. Il se pourrait qu'elle doive rester en ville pendant un petit moment. Un hôtel coûterait trop cher. Je pensais à une solution plus raisonnable. L'appartement de Sandy est toujours vide.

— C'est peut-être plus pratique en effet, dit Hunford sur un ton sceptique. Mais aussi plus risqué. Pensez-vous qu'elle soit du genre à prendre la fuite ?

— Je n'en sais rien, dit Mitch en haussant les épaules. Mais ça ne me dérange pas de garder un œil sur elle.

Hunford observa Mitch d'un air méfiant pendant un instant avant de répondre.

— Bon, pourquoi pas, mais…

— Oui, chef ?

— Evitez de tirer sur quelqu'un d'autre en attendant, OK ? Et, surtout, n'oubliez pas qu'elle est toujours suspecte dans cette affaire. Ne vous impliquez pas personnellement.

— Vous savez très bien que ce n'est pas mon style, répondit-il en tentant de cacher son exaspération.

Ne pas s'impliquer personnellement ? Le sous-entendu de son chef était clair comme de l'eau de roche. Pour qui le prenait-il ? Mitch était un professionnel et s'était toujours comporté comme tel. En même temps, il devait bien admettre qu'Hunford avait une excellente raison de le mettre en garde. L'effet qu'elle lui faisait était-il si évident ? Il s'était pourtant montré poli envers elle, rien de plus. Il avait fait très attention à ne pas lui jeter des regards un peu trop appuyés et à ne pas la toucher quand ce n'était pas nécessaire.

Tandis qu'il s'approchait de Robin Andrews, il fut une nouvelle fois frappé par le sentiment de vulnérabilité qui émanait d'elle, en dépit de son apparence d'extrême sophistication. Bon sang, son chef avait raison. Il allait devoir se montrer très vigilant avec elle.

Agacé, il enfonça ses mains dans ses poches. Il avait beau savoir à quoi il s'exposait, il ne se faisait pas à l'idée de la laisser seule, livrée à elle-même, dans une ville inconnue.

— Allons-y, madame Andrews, dit-il en se résignant à accepter l'inévitable.

Le risque était limité, après tout. Il n'aurait qu'à s'assurer qu'elle avait un endroit où dormir. Il était clair qu'elle avait besoin d'aide et les collègues de Mitch se fichaient bien de ce qui pouvait lui arriver.

— Je connais un appartement meublé, dans une vieille maison victorienne, où vous pourrez vous installer temporairement. Il y a une chambre et une petite cuisine. Une amie m'a laissé sa clé en partant. L'endroit sera vide pendant un mois ou deux. Vous pourriez le sous-louer, le loyer est très bas. Cela vous coûtera bien moins cher qu'un hôtel, si toute cette histoire met une semaine ou deux à se régler.

Il était pratiquement certain qu'elle serait obligée de rester plus d'une semaine, mais il n'eut pas le cœur de le lui dire.

— Non, merci. Je préfère l'hôtel. L'argent n'est pas un problème.

— Je préférerais vous savoir en sécurité, insista-t-il avec un sourire qui se voulait rassurant. Hunford m'a demandé de vous garder à l'abri en attendant que nous attrapions le tireur.

Elle l'observa d'un air dubitatif.

— Je vous jure que c'est un joli petit appartement, très confortable. Allez, qu'en dites-vous ?

— Bon, d'accord. Merci, murmura-t-elle. Cela signifie-t-il que vous me croyez innocente du meurtre de James ?

— Cela veut simplement dire que, une fois que j'aurai rédigé et rendu mon rapport, je ne serai plus en charge de cette affaire. L'inspecteur Taylor, le jeune homme que vous avez rencontré sur la scène du crime, prendra le relais. Pour l'instant, j'essaie juste de vous trouver un endroit où dormir.

Elle se leva et prit son sac à main.

— Je ne sais comment vous remercier, inspecteur Winton.

— Ce n'est rien, répondit-il en haussant les épaules. Appelez-moi Mitch. Après tout, nous allons être voisins.

— Voisins ? répéta-t-elle d'un air inquiet.

— Tout à fait.

Il lui ouvrit la porte et, côte à côte, ils se dirigèrent vers le parking où il avait garé sa vieille voiture. Elle parut soulagée de ne pas devoir reprendre la voiture banalisée dans laquelle ils étaient arrivés. Il lui ouvrit la portière avant et elle s'assit. Elle devait se croire tirée d'affaire, pensa-t-il. Si seulement c'était le cas…

Il se reprit aussitôt. Il ne réfléchissait pas comme un professionnel en espérant cela. Ce n'était pas son rôle de la vouloir innocente et libre de tout soupçon.

Hélas, c'était plus fort que lui. Il avait beau essayer de réprimer ses instincts et de garder ses distances comme il le faisait habituellement, avec elle, c'était différent. Elle l'attirait et il avait envie de la protéger, de démontrer son innocence. Il ne parvenait pas à être objectif en ce qui la concernait.

Vu l'heure très matinale, il n'y avait quasiment pas de circulation. Tout en conduisant, cependant, il ne cessait de regarder dans son rétroviseur. C'était une habitude qui ne le quittait jamais ; c'en était même énervant parfois. La plupart du temps, il le faisait sans même s'en rendre compte.

— Du peu que j'en ai vu, Nashville a l'air d'être une

ville très agréable, dit-elle à voix basse. Je n'étais jamais venue avant.

Mitch tourna la tête vers elle et admira son profil. Elle souriait d'un air triste. Peut-être se remémorait-elle ce que son mari lui avait dit de sa nouvelle vie à Nashville. Elle avait sans doute besoin de penser à autre chose.

— Dans le rapport, vous avez noté que vous étiez graphiste, dit-il. Que faites-vous exactement ?

— Je crée des sites internet pour des entreprises. J'ai toujours été fascinée par les ordinateurs et les nouvelles technologies.

— Ce job est parfait pour vous, alors.

Il aurait voulu s'y connaître un peu plus en informatique afin de pouvoir avoir une conversation intéressante avec elle à ce sujet.

— Tout ce que je sais faire, c'est allumer l'ordinateur et taper les mots clés dans la barre de recherche pour obtenir les informations dont j'ai besoin, rien de plus. Je vous croyais mannequin, en fait, ajouta-t-il.

— Je l'ai été pendant plusieurs années, mais j'ai arrêté.

Manifestement, elle n'avait aucune envie d'en parler.

— Merci d'essayer de… me distraire, reprit-elle avec plus de douceur. Vous êtes très gentil pour un inconnu.

— « J'ai toujours compté sur la gentillesse des inconnus. » Vous connaissez cette réplique de Blanche Dubois dans *Un tramway nommé désir* ?

— Oh, non ! s'écria-t-elle avec un petit rire surpris. Je déteste ce personnage, c'est une vraie poule mouillée.

— Je ne voulais pas dire que c'était votre cas. Ce que vous avez dit m'a simplement rappelé cette phrase. Vous aimez les vieux films ?

— Oui, parfois. Mais je préfère les livres.

— Ah, d'accord, fit-il, ne sachant que répondre.

Ils arrivaient encore une fois à une impasse dans la

conversation. Mis à part les dossiers et les manuels de police, il avait rarement le temps de lire. Il aimait bien ça, mais, s'il ne pouvait pas lire un livre d'une traite, il préférait regarder un film.

— J'imagine que le rythme de vie d'ici est bien plus calme qu'à New York, dit-il pour changer de sujet.

— C'est évident, répondit-elle sèchement.

— Inutile de se presser quand on peut prendre son temps, dit-il en souriant. Inutile de courir si quelqu'un ne vous poursuit pas.

— Désolée, je ne voulais pas paraître méprisante.

— Pas de problème. Etre sous-estimé peut souvent se révéler un avantage.

— Je m'en souviendrai…

Mitch n'avait pas voulu dire cela comme une mise en garde, mais c'était néanmoins ainsi qu'elle l'avait pris. Peut-être était-ce bien son intention, en fait ? Essayait-il, inconsciemment, de la prévenir qu'il ne ferait preuve d'aucune indulgence envers elle, s'il découvrait qu'elle avait menti à propos du meurtre de James Andrews ? Encore une fois, il ne savait pas sur quel pied danser avec elle et cette constante remise en question commençait à l'ennuyer. Il n'avait pas l'habitude de penser tout et son contraire, et il avait l'impression de perdre la raison.

— Ça va aller ? demanda-t-il. Financièrement, je veux dire. Qu'allez-vous faire pour votre travail ?

— Oh ! je peux travailler d'ici, du moment que je récupère mon ordinateur portable.

— Le récupérer ? Où est-il ?

— Il est chez James. Ma valise aussi.

Mitch donna un coup dans le volant avec la paume de sa main.

— Aïe ! J'aurais dû y penser. Nous pouvons passer

chercher vos affaires tout de suite, si vous voulez. Ils ont sûrement fini de les examiner.

Il changea de file pour se préparer à prendre la prochaine sortie et faire demi-tour.

— Attendez ! s'exclama-t-elle en tendant le bras vers lui. Je… je préférerais ne pas retourner là-bas tout de suite.

— Dans ce cas, je vais demander à un agent de vous rapporter vos affaires. Sinon, j'irai vous les chercher, ce n'est pas un problème.

— Merci, dit-elle d'un air soulagé.

Le silence retomba. D'ordinaire, Mitch n'avait aucun mal à faire la causette mais, cette fois, il se sentait mal à l'aise. Il avait beau chercher, il ne trouvait aucun sujet de conversation. Il ne pouvait quand même pas lui parler du meurtre ! Surtout qu'il valait mieux éviter de lui divulguer quoi que ce soit de l'enquête…

Le fond de l'affaire, c'est qu'il n'avait absolument rien en commun avec une femme comme Robin Andrews.

Il savait d'avance qu'elle détesterait le petit appartement où il allait l'installer. Il imaginait très bien son univers new-yorkais : un grand appartement froid aux meubles design, tout en haut d'un gratte-ciel. Quand elle verrait l'endroit où il l'emmenait, elle croirait avoir atterri sur une autre planète, ou être revenue un siècle en arrière. Il faudrait pourtant qu'elle s'en contente car, vu les circonstances, c'était ce qu'il pouvait lui proposer de mieux.

— Avez-vous faim ? s'enquit-il.

D'après son expérience, la nourriture était bien le seul sujet qui mettait tout le monde d'accord, nul n'échappant à la faim. Elle sembla cependant réfléchir un moment.

— Oui, un peu. Une salade de fruits ou quelque chose de léger serait idéal.

— Et des gaufres ? Vous aimez ça ?

— Hum, pourquoi pas ? répondit-elle d'un air dubitatif.

Mitch soupira. A cette heure-là, trouver un endroit où l'on servait des « repas légers » tenait de la gageure. Elle devrait se contenter de manger ce qu'il mangeait, voilà tout.

— Va pour des gaufres, alors, répondit-il d'un ton faussement enjoué.

Robin Andrews aurait du mal à s'adapter à ce nouvel environnement, il le sentait. Raison de plus pour résoudre l'affaire le plus rapidement possible et la renvoyer chez elle, à New York.

3

Robin s'installa sur une banquette dans le café. L'inspecteur Winton — Mitch, puisqu'il avait insisté pour qu'ils s'appellent par leur prénom — s'assit face à elle. Il était également face à la porte d'entrée. C'était ce que faisaient les cow-boys du Far West, se souvenait-elle avoir lu.

Il lui tendit un menu et se tourna en souriant vers la serveuse.

— Salut, Mabel, comment vas-tu ?

Ladite Mabel, une femme assez imposante aux cheveux blonds et frisés, fit éclater une bulle de chewing-gum et lui rendit son sourire.

— Super, et toi ? Vous voulez du café ? Il ose se pointer ici, alors que ça fait des semaines qu'on l'a pas vu, ajouta-t-elle en se tournant vers Robin, sur le ton de la confidence. Vous avez dû sacrément l'occuper ces derniers temps.

Mitch s'éclaircit la gorge.

— Juste du café, Mabel. Est-ce qu'il te reste du jambon fumé comme j'aime ?

— Absolument, dit-elle en sortant un bloc-notes et un stylo de la poche de son tablier. Avec des œufs, comme d'habitude ?

— Oui, m'dame. Désirez-vous des œufs avec ? demanda-t-il à Robin.

Elle secoua la tête et posa le menu sur la table.

— Non, merci. Pas d'œufs et pas de jambon non plus. Juste une gaufre et un verre d'eau, merci.

Mabel éclata de rire et lui fit un clin d'œil.

— Pas la peine de faire attention à ta ligne, ma belle. J'ai l'impression que tu es tout à fait à son goût telle que tu es, dit-elle en prenant leurs menus et en tournant les talons.

Robin ne put s'empêcher de grimacer quand Mabel hurla leur commande en cuisine. Manifestement, tout le monde dans le Sud ne parlait pas aussi doucement que Mitch.

— Le cuistot est un peu dur de la feuille, expliqua-t-il. J'imagine que vous ne devez pas avoir l'habitude de fréquenter ce genre d'endroit.

L'emmener dans un restaurant comme celui-ci avait l'air de beaucoup l'amuser, mais Robin était bien décidée à ne pas lui donner la satisfaction de réagir comme il s'y attendait. Il lui était d'ailleurs déjà arrivé de manger dans des endroits pires — quoique pas souvent.

Dylan's Diner ressemblait à un café des années cinquante qui n'aurait pas été rénové depuis sa création. La décoration était davantage fatiguée que rétro. Un bar occupait toute la longueur de la salle, ponctué de tabourets chromés aux coussins de cuir rouge. De vieilles photos d'Elvis, de Dolly Parton et d'autres stars de la musique country qu'elle ne reconnaissait pas étaient accrochées aux murs. Un antique juke-box, au fond de la salle, côtoyait la porte des toilettes.

— Désolé, reprit Mitch avec un haussement d'épaules, mais il n'y a pas beaucoup de restaurants ouverts à cette heure-ci. Dylan's accueille les noctambules du quartier. Je viens ici quand je suis de service de nuit.

— Pas de problème, répondit Robin en dépliant sa serviette. Je ne suis pas très difficile.

Au moins, les couverts semblaient propres, nota-t-elle avec soulagement. Mitch ôta son blouson et le posa, en boule, sur la banquette à côté de lui.

— Beaner est bon cuisinier. On mange bien ici, faites-moi confiance.

Robin soupira. Il n'arrêtait pas de dire ça. « Faites-moi confiance. » Facile à dire... Faire confiance à un homme lui était impossible. Elle n'accordait sa confiance à personne. Mais peut-être était-ce un tic de langage pour lui...

— Sommes-nous loin de l'appartement dont vous avez parlé ? demanda-t-elle.

Autrement dit : serait-elle obligée de passer du temps dans ce quartier malfamé ? Avant d'arriver au restaurant, elle avait remarqué que toutes les maisons étaient délabrées et la plupart des commerces, fermés ou abandonnés.

Mais Mitch ne répondit pas. Il fixait la porte d'entrée. Robin avait entendu la porte s'ouvrir et senti le courant d'air, mais n'avait prêté aucune attention à la personne qui était entrée.

Elle se retournait pour regarder par-dessus son épaule quand Mitch attrapa sa main et la serra fort. Ce faisant, il fit tomber ses couverts par terre.

— Robin, chuchota-t-il, glissez-vous sous la table et n'en bougez pas, vite !

Elle ne pensa même pas à protester et s'exécuta, s'accroupissant sous la table et s'agrippant au pied chromé. Mitch tentait d'attraper quelque chose à sa cheville, qui n'était qu'à quelques centimètres de son visage. Un revolver, découvrit-elle, caché dans un petit étui attaché à sa jambe.

Mon Dieu, c'était un braquage ! C'était la première pensée qu'elle avait eue quand il lui avait ordonné de se cacher sous la table, et elle avait vu juste. Durant toutes ces années à New York, elle n'avait jamais eu le moindre problème. Nashville était décidément bien plus dangereux qu'elle ne l'avait imaginé.

Soudain, elle entendit le cri de Mabel et, par réflexe, elle se colla autant que possible contre le mur.

— Lâche ton flingue, le flic, ou je lui tire dessus, lança une voix grave.

Sur la table au-dessus de Robin, il y eut un choc sourd.

— Reculez, cria la voix. Allez au fond de la salle.

De sa cachette, Robin ne voyait que les jambes et les pieds de Mitch, mais il recula et disparut de son champ de vision.

Paniquée, elle chercha quelque chose pour se défendre. Son couteau était tombé mais elle ne le trouvait pas. Elle saisit la fourchette. Elle avait le souffle court et l'estomac noué.

Lorsqu'une tête apparut, couverte d'un masque de ski, elle ne put retenir un cri de surprise. L'homme tâcha d'agripper son pied, la partie de son corps qui se trouvait le plus près de l'allée. Entre deux jurons, il marmonna quelque chose qu'elle ne comprit pas. Elle avait tellement peur qu'elle frappa la première. Elle enfonça la fourchette dans sa main. Les petites dents disparurent sous la peau et l'homme poussa un cri assourdissant.

Soudain, ce fut le chaos. Elle avait du mal à voir ce qui se passait, tout allait trop vite. Mitch Winton avait bondi et attaqué l'homme.

Robin chercha désespérément le couteau. Elle ne pouvait pas attendre, elle devait agir. Ce braqueur pourrait tuer Mitch puis l'attraper, elle, et…

La lutte entre Mitch et l'homme semblait être sans merci. Elle entendait des bruits de coups, des jurons étouffés et des grognements. Tout à coup, elle crut discerner des sirènes au loin. Elles approchaient. Plusieurs coups de feu retentirent et une fenêtre se brisa avec fracas. Des pneus crissèrent et la lumière bleue des gyrophares éclaira l'intérieur du restaurant. La police ! Dieu merci ! La porte s'ouvrit à la volée, des bruits de pas précipités, encore des jurons, les portières qui claquaient…

— Tout va bien, vous pouvez sortir, dit Mitch, accroupi sur le sol face à elle.

Robin réussit à s'extraire de dessous la table et prit la main qu'il lui tendait.

— Ils... ils sont partis ? fit-elle en furetant autour d'elle.

— Oui, ils se sont enfuis par l'arrière.

Il prit le couteau de ses mains et le posa sur la table, appuya son pied contre la banquette et rangea son arme dans l'étui qu'il portait à la cheville sous son pantalon.

— Ne devriez-vous pas leur courir après ? demanda-t-elle, inquiète.

Mitch secoua la tête et lui fit signe de s'asseoir. Ses jambes tremblaient tellement qu'elle faillit perdre l'équilibre.

— Les flics sont partis à leur poursuite, dit-il. Excusez-moi un instant.

Mitch se dirigea vers le bar et se pencha au-dessus.

— Mabel, tout va bien ?

— Ce salaud a cassé ma cafetière, lança la serveuse en se redressant.

Ses cheveux étaient encore plus emmêlés qu'avant et son uniforme blanc tout taché de café. Elle tourna vivement la tête vers Robin.

— Vous n'avez pas été blessée, j'espère ?

— Non, nous n'avons rien, répondit Mitch. Heureusement que tu as pensé à déclencher l'alarme silencieuse, Mabel.

— Merci de m'avoir conseillé d'en installer une, répondit-elle en s'essuyant à l'aide d'un torchon.

Elle releva la tête pour leur sourire. Elle avait les yeux brillants de larmes.

— Vous allez devoir attendre un peu pour votre café, le temps que j'aille chercher une autre cafetière dans la réserve et que j'en refasse.

— Ne t'inquiète pas, Mabel, ce n'est pas nécessaire, dit Mitch avec un sourire affectueux. Tu as l'air un peu secouée. Assieds-toi et repose-toi un peu, ça te fera du bien.

— Ne pars pas ! s'écria Mabel en tendant une main tremblante vers lui. Reste encore un peu.

Mitch lui prit la main.

— Je reste là, Mabel. Mais prends une pause, d'accord ? Va te repoudrer le nez et te recoiffer. Je serai là à ton retour, je te le promets.

Elle opina et partit aux toilettes. Robin n'avait aucun mal à imaginer ce que ressentait la pauvre Mabel. La présence de Mitch Winton — et de son revolver — était rassurante. Il sembla le deviner car il vint s'asseoir avec elle.

— Vous êtes une sacrée bagarreuse, je ne l'aurais jamais deviné, dit-il avec un petit rire. Merci pour le coup de main, vous l'avez sacrément surpris en lui plantant cette fourchette dans la main.

Robin jeta un coup d'œil à la porte d'entrée du restaurant.

— Ils pourraient revenir…

Il éclata de rire, et grimaça immédiatement en se tenant le côté.

— Vous êtes blessé ! s'écria-t-elle en bondissant de son siège.

— Non, non, asseyez-vous. Il m'a donné un coup de pied dans les côtes, rien de sérieux. Soit ces types étaient vraiment des armoires à glace, soit je commence à prendre de l'âge.

— Ils auraient pu vous tirer dessus ! Vous auriez pu vous faire tuer. Quelle idée de leur avoir sauté à la gorge !

Il soupira et continua de se masser le côté en grimaçant.

— Vous l'avez mis en rogne en l'attaquant avec votre fourchette, j'avais peur qu'il ne vous tire dessus si je n'intervenais pas sur-le-champ. Je voulais profiter de l'effet de surprise. Mais ils ont entendu la sirène et ont déguerpi avant que je n'aie eu le temps de leur faire vraiment mal.

Robin se passa la main dans les cheveux et poussa un long soupir.

— D'abord la mort de James, puis un braquage... Cela fait beaucoup en une nuit.

Il se pencha vers elle et la regarda dans les yeux.

— Robin, il s'est dirigé droit vers vous, dit-il d'un air préoccupé. Ce n'était pas la caisse qui les intéressait. Le second est resté à la porte pour monter la garde. Ils n'ont pas réclamé d'argent, il ne m'a même pas demandé mon portefeuille. Il savait que j'étais flic, il connaissait même mon nom, pourtant je ne les avais jamais vus avant. Je pense qu'ils savaient qui vous étiez aussi. C'était votre sac à main qu'ils voulaient. Vous ne l'avez pas entendu ?

— Non, je n'écoutais pas vraiment. Mon sac ? Mais pourquoi ? Est-ce que j'ai l'air riche ?

Elle baissa les yeux. Son sac à main était resté en place, la bandoulière sur son épaule.

— Oui, répondit-il en souriant. Mais là n'est pas la question. Je ne pense pas qu'il en avaient après votre argent. Qu'avez-vous dans ce sac ?

Elle le posa sur la table et l'ouvrit.

— De la poudre, du rouge à lèvres, dit-elle au fur et à mesure qu'elle sortait les objets. Carte de crédit, carnet d'adresses, un peu de monnaie, le CD de James, une petite brosse, un vieux ticket de cinéma et une bombe lacrymogène. Mince ! J'aurais dû y penser. J'avais complètement oublié. La seule chose à laquelle je pensais, c'était trouver ce maudit couteau.

Mitch se saisit du petit spray de bombe lacrymogène et le considéra avec perplexité.

— Je ne suis pas sûr que ce soit ce qu'ils cherchaient, dit-il avec un petit sourire.

— Le CD peut-être ? Qui cela pourrait-il intéresser ?

— Votre mari vous a quand même demandé de le lui apporter de New York, il devait en avoir sacrément besoin.

— Vous avez sans doute raison. Tenez. Gardez-le.

— Non, dit-il en le lui rendant. Conservez-le jusqu'à ce que nous puissions voir ce qu'il contient.

Mabel revint à ce moment-là des toilettes, visiblement rassurée de voir que Mitch était encore là.

— J'en ai pour une minute, dit-elle en entrant dans la cuisine. Je vous fais du café.

Robin poussa un soupir et se prit la tête dans les mains.

— Je suis épuisée. Pourrions-nous y aller ?

— Pas tout de suite. Nous avons besoin de manger quelque chose et Mabel n'est pas en état de se retrouver toute seule avec le vieux cuistot. Nous ferions mieux de rester jusqu'au retour de mes collègues.

— Et moi qui pensais que Nashville était une ville calme et tranquille peuplée de musiciens de country…

Mitch gloussa.

— Si c'était le cas, je serais guitariste et je passerais mon temps à me plaindre de ne pas savoir chanter.

— Vous ne savez pas chanter ? demanda-t-elle, amusée.

— Je *sais* chanter, mais vous n'auriez aucune envie de m'entendre, faites-moi confiance.

Encore une fois. Peut-être était-ce simplement un tic de langage, en fin de compte. Mais si quelqu'un cherchait vraiment à s'emparer du CD de James et que ce quelqu'un n'hésitait pas à envoyer des criminels armés jusqu'aux dents à leurs trousses, elle devait avoir quelqu'un de son côté. Mitch Winton était sans aucun doute le candidat parfait au rôle de garde du corps. C'était le seul, en tout cas.

L'aube était sur le point de se lever quand ils quittèrent enfin le restaurant. Mitch ne cessait d'observer Robin du coin de l'œil. Quand tomberait-elle de fatigue ? Elle semblait avoir repris du poil de la bête lorsque Bill et Eddie étaient revenus pour les interroger sur le prétendu braquage.

Elle regardait par la fenêtre d'un air fatigué. Elle devait se demander ce que Nashville allait encore lui réserver.

— Pourquoi n'avez-vous pas parlé aux policiers de votre théorie sur le CD ? demanda-t-elle, brisant le silence.

Il tourna pour prendre la sortie qui menait au quartier où il vivait.

— Parce que c'est précisément cela : une théorie. Et puis ils vous auraient demandé de leur donner le CD pour voir ce qu'il contient, ajouta-t-il en souriant, et je pensais que nous pourrions nous en charger.

Elle ne répondit pas et Mitch, ne sachant que dire, laissa le silence s'installer.

Tout en conduisant, il tentait de deviner ses pensées. Son visage parfait ne laissait rien entrevoir de ses sentiments. Seul un léger froncement de sourcils venait gâcher ses traits angéliques.

A y regarder de plus près, ses traits n'étaient pas si parfaits. Son menton, peut-être, était un peu proéminent, ce qui lui donnait un air légèrement prétentieux. Son nez l'aurait encore embellie s'il n'avait pas été aussi droit, aussi aristocratique. Il était tellement droit qu'il se demanda si elle ne l'avait pas fait refaire.

Avait-elle eu recours à la chirurgie esthétique ? Il ne put s'empêcher de jeter un coup d'œil à sa poitrine. Ses seins n'étaient pas très gros, et avaient l'air d'origine. Elle n'était peut-être pas parfaite, mais elle n'en était pas loin. Beaucoup de mannequins, après tout, s'en remettaient aux bistouris pour décupler leur potentiel…

— Joli nez, dit-il. Puis-je vous demander combien il vous a coûté ? Le mien a été cassé deux fois et j'aimerais bien connaître le nom d'un bon chirurgien. J'aurais trop peur qu'il me fasse ressembler à Michael Jackson.

Elle éclata de rire.

— Vous croyez que je me suis fait refaire le nez ?

— Il est très joli, répondit-il avec un sourire.

— Merci, mais c'est le mien, je suis née avec.

— Ne le prenez pas mal. Je me posais la question, voilà tout.

— Avez-vous du mal à respirer ?

— Non, pas du tout.

Mais il avait menti. Quand elle le regardait d'une certaine façon, il sentait parfois son souffle se couper.

— Alors ne touchez pas à votre nez. Il va très bien avec le reste de votre visage. Enfin... Je ne dis pas ça parce qu'il est cassé. Vous avez un beau nez... et un beau visage.

Elle aimait son visage. Mitch marmonna un remerciement et tenta de se concentrer sur sa conduite plutôt que sur le trouble que ce compliment faisait naître en lui. Elle commençait à l'obséder. Il ressentait un besoin grandissant d'en apprendre plus sur elle. D'ailleurs, quel besoin avait-il de savoir si elle s'était fait refaire le nez ? Qu'est-ce que cela pouvait bien lui faire ? Rien, voilà la réponse. Il devait cesser de penser à elle.

Jamais auparavant il n'avait ressenti une telle attirance pour une femme. En la voyant, il avait été comme foudroyé par sa beauté, frappé en plein cœur ; et, au lieu de s'estomper, cette attirance ne faisait que grandir au fil du temps qu'il passait en sa compagnie. Soudain, son côté le lança et il pressa sa main dessus. Bizarrement, la douleur était bienvenue, elle le ramenait à la réalité en quelque sorte. Il était heureux de ressentir autre chose que cette attirance brûlante.

— Vous avez une côte cassée ? demanda-t-elle en couvrant sa main de la sienne.

Elle le regardait d'un air préoccupé, mais ce geste simple éveilla tous ses sens.

— Non, ce n'est qu'un bleu, rien de plus, répondit-il, tentant de reprendre le contrôle de lui-même.

— Pensez-vous qu'ils reviendront ? Si c'est le CD qu'ils voulaient, ce serait logique qu'ils réessayent.

Mitch haussa les épaules.

— Peut-être. Mais ne vous inquiétez pas trop pour le moment. Personne ne sait où nous allons, hormis le patron, et personne ne nous a suivis.

Elle tourna la tête pour regarder par la vitre arrière.

— En êtes-vous certain ?

— Absolument.

Quelques instants plus tard, elle appuya sa tête en arrière et ferma les yeux. La tentation de profiter de cette occasion pour la regarder à loisir était grande, mais Mitch se redressa et serra le volant. Robin Andrews était toujours le suspect numéro un d'une affaire de meurtre. Son travail était de s'assurer qu'elle ne quitterait pas la ville pendant le temps de l'enquête.

Il se mit à dresser la liste de toutes les raisons pour lesquelles Robin Andrews pourrait avoir tué son mari. Celui-ci l'avait-il trompée ? Pourquoi l'avait-il laissée seule à New York pour partir vivre à Nashville ? En lui demandant d'apporter le CD, il l'avait peut-être mêlée à quelque chose de louche. Ces types qui les avaient attaqués au restaurant étaient très clairement à la recherche de quelque chose que Robin possédait. Elle en savait peut-être plus qu'elle ne l'avait avoué.

Il ne la croyait pas capable de tuer. Pourtant, elle n'avait pas hésité à planter cette fourchette dans la main de son agresseur. Elle n'avait peut-être pas hésité à tirer une balle dans la tête de James Andrews quelques heures plus tôt…

Il ferait mieux de la surveiller de près et de rester très vigilant.

— Nous sommes arrivés, lui dit Mitch.

Curieuse de voir à quoi la maison ressemblait, elle se

redressa. La rue était plongée dans la pénombre. De vieilles maisons cossues s'y faisaient face. A première vue, elles se ressemblaient, mais chacune était unique. Certaines avaient été rénovées avec goût, d'autres semblaient à l'abandon. De vieux chênes étendaient leurs branches au-dessus de petits jardins bien entretenus.

— C'est paisible, dit-elle.

— Oui, très calme, répondit-il en ouvrant sa portière.

Il vint lui ouvrir la sienne. Un vrai gentleman, pensa-t-elle. C'était même surprenant qu'un policier soit aussi galant.

Elle n'avait aucune raison d'avoir peur, se répéta-t-elle comme pour s'en convaincre. Il ne correspondait pas au stéréotype des policiers dans les séries télévisées : des cow-boys solitaires peu respectueux des procédures et de leur hiérarchie et qui n'obéissaient qu'à leurs propres lois. Elle espérait vraiment que ce cliché n'était pas fondé sur la réalité.

Elle accepta la main qu'il lui tendait pour sortir de son vieux 4x4. Une main chaude et puissante dont elle ressentit toute la force. Cet homme pourrait facilement la détruire, c'était certain. Il l'avait prévenue. Jamais elle ne commettrait l'erreur de sous-estimer Mitch Winton.

Mais s'il essayait de gagner sa confiance pour qu'elle confesse le meurtre de James, il attendrait très longtemps…

Elle aurait dû aller à l'hôtel. Il avait dit qu'il habitait à côté de l'appartement où elle dormirait. Pourquoi avait-elle accepté ? Le stress et le manque de sommeil avaient dû lui jouer des tours, elle n'avait pas réfléchi. Après s'être reposée, elle chercherait un autre endroit où séjourner. Elle appellerait un taxi et se rendrait au premier hôtel qu'elle trouverait dans le centre-ville.

Elle ne pouvait pas dépendre de la personne même qui l'avait pratiquement arrêtée pour meurtre, c'était absurde. Elle n'était toujours pas innocentée et tirée d'affaire. Mais elle ne pouvait pas se permettre non plus de faire de lui son ennemi ou de le mettre en colère. Cela pourrait être une erreur fatale.

Elle le suivit vers une maison et gravit les quelques marches qui menaient à un grand porche. Des fougères dans de gros pots et des fauteuils à bascule en osier blanc donnaient à ce dernier un air vieillot et accueillant.

Sortant la clé de sa poche, il ouvrit la porte et entra devant elle. Quand il eut allumé la lumière, elle le suivit et eut l'impression de remontrer dans le temps. Les murs étaient couverts d'un papier peint à motifs fleuris, un miroir doré était suspendu au-dessus d'une desserte au plateau de marbre.

— C'est à l'étage, dit-il.

Sur les murs du vieil escalier de bois pendaient de petits tableaux représentant des scènes pastorales.

De nouveau, il prit une clé pour ouvrir la porte.

— Faites comme chez vous. La chambre est de ce côté. Je crois que Sandra a emporté toutes ses affaires avec elle, elles ne devraient donc pas vous gêner. Il doit rester de la nourriture dans les placards, mais nous irons faire des courses plus tard dans la journée.

Il jeta un coup d'œil à sa montre, comme s'il avait l'air pressé. Or, elle ne voulait pas le voir partir tout de suite.

— Qui est cette Sandra ? demanda-t-elle.

Robin avait cru comprendre qu'un autre policier louait cet appartement. Elle en avait déduit, à tort, qu'il s'agissait d'un homme.

— Sandra Cunningham, répondit-il. Elle suit une formation longue durée au FBI.

Robin nota la fierté avec laquelle il avait dit cela. Elle se força à lui sourire.

— Etes-vous certain que ma présence n'ennuiera pas *votre amie* ? dit-elle en insistant sur les deux derniers mots.

— Sûr et certain, mais je l'appellerai pour vérifier, lança-t-il en quittant la pièce. D'ailleurs, en parlant de coup de téléphone, il faut que je vous laisse…

— Vous avez dit que vous habitiez dans le coin ?

— La porte à côté. Essayez de vous reposer, je repasserai vous voir vers midi pour vérifier que tout va bien.

Robin ferma le verrou après son départ et s'adossa contre la porte. Elle écouta attentivement, mais n'entendit pas ses pas dans l'escalier.

Le téléphone était posé sur une table près de la fenêtre, mais elle décida qu'il valait mieux attendre une heure plus raisonnable pour appeler sa mère. Elle n'avait pas assez d'énergie pour une telle conversation. Elle alla s'allonger sur le lit.

Elle aimait la solitude, d'habitude. Dans le cas présent, elle regrettait infiniment que Mitch Winton ne soit pas resté avec elle. Elle se sentait très seule tout à coup.

4

Mitch coinça le combiné du téléphone entre son oreille et son épaule tandis qu'il retirait son caleçon, puis ouvrit le robinet de la baignoire et régla la température de l'eau. Un bain lui ferait le plus grand bien. Il avait toujours un mal fou à se réveiller quand il dormait la journée.

Il était allé directement se coucher après avoir laissé Robin seule dans l'appartement d'à côté et il avait dormi sans interruption toute la matinée. C'était toujours difficile de reprendre un rythme normal après avoir travaillé de nuit pendant quelque temps.

La première chose à faire était d'appeler Kick et de s'enquérir de l'avancement de l'enquête. Puis il irait sonner à côté pour voir comment allait son invitée.

Kick répondit au bout de cinq sonneries.

— Alors, Kick, où en es-tu ? demanda Mitch.

— J'ai mal à la tête, répondit Kick Taylor avec un grognement. Hunford m'a dit que tu avais emmené la suspecte chez toi. Tu as perdu la tête ou quoi ?

Ce fut au tour de Mitch de grogner.

— Le patron trouvait que c'était une bonne idée.

— Tu aurais dû lui trouver une chambre d'hôtel. Fais-le aujourd'hui, tu entends ? dit Kick d'un ton sec.

— J'obéis aux ordres du patron, pas aux tiens, répondit-il calmement.

Il entra dans la baignoire en veillant à tenir le téléphone assez haut pour ne pas le mouiller.

— Tu as du nouveau sur l'affaire ?

Kick resta silencieux un moment.

— Le labo a trouvé des taches rouges sur la moquette. On dirait de la terre. On ne les voyait pratiquement pas, mais elles pourraient être importantes. Il faudra examiner les chaussures de la femme. Celles de la victime étaient propres, chacune des paires qu'il possédait.

— Autre chose ?

— Ouais, sa femme de ménage y était l'après-midi même. J'ai trouvé son numéro dans le répertoire et je l'ai appelée pour savoir à quand remontait sa dernière visite. J'imagine qu'Andrews voulait remettre de l'ordre avant l'arrivée de sa femme. Nous essayons de découvrir si quelqu'un d'autre est entré dans l'appartement après que l'aspirateur a été passé.

Après un moment d'hésitation, Kick poursuivit à voix plus basse :

— Tu la gardes dans ton appartement ?

— La femme de ménage ? Non…

— Mitch, je ne suis vraiment pas d'humeur !

Mitch sourit. Il aimait bien faire marcher Kick.

— Non, dans celui de Sandie, de l'autre côté du couloir.

— Ce n'est pas une bonne idée.

— Ne t'inquiète pas. Je garde un œil sur elle, voilà tout, répondit patiemment Mitch. L'appartement de Sandie étant libre, je me suis dit que ce serait pratique. Elle voulait que je trouve quelqu'un pour sous-louer son appart.

— Ecoute, Mitch, dit Kick d'une voix plus calme, tout ce que nous avons découvert pour l'instant incrimine Robin Andrews. Le sang sur ses mains, ses empreintes sur l'arme… Il voulait divorcer, elle non. Ou *vice versa*. Et ce n'est pas tout…

Kick avait beau avoir l'air de s'être calmé, Mitch décelait une note dangereuse dans sa voix, comme une menace.

— Cela ne suffit pas, l'interrompit-il. Les preuves sont

purement circonstancielles. Hunford a dit la même chose. Elle n'aurait jamais pu monter dans l'avion avec un revolver et elle n'avait pas le temps d'en acheter un en arrivant.

— Le Beretta appartenait à Andrews, dit Kick. Il était à son nom et chez lui.

— Tu as vu les résultats des tests de paraffine ?

— Elle aurait très bien pu porter des gants.

— Dans ce cas, qu'en a-t-elle fait ? Où sont-ils ?

— Nous cherchons toujours.

— Pourquoi aurait-elle laissé ses empreintes digitales sur le revolver si elle portait des gants ?

Kick dut être pris de court, car sa réponse mit du temps à venir.

— Elle l'a touché après s'en être servi. Pas bête… Elle t'a bien eu.

— Elle est innocente, déclara Mitch. Le coupable court toujours. A toi de le trouver.

— D'accord, alors écoute ça, répliqua Kick. Nous avons trouvé des papiers dans son bureau. Il avait pris une assurance vie. Elle va toucher cent mille dollars. Ça te suffit ?

— Pour une assurance vie, cent mille dollars, ce n'est pas énorme. Surtout pour un assureur…

Mitch s'allongea dans la baignoire et ferma les yeux.

— Je te rappellerai plus tard, Kick. Je vais examiner ses chaussures.

— Non, Mitch, tu dois apporter ses chaussures au labo. C'est la procédure.

— Tu me donnes encore des ordres, Kick ?

Il l'entendit soupirer à l'autre bout du fil avant de raccrocher.

Une heure plus tard, Mitch était de retour au commissariat.

— Elle les a peut-être nettoyées depuis hier soir, dit Kick en regardant la paire d'escarpins dans le sac plastique. Je pense vraiment qu'elle est coupable.

— Oui, je sais. Tu n'arrêtes pas de le répéter. Fais faire les tests par le labo et nous verrons bien.

Mitch se demandait comment réagirait Robin lorsqu'elle se réveillerait et se rendrait compte qu'elle n'avait plus de chaussures.

— Je te parie un mois de salaire que tu ne trouveras pas de terre rouge dessus, ajouta-t-il.

— Espérons juste que ta prochaine paye ne soit pas la dernière, répondit Kick avec un petit rire moqueur. C'est sacrément risqué d'héberger chez soi le principal suspect d'une affaire de meurtre. En plus, n'oublie pas que tu es suspendu de tes fonctions.

— Le patron lui-même m'a donné son accord, Kick. Il faut que je rentre. Si tu as besoin de quoi que ce soit, tu m'appelles, d'accord ?

Mitch s'apprêtait à partir quand il se souvint de l'ordinateur de Robin.

— Au fait, il faut que je récupère la valise et l'ordinateur portable de Mme Andrews. Sais-tu où ils sont ?

— Où les a-t-elle laissés ?

— Juste à côté de la porte d'entrée, c'est ce qu'elle a dit.

— J'ai passé l'appartement au peigne fin. Il n'y avait ni valise ni ordinateur portable.

Ils s'observèrent en silence pendant dix secondes.

— Tu sais ce que ça veut dire ? dit Mitch. Soit quelqu'un de l'équipe les a pris sans rien dire, ce qui me semble peu probable… Soit le tueur était toujours dans l'appartement quand elle est arrivée et il a pris ses affaires au moment où elle est allée dans la chambre.

— Mais ça ne tient pas debout, rétorqua Kick. Elle a peut-être tout inventé. Tu as pensé à cette éventualité ?

— Peut-être ou peut-être pas. Nous savons que le tueur cherchait quelque chose. Il a peut-être pensé que Robin Andrews avait apporté ce qu'il voulait.

Kick avait l'air dubitatif. Mitch préférait ne pas parler du CD pour le moment, tant qu'il ne savait pas ce qu'il contenait et pourquoi quelqu'un était prêt à commettre un meurtre pour l'obtenir.

— A plus tard, dit-il en tournant les talons.

— Hé, attends une minute !

Mais Mitch n'avait pas de temps à perdre à se disputer avec son partenaire. La personne qui avait volé la valise et l'ordinateur de Robin n'y avait manifestement pas trouvé ce qu'elle cherchait. Il n'avait plus de doute désormais, l'attaque dans le café était bien destinée à voler le sac à main de Robin.

Pour l'heure, cette dernière était à l'abri. Quasiment personne ne savait où Mitch vivait. C'était un secret bien gardé car il s'était fait des ennemis au cours de sa carrière dans la police. Il avait mis de nombreux criminels sous les verrous et l'un d'entre eux pourrait bien avoir envie de se venger, une fois sa peine purgée.

Après ce qui s'était produit dans le café, il avait fait extrêmement attention, durant tout le trajet en voiture, et était sûr et certain que personne ne les avait suivis jusque chez lui.

Cette suspension tombait très mal. Il devait mener l'enquête sur l'affaire Andrews de façon officielle, afin d'obtenir des résultats sans avoir à passer systématiquement par Kick.

Robin avait intérêt à être innocente, pour son bien à elle autant que le sien, et il avait intérêt à réussir à le prouver. Le fait que quelqu'un ait volé ses affaires, heureusement, plaidait en sa faveur.

Mais si Kick avait raison ? Avait-elle réellement apporté une valise et un ordinateur portable ? Elle aurait pu le lui dire pour le convaincre de la présence de quelqu'un d'autre dans l'appartement de James Andrews.

*
* *

Robin se réveilla dans cet appartement qu'elle ne connaissait pas et regarda l'heure à sa montre. Il était presque 16 heures. Elle avait l'impression d'avoir couru un marathon la veille.

Elle se leva et trouva la salle de bains. Celle-ci semblait tout droit sortie d'un magazine de décoration vieillot : des roses et des frou-frous partout. Lorsqu'elle leva les yeux et vit son reflet, elle ne put s'empêcher de grimacer.

Cela faisait longtemps qu'elle avait perdu toute trace de maquillage, ses cheveux étaient plats et sales, et elle avait le teint brouillé de quelqu'un qui n'avait pas dormi de la nuit. La gaufre grasse qu'elle avait avalée après la confrontation dans le café l'avait barbouillée. Si elle était là pour quelques jours, elle ferait peut-être bien de faire comme chez elle.

Après un long bain moussant, elle se sécha, démêla ses cheveux et remit ses vêtements froissés. Elle cherchait ses chaussures quand elle entendit le grincement de la poignée de la porte d'entrée. Quelqu'un tentait d'ouvrir. La poignée tourna doucement dans un sens puis dans l'autre, mais la porte était fermée à clé. Cela devait être Mitch.

Sur la pointe des pieds, elle alla derrière la porte, mais, sans œilleton, elle ne pouvait être sûre qu'il s'agissait bien de l'inspecteur.

— Oui ? Qui est-ce ? demanda-t-elle.

La poignée tourna plus vivement cette fois. De violentes secousses firent trembler la porte, comme si on essayait de l'enfoncer.

— J'ai une arme, cria Robin d'une voix forte.

Paniquée, elle chercha du regard quelque chose qu'elle pourrait utiliser pour se défendre.

— Et je n'hésiterai pas à m'en servir, ajouta-t-elle.

Silence. Elle tendit l'oreille. Des pas dans l'escalier, puis plus rien.

Elle attendit, l'oreille collée contre la porte, mais il n'y eut ni portes qui se refermaient, ni bruits de pas rapides, ni moteur qui démarrait. Rien que le silence d'un quartier calme à l'heure où tous les enfants étaient encore à l'école et leurs parents au travail.

Elle courut vers le téléphone pour appeler la police, mais il n'y avait aucune tonalité. La policière qui vivait ici avait-elle fait couper la ligne avant de partir en formation pour plusieurs mois ?

Robin s'appuya contre le mur, le téléphone contre sa poitrine, le cœur battant. Si elle avait été chez elle, elle aurait été protégée par une épaisse porte blindée. Cette porte de bois semblait dater du siècle dernier. Un homme fort pourrait probablement la défoncer en une seule fois.

— Quelle idiote ! s'exclama-t-elle en posant le combiné.

L'incident au café l'avait rendue paranoïaque. Quelqu'un voulait sans doute rendre une visite surprise à la policière qui vivait là, voilà tout. Et, en entendant sa voix, il avait dû s'inquiéter de la présence d'une inconnue dans l'appartement et partir prévenir la police de la présence d'une femme armée chez Sandra Cunningham. Oui, c'était sûrement cela. C'était en tout cas ce qu'elle aurait fait, elle.

Elle avait beau essayer de s'en convaincre, elle ne pouvait s'empêcher de penser que James avait été assassiné chez lui la veille et qu'elle avait assisté à une tentative de braquage. Il existait de nombreuses explications rationnelles au fait que quelqu'un ait tenté d'ouvrir la porte de l'appartement, mais elle était incapable de se raisonner. Quelqu'un avait voulu entrer sans se présenter alors qu'elle était seule et sans défense. Et si la personne revenait avec des renforts ou un moyen d'ouvrir la porte de l'extérieur ?

Que cherchaient-ils ? S'agissait-il des mêmes hommes qui les avaient attaqués dans le café ? Tout cela avait-il un rapport avec le CD de James ?

Elle sursauta en entendant des pas dans l'escalier. Cette

fois, la personne ne faisait aucun effort pour marcher doucement. La panique s'empara de nouveau d'elle. Elle traversa la chambre en courant et alla se cacher dans la salle de bains. Comme elle refermait la porte derrière elle, elle se rendit compte qu'elle n'avait pas de verrou.

— Oh, non ! grommela-t-elle.

Elle devait trouver une cachette. Elle ouvrit grand les portes du placard sous le lavabo et y entra à quatre pattes. Après s'être contorsionnée, elle parvint enfin à refermer les portes. Elle était bien plus serrée dans ce petit placard qu'elle ne l'avait été la veille sous la table du restaurant. De plus, elle n'avait rien qui puisse lui servir d'arme, pas même une bombe de laque.

Elle retint son souffle. Le moindre bruit pourrait trahir sa présence. Son seul espoir était que l'intrus, ne la voyant pas, pense qu'elle avait quitté les lieux.

Des pas résonnèrent sur le parquet, puis un juron étouffé. L'intrus approchait.

Elle était à court d'air, mais n'osait pas reprendre son souffle, de peur que sa respiration soit trop bruyante. Si elle ouvrait la bouche, elle se mettrait à hurler, cela ne faisait aucun doute.

La porte de la salle de bains s'ouvrit soudain avec fracas.

Les yeux fermés, Robin récita une prière silencieuse.

Les deux portes du placard s'ouvrirent à la volée.

— Mais que se passe-t-il ? s'exclama Mitch.

Robin ouvrit les yeux et eut un long rire nerveux.

Elle mit beaucoup plus de temps à sortir de sa cachette qu'elle avait mis à y entrer. Mitch, accroupi auprès d'elle, essuyait de la main la poussière sur ses bras et ses jambes.

— C'était vous tout à l'heure ? s'enquit-elle. Avez-vous essayé d'ouvrir la porte de l'appartement il y a un instant ?

Mitch s'immobilisa et plongea son regard bleu intense dans le sien.

— Non, je viens juste d'arriver. Dites-moi ce qui s'est passé.

Un peu honteuse, elle lui fit le récit des minutes les plus longues de sa vie, celles qui venaient juste de s'écouler. Elle se sentait bête d'avoir paniqué. Mitch l'écouta sans mot dire. Lorsqu'elle eut terminé, il se leva et lui tendit la main pour l'aider à se mettre debout. Tandis qu'ils traversaient la chambre pour aller dans le salon, il lui demanda :

— Quand vous êtes entrée dans l'appartement de James Andrews hier soir, avez-vous refermé la porte derrière vous ?

— Non, répondit-elle avec certitude. J'ai vu le corps de James à la seconde où j'ai ouvert la porte. J'ai posé ma valise et mon ordinateur et j'ai couru vers lui.

— N'aviez-vous pas peur que l'homme qui l'avait attaqué puisse toujours être dans l'appartement ?

— Eh bien… non. Je n'y ai même pas pensé. Au début, je ne me rendais pas compte de ce qui s'était passé. Il était allongé par terre et j'ai vu qu'il y avait du sang. Il y en avait tellement… Je croyais qu'il était tombé et s'était cogné la tête.

Evoquer cette vision terrible la fit frissonner.

— Continuez, Robin, la pressa-t-il. Je sais que cela doit vous sembler répétitif, mais c'est très important. Cette fois, je veux que vous me disiez tout, ce qui s'est passé, mais aussi ce que vous avez ressenti. A quoi avez-vous pensé ?

Elle hocha la tête et poursuivit son histoire.

— J'ai crié son nom en courant vers lui, puis je me suis agenouillée auprès de lui et j'ai cherché son pouls. Mais je le savais. Je savais qu'il était mort avant même de le toucher. Il avait… un… un trou au front… C'est à ce moment que j'ai vu le revolver par terre. J'ai pensé qu'il s'était suicidé. Je l'ai pris sans même réfléchir, puis je l'ai reposé, horrifiée. Quand j'ai enfin pris le temps de regarder autour de moi, j'ai vu que l'appartement avait été saccagé et j'ai su que ce n'était pas un suicide.

— Et ensuite ?

— Je suis allée prendre le téléphone, celui qui était sur la table basse, et j'ai composé le 911. Mes mains tremblaient tellement que j'avais du mal à appuyer sur les touches. La femme au bout du fil m'a dit de rester en ligne, mais je ne pouvais pas. Je ne pouvais pas rester assise à côté de James et le voir ainsi… J'avais la nausée, mais je savais que je ne pouvais pas partir. Je devais attendre l'arrivée de la police. Alors je me suis levée et j'ai couru dans la chambre. J'y étais toujours quand la police est arrivée et ils m'ont dit de rester là où j'étais, de ne pas bouger. Là où vous m'avez trouvée.

— Avez-vous raccroché le téléphone, Robin ? Avez-vous reposé le combiné sur la base ?

Elle se concentra.

— Je ne pense pas, non… Je l'ai juste posé par terre, je crois. Mais les agents qui sont arrivés les premiers devraient le savoir, non ?

Il posa la main sur son bras et le serra gentiment.

— Bien sûr, ils me le diront. Pouviez-vous voir la porte qui menait dans le salon, de là où vous étiez assise ?

— Je ne sais pas, avoua-t-elle, un peu honteuse. Je ne pouvais pas regarder, c'était trop horrible.

— Pas de problème. C'est probablement mieux ainsi.

— Attendez ! s'écria-t-elle en agrippant son bras. Mais si, j'ai regardé. Après votre arrivée. Vous vous souvenez, quand je vous ai demandé s'il était possible de couvrir son corps ? Je ne voyais pas la porte d'entrée. J'en suis certaine.

— Je ne veux pas vous effrayer, Robin, mais je pense que le meurtrier était toujours dans l'appartement. La porte était fermée quand les agents sont arrivés.

— Oui, répondit-elle, épouvantée. Je m'en souviens maintenant. Les policiers ont frappé à la porte et se sont identifiés. Je leur ai crié d'entrer. Oh, mon Dieu, vous avez raison ! Le meurtrier était encore là. Il était caché et il est parti avant l'arrivée de la police !

Mitch hocha la tête.

— Il était soit derrière la porte, soit dans le placard de l'entrée. Je pense qu'il est parti dès que vous êtes allée dans l'autre pièce. Et il a pris votre valise et votre ordinateur en même temps. Le CD que James vous a demandé d'apporter de New York, je pense que c'était cela qu'il cherchait.

Mitch prit son sac à main et en sortit l'étui du CD.

— *Interludes classiques* ? s'étonna-t-il en lisant le titre.

— Le CD était dans un étui en plastique transparent, pour qu'il ne prenne pas trop de place dans le coffre à la banque, expliqua-t-elle. J'avais peur qu'il ne s'abîme dans mon sac, alors je l'ai rangé dans le boîtier d'un CD de musique pour le protéger.

— Il avait pris un coffre à la banque ? Ce CD doit contenir des informations de la plus haute importance. Suffisamment importantes, je pense, pour que quelqu'un soit prêt à tout, même à tuer, pour les posséder. Ce CD est notre meilleur indice pour découvrir qui voulait à tout prix mettre la main dessus.

Si ce que disait Mitch était vrai, alors James était mêlé à quelque chose de louche lorsqu'ils vivaient encore ensemble à New York. Elle avait du mal à y croire.

— Croyez-moi, James n'était pas le genre d'homme à prendre des risques inconsidérés. Si vous pensez qu'il était mêlé à une sombre histoire qui aurait pu lui coûter la vie, vous vous trompez sur toute la ligne, dit-elle fermement. Il agissait toujours de manière prudente et réfléchie, cela avait d'ailleurs le don de m'énerver. Il manquait cruellement de spontanéité.

— Pourtant, j'ai l'impression qu'il vous a épousée sur un coup de tête, répondit Mitch.

Robin poussa un soupir et détourna les yeux, incapable de soutenir son regard perçant.

— Non, c'était *mon* coup de tête. James a mis un an à me convaincre de l'épouser. J'ai fini par céder.

Et, sans réfléchir, elle ajouta :

— Quand il a eu des liaisons, plus tard, il faisait toujours en sorte que je les découvre. Tout était réfléchi avec lui.

— Des liaisons ? Il en a eu plusieurs ? s'enquit Mitch sur le ton de la conversation.

Robin n'était pas dupe, elle sentait bien qu'il jugeait cette information cruciale ; à ses yeux, c'était une autre raison pour elle de tuer James. Mais elle en avait déjà trop dit pour se taire.

— Oui. Je crois qu'au bout d'un moment il s'est rendu compte que la monogamie n'était pas faite pour lui. Il s'est donc assuré que j'aie des motifs de mettre un terme à notre mariage. Il me l'a avoué plus tard et s'est excusé pour sa conduite.

— Et vous avez accepté ses excuses ? fit-il, visiblement stupéfait. Vous êtes restée en bons termes avec ce…

— Oui. Voyez-vous, c'était au moins autant ma faute que la sienne si notre mariage a échoué. Je ne le rendais pas heureux. En réalité, j'étais même soulagée quand nous nous sommes séparés car nous pouvions retrouver la relation d'amitié que nous avions avant. Je suis certaine qu'il l'était, lui aussi.

Mitch poussa un long soupir.

— Je pense que c'était un beau salaud, sauf votre respect.

Secrètement, Robin partageait son avis. Mais il n'en restait pas moins qu'elle avait été plus proche de James que de tous les autres hommes qu'elle avait connus avant lui. Elle le comprenait. Il était faible et souvent égoïste, mais il était aussi généreux en compliments et en affection, qualité qu'elle avait beaucoup appréciée. A ce moment-là, elle était extrêmement vulnérable et James lui avait fait du bien. Plus tard, elle était devenue assez forte pour ne plus avoir besoin de lui et elle avait réussi à le quitter. Ils en avaient longuement parlé, étaient parvenus à un accord et chacun avait suivi son propre chemin.

— On sait ce qu'on perd…, marmonna-t-elle, sans même réaliser qu'elle avait parlé à voix haute.

— Je ne sais pas si vous le connaissiez si bien que cela, Robin, dit-il en prenant sa main et en la portant à ses lèvres. Je comprendrais très bien que vous l'ayez tué vous-même…

— C'est ce que vous dites, mais je ne l'ai pas fait !

L'effroi glaça Robin. Et dire qu'elle le croyait de son côté, qu'elle pensait avoir réussi à le convaincre de son innocence ! Or, elle lisait bel et bien une forme d'accusation dans ses yeux. Peut-être la croyait-il seulement stupide de s'être ainsi fait duper par James ?

Un homme comme Mitch Winton, qui avait juré de faire respecter la loi, aurait-il embrassé la main d'une femme qu'il soupçonnait de meurtre ? Quel genre de flic ferait une chose pareille ? Un flic absolument convaincu de son innocence ? Ou bien un flic qui était déterminé à prouver sa culpabilité, coûte que coûte ?

— Vous êtes un homme dangereux, dit-elle.

Il lâcha sa main et lui sourit d'un air amer.

— Je peux l'être, admit-il. Si j'apprends que vous me faites marcher, vous pouvez être sûre que je le serai.

5

L'intimidation pouvait être un moyen d'arriver à ses fins, et Mitch était prêt à s'en servir quand c'était nécessaire. Pourquoi regrettait-il déjà d'en avoir usé avec Robin, en jouant le rôle du Grand Méchant Flic ? Elle n'avait pas tué James Andrews, il en était certain, mais il avait l'impression tenace qu'elle lui cachait encore quelque chose. Pourquoi alors avait-il autant de scrupules à l'interroger ?

Comme si elle venait de prendre une décision, elle lui tendit le CD d'un air déterminé.

— Très bien, dit-elle avec défi. Si vous voulez tout savoir, j'ai regardé ce qu'il contenait.

— Alors ? Qu'avez-vous découvert ? Dites-moi la vérité. Je vérifierai par moi-même dès que j'aurai accès à un ordinateur.

— Eh bien, bonne chance, dit-elle sèchement. Il y a les noms de certains de ses clients, avec en regard les numéros de leurs dossiers d'assurances, et quelques pages de notes dans une langue étrangère.

— Intéressant. Quelle langue ?

— Je ne sais pas, fit-elle en hésitant. Vous ne croyez pas à ce que James a dit, qu'il s'agit de numéros correspondant aux dossiers d'assurances, n'est-ce pas ?

— Commettre un meurtre pour obtenir une liste de clients me paraît peu probable, en effet. Combien y avait-il de chiffres par numéro ?

Robin haussa les épaules.

— Je ne suis pas sûre. Neuf, je crois.

Peut-être des numéros de sécurité sociale, pensa Mitch. Ou de comptes bancaires. Ou bel et bien de dossiers d'assurances. Mais il s'en occuperait plus tard. Il rangea le CD dans la poche de sa veste.

— Vous feriez mieux de rester avec moi, ce soir.

— Vous pouvez me conduire à un hôtel, répondit-elle, ignorant ce qu'il venait de dire. Je serai prête dans une minute.

Elle se leva et chercha du regard quelque chose dans la pièce. Elle se baissa pour regarder sous la table basse.

— Où sont mes chaussures ?

— Je les ai prises.

— Et pourquoi donc ?

— Parce qu'elles vont merveilleusement bien avec mon costume beige. A votre avis, Robin ?

Elle écarquilla les yeux, puis se ressaisit.

— Je n'en ai aucune idée, dit-elle d'un air vexé.

— Nous avons trouvé des traces de terre rouge sur la moquette de la scène de crime. J'ai pris vos chaussures pour les faire analyser par le labo.

— Et je fais comment, moi, en attendant ? s'indigna-t-elle.

— Vous devrez marcher pieds nus.

Elle n'avait pas le choix. Si ses pieds n'étaient pas particulièrement menus, elle ne pourrait jamais porter ses chaussures à lui. Sandra avait peut-être laissé des chaussures dans le placard, mais elle était petite et portait une taille enfant.

Robin, elle, avait de longs pieds fins. Mitch les trouvait si gracieux qu'il avait du mal à en détourner le regard. Il le fit, mais trop tard, car Robin le surprit en train d'observer ses pieds et il se sentit bête.

Sa bouche se crispa et il crut qu'elle était sur le point d'éclater en sanglots. Il ne lui en aurait pas tenu rigueur, au vu de la nuit mouvementée qu'elle avait passée. Il lui prit la main et la serra entre les siennes, espérant la réconforter un peu. Bien sûr, il aurait largement préféré la prendre dans ses bras, mais il savait bien que c'était impossible.

— Vous n'aurez pas besoin de chaussures pour aller jusque chez moi. Ce qu'il vous faut, c'est un bon repas. Et j'ai déjà préparé le dîner.

— Vous cuisinez ?

Mitch eut un rire gêné.

— Oui. Ma mère a insisté pour m'apprendre à cuisiner avant que je ne m'installe dans mon propre appartement. Elle voulait que je sois indépendant.

Robin hocha la tête d'un air entendu.

— Je comprends tout à fait. Ma mère ne voulait plus de moi à la maison non plus, une fois que j'ai cessé de payer les factures.

— C'est vous qui payiez les factures ?

— Eh bien, j'étais tout ce qui lui restait après la mort de papa. Elle travaillait aussi dur que moi, c'était elle qui gérait ma carrière de mannequin. Lorsque j'ai décidé d'arrêter, elle s'est retrouvée sans travail, c'est la raison pour laquelle elle m'en a tant voulu.

— Et elle vous a jetée dehors ? s'exclama-t-il, outré.

Robin se leva et marcha jusqu'à la fenêtre.

— Disons qu'elle voulait que je parte, alors c'est ce que j'ai fait. Je me suis trouvé un appartement et j'ai commencé une nouvelle vie. Elle a quitté New York quelques semaines plus tard et s'est acheté une maison en Floride.

— Et vous lui rendez visite tous les ans pour son anniversaire, dit Mitch en l'observant attentivement. Etes-vous plus proches aujourd'hui ?

— Je préférerai changer de sujet, si ça ne vous dérange pas. Nous nous sommes tous les deux fait mettre à la porte par nos mères quand nous avons pris notre indépendance, ce n'est pas la fin du monde…

— Vous avez raison, dit-il avec un sourire forcé. Alors, vous voulez goûter à ma soupe ou pas ?

Elle prit son sac à main.

— Après vous. Mais je vous préviens, je risque de ne pas marcher très vite. Je n'ai pas l'habitude de sortir pieds nus dans la rue, même pour une courte distance.

Mitch lui tenait la porte ouverte et attendait qu'elle passe devant.

— Pas de problème, j'habite sur le même palier.

— Quoi ?

— Juste là, dit-il en lui montrant la porte en face de la sienne.

— Quand… quand vous avez dit que vous habitiez à côté, je ne pensais pas que c'était littéralement la porte à côté.

— Je ne voulais pas vous mettre mal à l'aise.

— Non, non, ça ne fait rien… et… vivez-vous avec quelqu'un ?

— Non, je vis seul.

— Cela sent drôlement bon ici, dit-elle en posant son sac à main sur une chaise avant de soulever le couvercle de la cocotte. Qu'est-ce que c'est ?

— Une soupe au bœuf et aux légumes. C'est une vieille recette de famille. J'espère que vous n'êtes pas végétarienne.

Elle secoua la tête et laissa glisser ses longs doigts sur le plan de travail.

— Qui habite au rez-de-chaussée ?

— Personne. Il est en mauvais état, je ferai des travaux dès que j'aurai le temps. Le loyer de Sandra m'aidera à les payer. A l'origine, cette maison était une maison de famille, puis elle a été divisée en plusieurs appartements. Je voudrais qu'elle redevienne comme elle était avant.

Il sortit une grande poêle et la mit à chauffer.

— La cuisine du bas sera immense, dit-il avec fierté.

Elle s'assit sur un tabouret à un bout du plan de travail.

— Votre famille viendra-t-elle vivre ici avec vous ?

— Certainement pas ! répondit-il en riant.

— Vos proches vous rendent-ils souvent visite ?

— Pas très souvent, mais j'espère que cela changera une fois que j'aurai refait la maison. C'est pour cela que je l'ai achetée.

— Vous avez déjà été marié ?

— Non mais, dites donc, je vous trouve bien curieuse…

— Etes-vous gay ?

— Non, je prépare simplement la maison pour ma future femme.

Elle fureta autour d'elle, comme si elle voyait son appartement sous un jour nouveau.

— Oui, j'imagine sans mal une famille vivre ici… Après tout, certains couples réussissent à vivre heureux, du moins c'est ce que j'ai entendu dire…

— Bien sûr que cela arrive. Mais cela demande du travail et de la patience. Il faut s'impliquer et faire tout ce que l'on peut pour essayer d'être heureux.

Distraitement, elle traça du bout du doigt une forme sur le plan de travail.

— Voilà un point de vue original sur le mariage, surtout de nos jours.

A l'aide d'une spatule, il retourna les boulettes de maïs qu'il était en train de faire frire.

— Peut-être. Mais ç'a marché pour mes parents et je pense que ça marchera pour moi.

Lorsqu'il leva la tête et croisa son regard, elle lui adressa le sourire le plus triste qu'il ait jamais vu.

— Vous êtes bien optimiste, dit-elle.

Mitch fit glisser les boulettes sur une assiette.

— Si vous ne faites pas votre maximum pour être heureux, si vous n'y croyez pas du tout, il est certain que vous ne le serez jamais.

Il prit une boulette de maïs entre ses doigts et la lui tendit.

— Goûtez-moi ça.

Elle la considéra d'un air méfiant puis en croqua une minuscule bouchée.

— Oh, mais… c'est bon ! C'est même très bon.

Mitch leva les yeux au ciel.

— Il n'y a pas de quoi tomber des nues. Ma mère est très bonne cuisinière, c'est elle qui m'a tout appris.

Robin était la personne la plus difficile qu'il ait jamais rencontré, devait songer Mitch en la regardant manger. Elle triait systématiquement les aliments, délaissant tous les féculents. Pas étonnant qu'elle soit si mince. Elle ne prenait que de minuscules morceaux de ses boulettes de maïs, comme si les manger constituait un péché auquel elle ne pouvait pas résister. Il aimait bien la voir succomber à la tentation et savoir qu'il en était la cause.

Evidemment, il aurait voulu la voir succomber à des tentations d'ordre plus charnel que gastronomique, mais il devait contrôler sa libido. Elle était toujours suspectée dans une affaire de meurtre. Elle était le fruit défendu et il devrait bien se faire une raison.

Lorsqu'elle repoussa son assiette vide et poussa un soupir d'aise, il ne put que la contempler. Les yeux fermés, la tête en arrière et un sourire satisfait aux lèvres, Robin était la vision la plus exquise qui soit. Il crut qu'il allait perdre la raison.

Il secoua la tête se débarrasser des images érotiques qui l'assaillaient. Une bonne douche froide ne lui ferait pas de mal. En attendant, il devait se changer les idées.

— Et si on regardait un film ? proposa-t-il.

Une distraction serait la bienvenue, et une sortie n'étant pas envisageable… Certes, il y avait bien une chose qu'ils pourraient faire pour s'occuper, mais il s'efforçait de ne pas y penser.

— Vous aimez les Monty Python ?

Elle eut une moue dubitative. Même quand elle faisait la grimace, elle était incroyablement sexy.

— D'accord, alors *L'Attaque des tomates tueuses* ? C'est un classique.

Elle éclata de rire et se leva.

— Voyons voir ce que vous avez d'autre. Où sont vos DVD ?

Il lui indiqua le salon.

— Choisissez ce que vous voulez. Je vais débarrasser la table pendant ce temps. Non, non, je m'en occupe, protesta-t-il quand elle commença à empiler les assiettes.

— Votre mère vous a très bien élevé, dit-elle d'un air amusé. Heureusement que je ne cherche pas à me caser. Vous seriez dans un sacré pétrin, mon cher.

Mais le sourire de Robin disparut aussitôt, quand elle eut l'air de se rendre compte qu'elle s'était montrée trop familière avec lui. Sans un mot, elle disparut dans le salon.

Cette femme était pleine de contradictions. Tantôt elle était élégante et sophistiquée, tantôt elle se comportait comme une enfant à qui on n'aurait pas appris les règles de base de la vie en société. Il soupçonnait que la véritable Robin se situait entre ces deux opposés. Elle n'était pas dans son élément, voilà tout. Elle se trouvait dans une situation délicate et ne savait pas comment se comporter. Personne ne pouvait le lui reprocher.

Il avait envie de la prendre dans ses bras, de la rassurer, de lui dire qu'il n'était pas son ennemi. Au-delà de l'attirance sexuelle, il voulait tout simplement la mettre à l'aise et lui faire savoir qu'elle n'avait pas besoin de faire semblant d'être quelqu'un qu'elle n'était pas.

Quand il eut terminé de ranger la cuisine, il alla la rejoindre dans le salon et la trouva confortablement installée dans le canapé devant *Casablanca*.

— Vous avez choisi le seul film romantique de ma collection, dit-il en étalant un plaid en laine sur ses jambes. J'aurais dû m'en douter.

Elle lui adressa un petit sourire, mais son regard resta fixé sur le visage d'Humphrey Bogart à l'écran.

— Pas de problème, ajouta-t-il en s'installant à l'autre bout du canapé.

Ce n'était pas facile d'instaurer une distance physique entre eux, malgré l'attirance presque magnétique qui le poussait vers elle, quand la priorité du moment était, au contraire, de la garder au plus près pour assurer sa sécurité. Elle dormirait chez lui cette nuit, c'était le seul moyen de garder un œil sur elle. Il passerait la nuit dans ce canapé.

La première chose qu'ils feraient le lendemain matin, ce serait d'aller chez ses parents. Sur l'ordinateur de Susan, il verrait enfin par lui-même ce que contenait le CD. Pour l'heure, il avait juste envie d'oublier toute cette affaire.

Quand Bogart prononça la dernière réplique du film, Robin essuya une larme sur sa joue du revers de la main. Ils restèrent silencieux jusqu'à la fin du générique.

— Mon Dieu, qu'Ingrid Bergman est belle ! s'exclama alors Robin.

— Elle n'est pas mal. Vous n'avez jamais pensé à devenir actrice ? Vu votre physique et votre charisme, je suis certain que vous auriez beaucoup de succès.

— Moi ? Actrice ? se récria-t-elle.

Mais un petit quelque chose dans son regard lui disait qu'elle y avait déjà réfléchi.

— Je parie que vous pourriez avoir une belle carrière dans le cinéma. Qu'est-ce qui vous attirait dans le mannequinat ?

Il lui sourit chaleureusement, pour l'encourager à se livrer à lui. Pendant un long moment, elle ne dit rien, le regard dans le vague, perdue dans ses pensées. Puis elle se tourna vers lui et le regarda dans les yeux.

— C'était exténuant. La plupart des gens ne se rendent pas compte à quel point ce métier est dur. On peut passer des heures dans des poses inconfortables. La chaleur des spots, le bruit des ventilateurs, les photographes de mauvaise humeur qui vous hurlent dessus à longueur de journée…

— Mais ça paye bien, dit-il pour la taquiner.

— C'est sûr, mais…

— Voir sa photo partout doit être incroyablement excitant. C'est le genre de choses dont rêvent toutes les gamines.

Ses doigts tortillaient nerveusement les franges du plaid en laine.

— C'était plutôt un cauchemar, en fait. Je suis contente que ce soit terminé. J'avais l'impression de me donner en spectacle, d'être une exhibitionniste, même quand les tenues que je portais n'étaient pas spécialement sexy. Et, quand elles l'étaient, j'étais tout simplement mortifiée.

— Pourtant, vous n'avez pas l'air timide…

Robin était décidément difficile à cerner. La perception qu'il avait d'elle changeait constamment. Elle paraissait par moments sûre d'elle, voire arrogante et, l'instant suivant, elle était sur ses gardes et introvertie. A cet instant précis, sa vulnérabilité était évidente, et il avait le sentiment de voir une Robin que très peu de gens avaient eu l'occasion de voir.

— Avez-vous envie d'aller au lit, Robin ? demanda-t-il.

Elle écarquilla les yeux d'un air extrêmement offensé, mais ne dit rien. Mitch comprit alors comment elle avait dû interpréter sa question et éclata de rire.

— Pas avec moi ! Je voulais seulement dire que vous pouviez aller vous coucher quand vous voulez. Nous avons eu une longue journée et je suis épuisé, moi aussi.

Elle se mit à rire, visiblement soulagée.

— Oh ! Je ne croyais pas que vous me draguiez vraiment, mais c'est la façon dont vous l'avez dit…

— J'imagine que cela doit souvent vous arriver, non ?

Que l'on vous fasse des avances ? Cela ne me surprendrait pas. C'est tout à fait normal que les hommes soient attirés par votre incroyable beauté. Moi-même… Enfin, je préfère ne pas en dire plus. Vous êtes en sécurité avec moi, vous n'avez aucune raison de vous inquiéter.

Elle ne semblait pas convaincue et lui répondit sur la défensive.

— Le physique n'est pas le plus important. C'est ce qu'il y a à l'intérieur qui compte.

— On a souvent tendance à s'attacher au physique, c'est vrai, les hommes surtout. Cela m'arrive aussi, je l'avoue. Je vous promets de faire un effort avec vous, d'accord ? De votre côté, je suis certain que vous aurez de nombreuses occasions de me prouver qu'en plus d'être merveilleusement belle, vous êtes aussi intelligente et talentueuse.

— Je vous trouve bien condescendant, inspecteur, répliqua-elle d'un air vexé.

— Je ne voulais pas vous donner cette impression, je suis désolé. Vous êtes très belle, je ne peux pas prétendre ne pas l'avoir remarqué, ajouta-t-il en la regardant droit dans les yeux. Mais je suis persuadé que vous avez plein d'autres qualités.

Ses propos eurent l'air de lui faire plaisir car elle lui adressa un petit sourire. C'était exactement la réaction qu'il espérait.

— Je voudrais apprendre à connaître la vraie Robin Andrews.

— J'ai bien peur qu'il ne vous faille attendre jusqu'à demain. Je vais aller me coucher, si vous n'y voyez pas d'inconvénient. Où voulez-vous que je passe la nuit ?

Une question lourde de sens. Et à laquelle il ne pouvait pas se permettre de répondre honnêtement. Il la voulait dans son lit, bien sûr. Ou dans le canapé, mais toujours avec lui. Il était même tout à fait disposé à dormir par terre, si seulement elle passait la nuit avec lui…

— Vous pouvez dormir dans ma chambre, je prendrai le canapé.

— Vous êtes beaucoup trop grand pour y dormir.

— Vous aussi. Mais j'ai bien mérité de souffrir après vous avoir un peu draguée ce soir.

Elle eut un rire nerveux et Mitch comprit qu'elle se méfiait encore de lui.

— La porte de la chambre ferme à clé, crut-il bon de préciser.

A raison, car elle eut un soupir de soulagement presque imperceptible.

— Si vous avez besoin de quoi que ce soit dans la salle de bains — du shampoing, une serviette supplémentaire —, n'hésitez pas à demander.

— Merci, souffla-t-elle.

Elle lui jeta un dernier regard avant de tourner les talons, un regard direct dans lequel il ne lisait plus la moindre trace de peur ou de gêne. Il crut même y déceler comme une lueur de déception. Avait-il mal interprété ce regard ? Voulait-elle qu'il lui fasse des avances ? Qu'il lui demande de passer la nuit avec elle ?

Il l'avait vraiment dans la peau. Il était *mordu*, comme dirait sa grand-mère, et il ne pouvait rien y faire, à part tâcher de se contrôler.

Il était surpris qu'elle n'ait pas résisté plus quand il avait dit qu'il valait sûrement mieux qu'elle dorme chez lui plutôt que chez Sandra, de l'autre côté du couloir.

Il la suivit jusqu'à la porte de la chambre.

— Il y a des T-shirts dans le premier tiroir de la commode, si vous voulez en prendre un qui fasse office de pyjama.

Elle se mordit la lèvre d'un air gêné.

— Qu'y a-t-il, Robin ? Un problème ?

— Cela me fait un peu bizarre. Je n'ai jamais dormi dans la chambre d'un homme auparavant. Ils… venaient toujours chez moi.

— Eh bien, il faut une première fois pour tout.

Il entra dans la chambre derrière elle.

— Il y a des draps propres dans l'armoire et plein d'oreillers, dit-il en en attrapant un sur le lit.

— D'accord, murmura-t-elle.

Elle se retourna soudain et Mitch manqua de lui rentrer dedans. Ils se figèrent face à face, tout près — trop près — l'un de l'autre. Elle était pratiquement aussi grande que lui et leurs lèvres se touchaient presque.

Il n'aurait qu'à incliner légèrement la tête et…

Elle recula rapidement et se laissa tomber sur le lit.

— Il a l'air très confortable, dit-elle d'un ton faussement enjoué.

— Oui, vous devriez bien dormir. Il y a une salle de bains attenante avec une douche, dit-il en montrant l'autre porte. Si vous préférez une baignoire, c'est à droite au bout du couloir.

— Merci, dit-elle timidement.

Mitch lui fit un petit signe de tête et quitta précipitamment la pièce. La tentation de l'embrasser était trop forte. Une seconde de plus et il y aurait succombé.

Heureusement qu'il avait dormi quelques heures dans la journée, car il savait qu'il ne fermerait pas l'œil de la nuit.

Robin avait du mal à croire qu'elle ait parlé aussi franchement à un homme qu'elle ne connaissait presque pas. Cela dit, elle avait toujours entendu dire qu'il était plus facile de se confier à un inconnu, et cet adage était probablement vrai.

Lorsque le meurtrier de James serait appréhendé, elle pourrait enfin quitter Nashville. Y retournerait-elle un jour ? Probablement pas. Elle ne reverrait jamais Mitch.

Elle avait toutes les peines du monde à l'imaginer, lui, le sudiste pure souche, s'aventurer dans le Nord, à New York. Et pour quelle raison s'y rendrait-il ?

Il semblait avoir tout ce qu'il désirait à Nashville. Sa famille occupait une place très importante dans sa vie, d'après ce qu'il lui avait dit.

Il paraissait très bien réussir dans son travail, même si cela devait être difficile de travailler sur des crimes violents. Il avait dû trouver le moyen de ne pas être trop affecté par les aspects les plus durs de son métier. Mais quelqu'un devait bien capturer les criminels et protéger la population. Il fallait être altruiste pour choisir cette voie. Mitch semblait être ce genre de personne.

Elle était d'ailleurs très surprise de constater que, en dépit de son emploi, il n'était pas un homme aigri. Il faisait même preuve, fait rare, d'un humour et d'un optimisme à toute épreuve. Etait-ce la douceur du climat du Sud ?

Cette pensée la fit sourire tandis qu'elle se lavait la figure et se préparait à se coucher. Dans le petit placard de la salle de bains, elle trouva une brosse à dents neuve. Il y avait également de jolies serviettes propres roulées et rangées sur une étagère. Robin en prit une et s'essuya le visage, respirant le parfum frais et doux de la lessive.

Elle aimait son appartement et s'y sentait bien. Tout était propre, sans maniaquerie excessive. Un peu de désordre ici et là mettait juste un peu de vie. En un mot, c'était chaleureux.

Un jour, une femme chanceuse s'y installerait avec lui pour fonder un foyer. Il dégageait une chaleur qui donnait envie de se détendre et de profiter tranquillement du temps qui passe. En même temps, c'était peut-être tout simplement la gentillesse de Mitch qui lui donnait cette impression.

Elle se sentait étonnamment à l'aise en sa compagnie, malgré le peu de temps qu'ils avaient passé ensemble, mais il la troublait aussi.

Il éveillait en elle une tension qui ne pouvait être que sexuelle. Cela l'étonnait énormément, mais cela la rassurait également. Elle commençait à se demander si elle n'y était pas devenue insensible. Peut-être avait-elle essayé, en vain, d'éprouver cela pour James. Etre attirée par Mitch Winton était totalement inattendu.

Vu la situation, rien ne pourrait jamais se passer entre eux. Cela ne la dérangeait pas, les choses étaient déjà bien assez compliquées. Mais il n'y avait pas de raison de ne pas en profiter secrètement tant que cela durait. Mitch n'avait pas besoin de connaître le trouble qu'il éveillait en elle.

Il lui semblait être de nouveau une adolescente. Une adolescente qui aurait le béguin pour un garçon. Cela ne lui était jamais arrivé auparavant, même pas pour un acteur, un musicien ou un beau professeur de lycée. Elle n'était pas allée au lycée comme les autres filles de son âge, n'avait pas eu d'amies avec qui partager ce genre de fantasmes secrets…

Et Mitch Winton était un fantasme ambulant. Il était beau et viril, gentil et prévenant la plupart du temps. Le fait qu'il l'ait prise sous sa protection devait contribuer à son attrait, elle en était tout à fait consciente.

Tout en lui l'émoustillait : son odeur, son accent chantant, sa nonchalance… Pour sa défense, elle tentait d'éviter de le toucher. Au moindre contact, c'était comme si un courant électrique la traversait de part en part et c'était bien trop excitant. Elle devait faire un effort conscient pour se contrôler, autrement, elle se dévoilerait à lui. Au sens propre comme au figuré…

Pour le moment, elle devrait veiller à dissimuler ses réactions et tenter de ne pas trop fantasmer sur lui. Elle avait des problèmes bien plus importants à régler qu'un béguin d'adolescente.

Elle enfila un T-shirt gris tout délavé dont le logo était

devenu illisible avec l'usure. Il était bien trop grand pour elle et elle ne put s'empêcher d'imaginer les larges épaules de Mitch et son torse musclé. Elle aurait le plus grand mal à trouver le sommeil dans ce vêtement…

On frappa alors doucement à la porte de la chambre et Robin s'empressa de sortir de la salle de bains pour aller ouvrir. L'objet de ses fantasmes se tenait sur le seuil, un verre de lait à la main.

— Tenez. Ma recette miracle pour une bonne nuit de sommeil. Efficacité garantie.

Robin en but une gorgée et se lécha les lèvres. C'était un délice.

— Qu'est-ce que c'est ?

— Du lait à la vanille. C'est bon, hein ? Je voulais juste trouver une excuse pour vous souhaiter encore une bonne nuit.

Elle soupira et leva les yeux vers lui.

— Bonne nuit, Mitch, dit-elle à voix basse.

Un silence lourd de sens et plein de cette délicieuse tension s'installa entre eux. Après de longues secondes, il recula d'un pas.

— Faites de beaux rêves, dit-il.

Robin referma la porte à contrecœur. Les choses allaient être bien plus compliquées qu'elle ne le pensait, finalement, et elle allait devoir lutter de toutes ses forces pour résister à l'attirance qu'elle ressentait pour lui. Elle lui aurait bien demandé son aide dans cette tâche ardue, mais ce serait lui avouer sa propre bêtise. Et lui signifier qu'elle savait qu'il ressentait la même chose à son égard.

6

Lorsqu'elle apparut dans la cuisine, elle était déjà habillée, impeccablement coiffée, prête pour affronter la journée. Mais pieds nus…

— Bonjour, lança Mitch. Je n'ai pas grand-chose pour le petit déjeuner car je n'ai pas eu le temps d'aller au supermarché. Je vous propose de sortir manger un morceau, puis de faire un saut chez mes parents. Susan a un ordinateur, nous pourrons voir ce que contient le CD. Elle pourra vous prêter des chaussures et des vêtements.

Il lui tendit une tasse de café noir.

— Susan ? répéta-t-elle avec mauvaise humeur. Qui est Susan ?

— Ma sœur. Vous faites à peu près la même taille.

— Je refuse de porter les vêtements et les chaussures de quelqu'un d'autre, j'en ai plus qu'assez ! Je ne l'ai jamais fait et je ne compte pas commencer aujourd'hui !

— Oh ! allez, ne me dites pas que vos amies et vous ne vous échangiez pas vos vêtements. Quand j'étais petit, la maison était toujours remplie d'adolescentes qui passaient leur temps à ricaner et parler shopping. Sue a des tas de fringues et de paires de chaussures et je suis certain qu'elle accepterait volontiers de vous dépanner.

Robin le considéra comme s'il débarquait d'une autre planète. Elle n'avait pas du tout l'air de comprendre ce qu'il lui disait.

— Non, dit-elle fermement.

Il réfléchit à la situation de Robin tandis qu'elle buvait son café. Elle portait la même tenue depuis trois jours. Son tailleur était tout froissé, mais cela n'ôtait rien à sa beauté. Elle était parfaite.

— Eh bien je crois que nous allons devoir aller faire les boutiques, dit-il avec résignation.

La perspective d'aller faire du shopping semblait la réjouir autant que lui. Il ne la décevrait pas. Il l'emmènerait dans un centre commercial miteux pour lui faire les pieds.

— Je parie que vous n'avez jamais entendu un homme vous lancer ce genre d'invitation, ajouta-t-il en souriant.

Elle mit son sac à main sur son épaule d'un air hautain et passa devant lui tête haute, avec toute l'allure d'un mannequin de haute couture défilant sur un podium. Ce qui était tout à fait logique, pensa-t-il en la suivant dans l'escalier.

Même la couleur de son vernis à ongles sur ses orteils était assortie à sa tenue, remarqua-t-il. Cette fille avait la classe, cela ne faisait aucun doute.

Elle avait aussi un mari défunt, se répéta-t-il, et était peut-être impliquée jusqu'au cou dans le meurtre de celui-ci. Il ne pensait pas que c'était le cas, mais il pouvait se tromper. Le fantasme incarné de tout inspecteur, voilà ce qu'elle était : une femme sublime suspecte dans une affaire d'homicide, cela en ferait rêver plus d'un. Elle fascinait Mitch. Il ne pouvait rien y faire, c'était plus fort que lui. Au moins, il en était conscient, songea-t-il avec un soupir, et il ferait tout pour qu'elle ne le découvre jamais.

Lorsqu'elle arriva devant la porte d'entrée de la maison, elle s'arrêta si abruptement qu'il faillit lui rentrer dedans.

— Qu'y a-t-il ? demanda-t-il.

Elle scruta la rue au travers des fenêtres de chaque côté de la porte.

— Pensez-vous que nous serons suivis ? dit-elle à voix basse.

— C'est possible, mais je le saurai tout de suite. Je sais très bien me débarrasser d'une filature. Je suis désormais certain que la personne qui a tué James Andrews est toujours à la recherche du CD. Par contre, je ne pense pas que votre visiteur d'hier soit l'un des deux hommes du café. Il a laissé tomber beaucoup trop facilement, vous ne croyez pas ? C'était peut-être un voisin, un livreur, n'importe qui en fait…

Elle poussa un soupir.

— J'espère que vous avez raison. Mais ils pourraient être dehors à nous attendre au moment où nous parlons.

— Préféreriez-vous rester à la maison ? Je peux demander à Susan d'apporter son ordinateur. Nous ne sommes pas obligés de sortir…

A la voir si nerveuse, il se dit que ce serait peut-être mieux ainsi. Mais elle releva la tête avec fierté et jeta un dernier coup d'œil à l'extérieur.

— Non, allons-y.

— Très bien, Robin. Je suis fier de vous, dit-il en lui donnant une petite tape dans le dos.

Elle se raidit aussitôt puis tourna la tête pour regarder en arrière d'un air méfiant. Il aurait dû s'en douter. Elle l'avait laissé lui tenir la main, caresser ses cheveux pour écarter une mèche tombant devant son visage et la guider d'une main dans le creux de son dos, auparavant. Mais c'était parce qu'elle était sous le choc et terrifiée qu'elle s'était laissé faire. Cela ne se reproduirait sûrement pas.

D'évidence, Robin Andrews n'aimait pas les démonstrations d'affection ou de familiarité. Quelqu'un avait dû la rendre méfiante face à ce genre de gestes dans son passé. Lorsqu'elle avait parlé de sa carrière de mannequin, elle avait semblé désabusée. C'était sans aucun doute la raison pour laquelle elle travaillait désormais dans l'isolement le plus complet, seule face à son ordinateur à concevoir des sites internet.

Il était prêt à parier qu'elle ne rencontrait même jamais ses clients. Son choix de reconversion professionnelle lui en disait beaucoup sur elle. Elle avait renoncé à tout contact humain. Avec la gent masculine, du moins. Ce n'était pas vraiment surprenant si son mari l'avait trompée à tour de bras. Ce qu'elle lui avait dit de sa mère ne lui inspirait pas confiance non plus. Quelqu'un qui fichait sa propre fille à la porte quand elle avait arrêté de lui rapporter de l'argent ne pouvait pas être quelqu'un de bien, selon lui.

Robin avait besoin de se changer un peu les idées. Il ferait bien de lui accorder quelques heures supplémentaires pour se remettre de ses émotions avant de passer aux choses sérieuses.

Ils s'arrêtèrent d'abord au centre commercial. On y trouvait des magasins discounts. Mitch pensait qu'elle ne s'attarderait pas, elle qui devait avoir l'habitude de fréquenter des boutiques luxueuses, mais elle prit tout son temps pour choisir des chaussures.

Il l'attendit aussi patiemment qu'il le pouvait tandis qu'elle sélectionnait des pulls, des T-shirts et trois pantalons, ainsi que toute une pile de ce que sa grand-mère Dolly appelait pudiquement des dessous.

Dans le cas de Robin, ceux-ci consistaient en minuscules bouts de tissu ornés de dentelle et il fut amusé de penser que sa grand-mère aurait rougi jusqu'aux oreilles en les voyant. Il tenta de ne pas y prêter trop d'attention, mais comment ne pas imaginer Robin en petite tenue tandis qu'elle faisait la queue à la caisse pour payer ? Elle surprit les regards gênés qu'il lui lançait et les prit pour de l'impatience.

— Désolée, j'avais oublié à quel point cela peut être amusant de faire du shopping, dit-elle en tendant sa Carte bleue à la vendeuse. J'ai pris l'habitude de tout acheter sur internet.

Il avait du mal à le comprendre, étant donné que les

femmes de sa famille adoraient faire les magasins. Leurs expéditions shopping étaient un vrai rituel social pour elles ; elles donnaient rendez-vous à toutes leurs amies et passaient l'après-midi à tenter de dénicher la perle rare. En pensant à cela, il ressentit de la pitié pour Robin. Malgré son image sophistiquée, elle ne semblait pas avoir une vie sociale très excitante.

Il l'emmena chez Brown's, un restaurant qui proposait un buffet près de chez ses parents.

La première chose qu'elle fit, une fois arrivée, fut d'aller aux toilettes pour se changer. Elle en ressortit quelques minutes plus tard vêtue d'un pull jaune en coton et d'un jean moulant. Même dans une tenue bon marché, elle était toujours aussi belle et élégante. Voilà ce qu'on appelait avoir une classe naturelle. Bien sûr, il ne pouvait s'empêcher de penser aux dessous en dentelle qu'elle devait porter sous ses vêtements.

— Ah, vous voilà ! Alors, vous vous sentez mieux ?

— Oh, oui ! fit-elle avec un sourire jusqu'aux oreilles. Et je meurs de faim !

Au buffet, elle remplit son assiette à ras bord de salade de fruits, de fromage blanc et de toasts de pain complet. Elle déjeuna avec un tel appétit qu'elle termina son assiette longtemps avant lui.

— Je ne mange jamais autant, dit-elle comme si elle avait fait une bêtise. Mais j'avais une faim de loup.

Il sourit et fit signe à la serveuse de venir remplir leurs tasses de café.

— C'est le moment ou jamais de goûter au gruau de maïs, dit-il.

— Qu'est-ce que c'est ?

— Une spécialité du Sud. Vous devez goûter, c'est la loi !

Elle hésita un moment, puis plongea sa cuillère dans son assiette et la porta à ses lèvres.

— Ce n'est pas mauvais, pas mauvais du tout même. Ç'a un peu le goût de pomme de terre.

Sa réaction fit plaisir à Mitch. Il avait de la peine pour elle. Elle était au régime depuis des années, elle n'allait jamais faire de shopping avec des amies… Elle ne devait pas beaucoup s'amuser.

Robin devait admettre qu'elle aimait bien Mitch Winton. Son accent du sud des Etats-Unis était envoûtant et lui donnait envie de se détendre et d'oublier la véritable raison de son séjour forcé à Nashville. Elle n'aimait pas du tout cet accent quand elle l'avait rencontré, mais tout l'irritait quand, sous le choc, elle avait une peur bleue de se retrouver en prison pour un crime qu'elle n'avait pas commis.

Elle avait eu du mal à le cerner, ne comprenant pas pourquoi il se montrait parfois rassurant et gentil et d'autres fois suspicieux et sur ses gardes. Elle savait désormais qu'il était naturellement poli et courtois. Il lui avait également expliqué pourquoi il avait dû la considérer comme suspecte. Mitch s'était montré honnête avec elle, elle devait le reconnaître.

S'il la taquinait de temps en temps, c'était simplement parce qu'il était toujours de bonne humeur. Il ne pensait pas à mal. Et il ne flirtait certainement pas avec elle. S'il avait voulu lui faire des avances, il l'aurait déjà fait.

Mitch était très différent de tous les hommes qu'elle avait rencontrés, et c'était la principale raison qui lui permettait de l'apprécier.

— … et Susie a donc passé une heure au coin pendant que ma mère tentait de se remettre de la surprise d'avoir retrouvé une grenouille dans son Tupperware. C'était moi l'enfant le plus sage de la famille.

— J'ai du mal à le croire, dit-elle en riant de son anecdote familiale. Je suis sûre que c'était vous qui aviez placé la grenouille dans la boîte.

— Moi ? Vous ne seriez pas un peu sexiste ? Susie était tout à fait capable de toucher une grenouille, je vous le garantis. Ce sont les vers de terre qu'elle ne supporte pas.

Il essayait de la faire rire et de lui changer les idées, c'était vraiment gentil de sa part. Et cela fonctionnait. Robin avait oublié de se retourner toutes les deux minutes pour vérifier que personne ne les suivait. Son rire et ses clins d'œil amusés avaient réussi à la détendre. D'ailleurs, elle n'avait pas été aussi détendue avec un homme depuis que James avait quitté New York.

Dans ce qui devait être le plus ancien quartier de la ville, Mitch se gara dans l'allée d'une vieille maison qui ressemblait à un petit ranch. Robin sentit la tension l'envahir.

— Nous y sommes, annonça-t-il. Vous êtes sur le point de rencontrer la famille Winton. Ne vous inquiétez pas, vous n'avez aucune raison de stresser. Ils parlent fort mais ne feraient pas de mal à une mouche.

Robin craignait que le stress lui fasse perdre ses moyens. Elle n'était pas très sociable. Au téléphone, encore, elle réussissait à être aimable, mais en personne elle finissait généralement par se cacher derrière une attitude arrogance — cette même arrogance qui lui avait bien rendu service au cours de ses années de mannequinat ainsi qu'aux fêtes où elle avait été obligée de se rendre. Avec James, c'était différent. Il la connaissait et comprenait que c'était l'un de ses défauts.

— Je pense que je devrais rester dans la voiture. Je ne suis pas très à l'aise…

— Vous êtes timide, c'est ça ? Un conseil, si vous voulez faire bonne impression, contentez-vous de sourire et de hocher la tête, et ils vous adoreront. Faites-moi confiance.

Encore. En soupirant, Robin sortit de la voiture et le suivit jusqu'à la porte d'entrée. Au lieu de frapper, il l'ouvrit et entra dans la maison sans plus de cérémonie. Robin resta sur le pas de la porte, horrifiée par sa conduite. Elle n'oserait jamais violer l'intimité de quelqu'un en entrant ainsi dans une maison sans y avoir été expressément invitée.

— Eh ! Il y a quelqu'un ? cria Mitch. J'ai amené de la compagnie !

Une femme de petite taille aux cheveux poivre et sel apparut, vêtue d'un jean et d'un sweat-shirt orange arborant le logo de l'université du Tennessee. Elle tenait à la main une spatule en plastique.

— Salut, chéri, dit-elle en prenant Mitch dans ses bras et en lui déposant un baiser sur la joue. Ton père est sorti faire des courses, tu viens de le rater. Entrez donc, vous deux, et venez dans la cuisine. Je suis en train de faire un gâteau.

Elle se tourna vers Robin et lui sourit avec chaleur.

— Bonjour, ma chérie.

— Maman, je te présente Robin Andrews. Robin, voici ma mère, Patricia Winton.

— Madame Winton, dit Robin avec un signe de tête poli.

Elle ne put se garder de comparer la mère de Mitch à la sienne, même si toute comparaison était bien impossible. Ne sachant que dire de plus, elle resta muette.

— Oh ! appelez-moi Pat. Tous les amis de Mitch le font. Asseyez-vous, j'en ai pour une minute et puis je nous ferai un café.

— Je m'en charge, dit Mitch en se dirigeant vers la cafetière. Comment vont les enfants ?

— Très bien. Mack a été sélectionné pour faire partie de l'équipe de football.

— Ah ! je suis content pour lui. Et Lily ? A-t-elle eu de meilleures notes ces derniers temps ?

— Pas vraiment, répondit Pat en faisant la grimace.

Les enfants ? Mais combien étaient-ils dans cette famille exactement ? Et de quels enfants parlaient-ils ?

— Paula aurait bien besoin qu'on lui remonte un peu

les bretelles, Mitch, poursuivit-elle. Elle ne pense qu'aux garçons.

Elle échangea un regard appuyé avec son fils, un petit sourire aux lèvres.

— Demande à Susie de le faire. Elle lui remettra les pendules à l'heure, répondit-il.

Ce faisant, il passa le doigt le long du bord du saladier que sa mère touillait et le lécha.

— Mmm, du gâteau à l'ananas, mon préféré.

Pat Winton éclata de rire et jeta un regard amusé à Robin.

— Tous les gâteaux sont ses préférés. C'est un sacré gourmand. Vous cuisinez, Robin ?

— Maman, pas la peine de lui faire subir un interrogatoire, c'est mon boulot à moi, dit-il d'un air faussement irrité.

Puis se tournant vers Robin :

— Alors, vous n'avez pas répondu à sa question. Vous cuisinez ?

Robin émit un petit rire nerveux.

— Oui, j'aime bien cuisiner… mais je ne fais jamais de gâteaux.

— Alors vous n'êtes pas une vraie cuisinière, décréta-t-il. Si je pouvais, je ne mangerais que des gâteaux.

Juste à ce moment-là, une voix provenant de l'entrée fit sursauter Robin.

— Eh bien, je ne savais pas que nous attendions de la compagnie !

Robin se retourna et découvrit une femme en tenue décontractée, quasiment aussi grande qu'elle, mais qui devait peser au moins dix kilos de plus. Ses cheveux bruns étaient coiffés en une longue tresse. Elle ressemblait à Mitch comme deux gouttes d'eau. Ces deux-là auraient pu être jumeaux. Ils avaient la même peau, le même sourire et apparemment la même bonne humeur.

— Salut, moi, c'est Susan. Qui êtes-vous ? Sa petite

amie ? Mitch, la prochaine fois, préviens-moi à l'avance, j'aurais pu faire un petit effort vestimentaire.

Robin se sentit rougir.

— Non… Je ne suis pas sa…

Mitch l'interrompit.

— Sue, je te présente Robin Andrews, dit-il d'un air sérieux. Nous enquêtons sur la mort de son mari, il a été assassiné avant-hier.

Le sourire de Susan disparut aussitôt.

— Oh ! ma pauvre ! s'exclama-t-elle en venant prendre Robin dans ses bras. Je suis vraiment désolée. Je sais que c'est ce que tout le monde doit vous dire, mais je le pense vraiment.

Robin fit un immense effort pour prendre sur elle et ne pas tenter de s'extraire de cette étreinte forcée. Cette femme tentait de la réconforter et elle avait l'air sincère.

— Merci… Merci. Ça va, je vous assure. Mon mari et moi étions séparés.

Ces mots pouvaient paraître froids et cruels, s'avisa-t-elle à peine les eut-elle prononcés. Aussi s'empressa-t-elle d'ajouter :

— Mais nous étions restés amis. Alors merci. Cela me touche beaucoup.

La mère de Mitch avait traversé la cuisine et était venue poser une main sur son épaule en signe de compassion.

— C'est Robin qui a découvert son corps, dit Mitch.

— Mon Dieu, ç'a dû être horrible ! s'exclama Pat. Asseyez-vous, ma chérie. Mitch, tu aurais pu me le dire ! La pauvre, après tout ce qu'elle a enduré…

— Elle va bien, maman, dit Mitch en venant se placer à côté d'elle. Elle a eu le temps de se remettre du choc. Elle va même m'aider à découvrir qui l'a tué. Sue, nous avons besoin de ton ordinateur.

— Enfin, Mitch ! Tu es insensible ou quoi ? protesta,

indignée, celle-ci en secouant la tête. *Les hommes* ! Je vous jure ! Ils mériteraient tous qu'on les abatte.

Susan ne sembla pas se rendre compte de la bourde qu'elle venait de commettre et Robin la lui pardonna volontiers.

— Désolé, Robin, dit Mitch à voix basse. Sue est *très* spontanée.

— Ce n'est rien, répondit-elle. Nous pourrions peut-être… faire ce que nous sommes venus faire ?

— Bien sûr ! s'écria Susan. Evidemment. Venez, l'ordi est branché dans le bureau, j'étais en train de bosser.

Mitch et Robin la suivirent jusque dans une pièce aux murs lambrissés. Une énorme télévision était fixée au mur face à une vieille cheminée en pierre. Dans un coin se trouvait un bureau avec un vieil ordinateur portable.

Susan quitta le logiciel sur lequel elle travaillait et s'écarta pour leur laisser la place.

— Voilà, je vous le laisse. Au fait, de quoi s'agit-il ?

— Le mari de Robin lui a demandé de lui rapporter un CD de New York, expliqua Mitch. Nous pensons que le meurtrier veut récupérer les informations qu'il contient. Il a volé l'ordinateur de Robin et sa valise.

Susan, l'air inquiet, serra la main de Robin, qui se rendit compte avec étonnement que cela la réconfortait un peu, en effet.

Mitch sortit le CD de la poche de sa veste, s'assit devant l'ordinateur et inséra le disque dans le lecteur.

Il ne demanda pas à sa sœur de quitter la pièce. Il lui avait même parlé ouvertement de l'affaire. Robin s'en étonnait, elle pensait au contraire qu'il ferait tout pour cacher à sa famille l'horreur de ce qui était arrivé.

Les yeux rivés sur l'écran, Susan et Robin entouraient Mitch. Il ouvrit le premier des deux fichiers qui s'affichaient et passa en revue les informations qu'il contenait — des noms et des numéros —, après avoir lancé l'impression des documents. Tandis qu'il attendait que celle-ci se termine, ses longs droits tapotaient le bras de la chaise avec impatience et il avait l'air soucieux.

— Qu'y a-t-il ? s'enquit Robin.

Il poussa un soupir et secoua la tête.

— Je connais l'un des noms sur cette liste.

— Quelqu'un d'ici ?

— Oui, Rake Somers, et ce n'est pas un enfant de chœur. C'est un homme dangereux.

Il ferma le fichier.

— Il pourrait s'agir de numéros de comptes en banque.

Il tenta vainement d'ouvrir l'autre fichier. Il était protégé par un mot de passe.

— C'est « Andrews » à l'envers, dit Robin. James n'utilisait que celui-ci. Il disait qu'il n'arrivait jamais à se souvenir des mots de passe.

Mitch tapa « swerdna » et le fichier s'ouvrit.

— Qu'est-ce que c'est que ce charabia ? s'exclama-t-il.

— Reconnaissez-vous ces signes ?

— C'est du cyrillique, je crois. Je ferais mieux de donner le CD à Kick pour qu'il le transmette aux experts. Le FBI voudra le récupérer.

Il imprima ces pages également, en double comme les précédentes, fit du tout deux liasses qu'il plia et en donna un exemplaire à Susan.

— Range-les dans le coffre de papa, au cas où.

— Pourquoi aurait-il un document en russe ? demanda Robin sans comprendre. Mitch, vous avez une idée de ce que cela veut dire ?

Il rangea le CD dans son boîtier.

— Je crois qu'il s'est attaqué à plus fort que lui, répondit-il en plongeant son regard dans le sien. Robin, si vous savez quelque chose, c'est le moment de me le dire.

Elle eut un mouvement de recul.

— Je ne sais rien de tout ça ! Qu'est-ce qui vous fait croire le contraire ?

Susan passa le bras autour des épaules de Robin et l'attira contre elle en lançant un regard noir à Mitch.

— Laisse-la tranquille, enfin ! Tu ne vois pas qu'elle est bouleversée ?

— Susan, tu ne comprends pas, répliqua-t-il. Sa vie en dépend, sa liberté en dépend. Je serai peut-être en mesure de négocier sa liberté avec le FBI en échange de ce qu'elle sait.

Robin pâlit. Elle avait l'impression d'avoir basculé dans un cauchemar éveillé.

— Je ne sais rien, je vous le jure ! S'il vous plaît, croyez-moi, c'est la vérité. James n'a jamais rien dit…

Susan la mena jusqu'au canapé et la fit s'asseoir.

— Mitch est cruel, c'est tout, dit-elle d'une voix douce. Excuse-toi, Mitch. Ne vois-tu pas qu'elle dit la vérité ?

Mitch se sentait comme le dernier des salauds, mais il avait été contraint d'en passer par là. Toute cette affaire sentait mauvais. Il pouvait s'agir d'une affaire d'espionnage impliquant la mafia russe.

Il alla s'asseoir à côté de Robin et lui prit le visage dans ses mains.

— Je suis désolé, Robin, mais je pense que vous êtes dans un sacré pétrin.

Sa mère leur apporta du café sur un plateau et leur tendit une tasse à chacun. Robin la refusa. Elle continuait de lancer des regards inquiets vers l'ordinateur, même si le CD était de nouveau dans la poche de Mitch. Elle se demandait sûrement dans quoi diable James l'avait fourrée.

Il devait apporter le CD à Kick le jour même.

— A quoi pensez-vous ? demanda Robin.

— Je pense que votre mari a été tué à cause de ce disque. Il connaissait la personne qui est venue le chercher et l'a laissée entrer dans son appartement. Il n'a pas pu lui donner le CD, puisqu'il n'était pas encore en sa possession, et le tueur a sans doute cru qu'il ne voulait pas le lui donner. Il devait être en train de fouiller l'appartement quand vous êtes arrivée. Il vous a entendue, s'est caché, puis est parti en volant vos affaires, espérant qu'elles contenaient ce qu'il voulait, dit-il en tapotant la poche de sa veste. Avant de mourir, James lui a peut-être dit qu'il attendait justement la personne qui lui apportait le CD. Ce ne sont que des suppositions, mais cela peut s'être produit ainsi.

— Pour... pourquoi ne m'a-t-il pas tuée aussi ? dit-elle en frémissant.

— Il savait peut-être que les fichiers étaient en russe et que vous ne seriez pas en mesure de les comprendre. Hormis James, vous ne connaissez aucun des noms de la liste ?

Elle secoua la tête. La mine déconfite, elle avait l'air si seule tout à coup que Mitch eut du mal à résister à l'envie de la prendre dans ses bras. Il sentait bien qu'elle était sur le point de craquer.

Il finit par hausser les épaules.

— Si ça se trouve, vous êtes vivante seulement parce que le tueur ne voulait pas tuer une femme. Cela pourrait être aussi simple que ça.

— A moins qu'il n'ait eu peur de moi, dit-elle en réussissant à esquisser un sourire. Je sais me défendre, vous savez ?

— Une véritable amazone, je n'en doute pas.

Elle était svelte sans être maigre, mesurait quasiment un mètre quatre-vingts et bougeait avec la confiance et la grâce d'un athlète. Elle serait parvenue à se défendre face au tueur, Mitch le croyait sans peine.

— Vous avez peut-être raison, Robin, dit-il en souriant. Mais surtout, en s'enfuyant, il pouvait vous laisser être accusée du meurtre à sa place. C'est pour ça qu'il a laissé le revolver près du corps.

— Pourquoi donc ?

— C'est une astuce de criminel. D'abord, s'il se faisait attraper par la police, il n'avait pas l'arme sur lui. Et puis, en la laissant par terre après avoir essuyé les empreintes, la personne qui la trouverait…

— La ramasserait sûrement ! Bien sûr ! Et je l'ai fait ! Comme j'ai été bête…

— Cela arrive bien plus souvent qu'on ne le pense.

— Alors, que devons-nous faire à présent ?

— Donner le disque à la police. Si, avec un peu de chance, les personnes qui le recherchent entendent dire qu'il est entre les mains des flics, ils n'auront plus aucune raison de s'en prendre à vous.

Soudain, sa mère, qui comme Susan avait écouté leur conversation sans mot dire, lui attrapa le bras vivement.

— Je n'aime pas toute cette histoire. Fais attention, fiston, d'accord ? Et prends bien soin de Robin.

— Oui, maman. Tu sais que je le ferai. Je t'appelle demain. Et dis à papa que je suis désolé de l'avoir loupé, et les enfants aussi.

Robin tendit la main, d'abord à sa mère, puis à Susan.

— J'ai été ravie de vous rencontrer toutes les deux.

— J'aurais préféré que cela se passe dans de meilleures circonstances, répondit Pat Winton. La prochaine fois, vous resterez pour manger une part de gâteau.

Elle attira Robin contre elle et la prit dans ses bras. A la surprise de Mitch, Robin non seulement se laissa faire, mais la serra en retour chaleureusement contre elle. C'était bien sa mère, pensa-t-il. Elle avait le don pour mettre les gens à l'aise tout de suite.

Mitch voyait bien qu'elle avait déjà une affection particulière pour Robin et cela lui fit plaisir. La jeune femme avait besoin de réconfort. On pouvait compter sur sa mère pour s'en rendre compte au premier regard. C'était tant mieux, parce que Robin n'avait pas l'air encline à accepter son affection à lui.

C'était aussi bien comme ça. Ce n'était pas à lui de jouer ce rôle-là avec elle. Hunford lui avait ordonné de ne pas s'impliquer personnellement dans cette affaire.

7

Dans la voiture, Robin jeta un dernier regard vers la maison de la famille Winton. Cette maison n'avait rien de remarquable ou d'exceptionnel, c'était une maison comme il y en avait des millions à travers tout le pays. Mais elle avait toujours rêvé d'un foyer comme celui-ci. Un foyer chaleureux, aimant, normal en somme, si différent de ce qu'elle avait connu.

— Votre mère et votre sœur sont très gentilles, dit-elle.

— Oui, je sais, fit-il en souriant.

— Avez-vous d'autres frères et sœurs ?

Le visage de Mitch s'assombrit.

— J'ai un frère, Mark. Il est marié et a deux enfants. Il habite à l'autre bout de la ville. Et… j'avais une autre sœur. Elle est morte. Ses enfants vivent avec mon père et ma mère maintenant.

— Les trois enfants dont vous parliez tout à l'heure ?

— Oui. Susan, Mark et moi essayons d'aider nos parents autant que possible. Les enfants sont turbulents. Meg, leur mère, a été tuée il y a cinq ans.

— Je suis vraiment désolée. Etait-ce un accident de voiture ?

Mitch resta silencieux un long moment avant de répondre.

— Non. Son ex-mari l'a assassinée.

Robin, sous le choc, ne sut pas quoi dire. Quelle horreur ! Ça lui apprendrait à se montrer curieuse ! Elle s'en voulait affreusement.

— Je suis désolée. Je n'aurais pas dû insister.

— Ce n'est pas grave, répondit-il sèchement.

Il avait l'air de penser tout le contraire. Robin ne demanda pas ce qu'il était advenu de l'ex-mari. Sans doute finissait-il ses jours dans une cellule. Mais une peine de prison devait sembler bien clémente au frère de la victime et oncle de trois orphelins.

Mitch ne faisait peut-être pas semblant d'être quelqu'un de dur, après tout. L'expression de son visage terrifiait Robin au plus haut point. Elle espérait sincèrement qu'il ne la regarderait jamais ainsi.

Hunford avait dit à Mitch de se faire discret. Il ne devait pas oublier qu'il avait été suspendu de ses fonctions. Au lieu de se rendre au commissariat, il appela Kick et lui demanda de les retrouver quelque part.

— Votre conversation a été courte, dit Robin quand il eut raccroché. Vous ne lui avez pas parlé du disque.

— Je ne veux pas trop rentrer dans les détails par téléphone, répondit-il en haussant les épaules.

Il avait dit à son partenaire où ils se trouvaient et ils s'étaient donné rendez-vous dans un café où ils déjeunaient parfois.

Peu de temps après cet appel et avant qu'ils n'arrivent à leur destination, Mitch remarqua derrière eux une voiture noire qui les suivait. Il avait beau accélérer ou ralentir, elle gardait à peu près toujours la même distance.

— Nous avons de la compagnie, marmonna-t-il en gardant un œil rivé sur son rétroviseur.

S'il avait été seul, il n'aurait même pas tenté de semer la voiture ; il se serait contenté d'appeler du renfort. Mais si un incident se produisait dans un café plein de monde, la situation pourrait facilement dégénérer. Robin pourrait être blessée, ou pis.

— Accrochez-vous, dit-il à Robin.

Il fonça, fit une queue de poisson aux deux voitures dans la file devant lui, puis continua de zigzaguer entre les autos aussi rapidement qu'il le pouvait. Quand il eut pris assez d'avance, il tourna dans une petite rue perpendiculaire.

Sa vieille guimbarde ressemblait peut-être à un tas de ferraille, mais il était bon mécanicien. Il avait remplacé le moteur et en avait fait une vraie voiture de course.

— Nous l'avons semé, dit-il lorsqu'il fut sûr d'y être parvenu.

Robin était blanche comme un linge. Les yeux clos, elle s'agrippait à la poignée comme si sa vie en dépendait.

— Désolé, je ne voulais pas vous effrayer.

Elle ouvrit la bouche, mais le seul son qui en sortit fut un faible gémissement.

— Ça va ?

Elle hocha vivement la tête et, après quelques secondes, ouvrit enfin les yeux et prit une profonde inspiration.

— Ça va.

Son self-control impressionna Mitch. Elle avait l'air calme désormais, extraordinairement calme même.

— Vous avez vraiment raté votre vocation. Vous auriez fait une très bonne actrice.

Il gara la voiture dans une petite rue à une centaine de mètres du café, puis en sortit et en fit le tour pour aller ouvrir la portière de Robin. Elle en sortit gracieusement, ne montrant aucun signe d'hésitation.

Il y avait du monde dans le café ; le service du déjeuner battait déjà son plein et il n'était même pas midi. Mitch parcourut la salle du regard. Kick n'était pas là. Ils allèrent s'installer à une table qui se libérait, près d'une grande baie vitrée. Elle était teintée, si bien qu'ils ne pouvaient pas être vus de dehors. Mitch avait une vue dégagée sur la rue principale et aussi sur une partie de la petite rue où ils étaient garés.

— Vous voulez du café ? demanda-t-il à Robin.

— Du jus d'orange, répondit-elle en se faufilant sur la banquette en face de lui.

Une serveuse qu'il connaissait vint prendre leur commande.

— C'est pour petit-déjeuner ou déjeuner ? s'enquit-elle aimablement.

— Non, juste un café et un jus d'orange, s'il vous plaît.

Il se demandait ce qui retenait Kick. Le café était tout près du poste de police et il aurait eu largement le temps d'arriver.

Ils parlèrent peu et burent leur boisson en l'attendant.

Robin se leva pour aller aux toilettes.

— C'est par là, indiqua Mitch en montrant un petit couloir à l'autre bout de la salle.

Un instant, il se demanda s'il ne ferait pas mieux de l'accompagner et de l'attendre devant la porte, mais il renonça à cette idée. Cela la gênerait.

Tandis qu'elle traversait le café, il observa attentivement les clients pour voir si certains avaient l'air suspects. Malheureusement, Robin semblait intéresser de nombreux hommes, ce qui n'arrangeait pas Mitch. C'était une belle femme, très grande et que l'on remarquait facilement.

Julie, la serveuse qui avait pris leur commande, était en train de servir une table au milieu de la salle et avait les bras chargés d'un plateau bien rempli. Soudain, elle plongea vers l'avant, son plateau glissa et toute la vaisselle se brisa dans un vacarme assourdissant. Elle poussa un cri et tenta de se rattraper à la table ; mais celle-ci se renversa elle aussi et ses occupants se levèrent d'un bond pour éviter les éclats de verre.

Quelqu'un avait-il fait un croche-patte à la serveuse pour créer une diversion pendant qu'on s'attaquait à Robin ? Mitch se fraya un chemin à travers le café, il devait aller vérifier qu'elle allait bien. Le couloir menant aux toilettes avait une porte qui s'ouvrait sur la rue derrière le café. Pourquoi ne s'en était-il pas souvenu ? Avant même d'atteindre le couloir, il entendit les hurlements de Robin. Il se mit à courir.

Elle était enfermée à l'intérieur d'une cabine.

— Robin ? C'est moi ! cria-t-il.

Elle cessa de hurler et ouvrit le verrou, puis se précipita dans ses bras.

— Je n'aurais jamais dû vous laisser y aller seule, dit-il en la serrant contre lui. J'avais oublié la porte dans le couloir.

Elle sanglotait, collée contre lui, ses mains agrippant furieusement le col de sa veste. Elle resta un moment ainsi, tandis que sa respiration redevenait régulière.

Enfin, elle s'écarta de lui et, d'une main sûre, défroissa ses vêtements et recoiffa ses cheveux derrière ses oreilles. Elle leva la tête et croisa son regard inquiet. Elle semblait de nouveau parfaitement calme, encore une fois.

— Un homme m'a volé mon sac à main.

— Etes-vous blessée ? demanda-t-il alors qu'il voyait bien qu'elle ne l'était pas.

— Je pense que c'était juste un pickpocket. Une coïncidence, rien de plus.

— Peut-être…

Mais ce n'était pas une coïncidence et ils le savaient aussi bien l'un que l'autre.

— Dites-moi exactement ce qui s'est passé.

— Il m'a suivie dans les toilettes et m'a attrapée. Je lui ai mordu la main et lui ai envoyé mon sac en plein visage. Puis je me suis réfugiée dans la cabine. C'est là que je me suis mise à hurler. Il a dû s'enfuir. Vous ne l'avez pas vu ?

— Non, il est sorti par la porte arrière avant que j'aie le temps d'arriver, dit-il en prenant sa main glacée dans la sienne. Venez, sortons. Kick doit être arrivé.

— J'ai crié aussi fort que je le pouvais, dit-elle, refusant de bouger.

— Vous avez bien fait. Je pense que tout le café vous a entendue. Ça va mieux ?

— Tout à fait.

Mais elle semblait toujours aussi réticente à quitter les toilettes et Mitch le comprenait parfaitement. Quiconque était à la recherche du disque en avait après elle et elle le savait.

— Allez, ma belle, fit-il avec un sourire forcé. On ne peut pas passer la nuit ici. Je vous promets que je trouverai un endroit où nous pourrons être en sécurité.

Il sortit son pistolet, un calibre .38 de petite taille qui passerait facilement inaperçu. Robin, elle, l'avait vu faire et semblait effrayée.

— Pensez-vous vraiment que ce soit nécessaire ? dit-elle à voix basse en le suivant le long du couloir.

— Non, mais on ne sait jamais. Restez bien derrière moi.

Mitch était persuadé que quelqu'un les attendait dehors. Tout était redevenu normal dans le café. Kick n'était toujours pas arrivé.

Il aurait bien voulu avoir du renfort, mais il ne voulait pas rester ici une seconde de plus. Ils traversèrent la cuisine et sortirent par la porte qui donnait sur l'allée, après s'être assuré que la voie était libre.

— Venez ! Vite ! lança-t-il.

Ils coururent dans l'allée et Mitch poussa une autre porte qui menait à l'arrière d'une boutique. Sous les regards ébahis des employés, Mitch traversa le magasin, traînant Robin derrière lui. Une fois dehors, ils tournèrent à droite et entrèrent dans une agence immobilière un peu plus loin. Avant d'entrer, il prit soin de ranger son revolver.

— Que puis-je faire pour vous ? demanda une employée.

Mitch mit la main dans sa poche pour se saisir de son badge et se rendit compte qu'il ne l'avait plus.

— Nous avons repéré une de vos propriétés à Brentwood et nous voulons faire une offre, lança-t-il en improvisant.

La femme lui fit un grand sourire. Mitch aurait dit n'importe quoi pour qu'on les mène dans l'un des bureaux à l'arrière de l'agence, à l'abri des regards. Cela fonctionna à merveille. La femme leur fit signe de la suivre dans son bureau.

Jane Higgens, c'était le nom qu'elle leur donna en se présentant, s'empressa de refermer la porte derrière eux et s'assit à son bureau. Mitch sortit son téléphone portable et appela Kick. L'employée, le voyant faire, eut du mal à cacher son énervement et Mitch lui lança un regard contrit.

— Kick, où diable es-tu ? s'écria-t-il quand ce dernier eut décroché.

Kick resta silencieux quelques instants avant de répondre, sur un ton passablement énervé :

— Coincé dans les bouchons. Où êtes-vous ?

— Nous avons été suivis, j'essaie de m'en débarrasser. J'ai besoin que tu nous trouves un lieu sûr.

Il jeta un coup d'œil à Jane Higgens, dont les lèvres rouge vermillon étaient figées en une moue boudeuse. Robin, elle, semblait parfaitement détendue et indifférente, comme si ce genre de choses lui arrivait tous les jours. Mais Mitch savait que son attitude n'était qu'un leurre.

Kick prit tout son temps pour répondre, ce qui ne fit rien pour calmer la nervosité de Mitch. N'ayant pas trouvé le disque dans le sac à main de Robin, les criminels devaient être en train de les rechercher activement. Ils surveillaient la voiture de Mitch, sa maison, le poste de police et peut-être même Kick.

— Elle est suspecte, Mitch, pas témoin, dit enfin Kick. Nous n'allons quand même pas la protéger aux frais du contribuable, non ?

Il marqua une autre pause.

— Et mon appartement ? Tu pourrais l'y emmener…

Cette suggestion n'enchantait pas Mitch, mais il ne pouvait se permettre d'exiger quoi que ce soit de son collègue. Ils avaient besoin de se mettre à l'abri, et vite.

— D'accord. De toute façon, ce sera temporaire. Ne viens pas nous rejoindre tout de suite. Finis ton service et rentre à la fin de la journée comme tu le fais d'habitude. Et merci, ajouta-t-il avant de raccrocher.

Il se tourna vers l'employée de l'agence immobilière.

— Mademoiselle Higgens, je suis désolé de vous avoir menti. Je suis de la police et cette femme court un grave danger. Nous avons besoin de votre aide.

La femme observa Robin d'un air suspicieux, puis revint vers lui.

— Pourriez-vous me montrer votre badge ?

Mitch faillit lever les yeux au ciel, mais se retint juste à temps. Il lui adressa son sourire le plus charmant.

— Je travaille sous couverture et je n'ai pas le droit d'avoir mon badge, je suis désolé. Ecoutez, tout ce dont nous avons besoin, c'est que vous nous indiquiez l'issue de secours. Et surtout, si quelqu'un venait vous poser la question, ne dites pas que nous étions ici. Je peux compter sur vous ?

Elle haussa les épaules et, se levant avec un soupir, se dirigea vers le fond de l'agence.

— C'est par là.

Tandis que Mitch vérifiait que l'allée était vide, la femme fourra sa carte de visite dans sa poche.

— Si vous avez besoin de quoi que ce soit…, susurra-t-elle à son oreille d'un air aguicheur.

Mitch lui fit un clin d'œil. Cela parut déplaire à Robin.

Etait-elle jalouse, ou juste scandalisée par l'audace de la femme ? Il n'avait pas le temps d'y réfléchir. Il prit la main de Robin et l'entraîna à sa suite.

Dans le taxi qui filait dans les rues de Nashville, Robin avait constamment l'impression d'être surveillée, comme si le viseur d'un fusil était braqué sur elle.

— Ne vous inquiétez pas, dit Mitch.

— Evidemment, pas de problème. Pourquoi devrais-je m'inquiéter ? répondit-elle sèchement.

— Tout ira bien.

Mais il ne cessait de se retourner. Elle remarqua également qu'il gardait une main sur la poche où il avait rangé son arme.

Le revolver lui paraissait bien trop petit pour blesser ou même ralentir qui que ce soit. Il l'intriguait néanmoins, elle qui ne s'était jamais servi d'une arme à feu. La seule qu'elle ait touchée était celle qui avait tué James.

— Je croyais que les officiers de police étaient un peu mieux équipés, dit-elle en effleurant la poche de Mitch.

— Normalement, oui.

— Alors, où est votre arme de service ?

— Mon patron l'a gardée. Ne vous inquiétez pas, je suis un excellent tireur, même avec ce petit machin.

— Oh ! je ne m'inquiète pas, je me posais simplement la question.

— Pas la peine de faire semblant, Robin. C'est normal d'avoir peur.

Il avait raison. Elle ne répondit pas, s'en voulant d'avoir laissé deviner sa peur, sa faiblesse.

— Ne vous méprenez pas, ajouta-t-il. C'est très bien de ne pas céder à la panique, mais la peur est parfois ce qui permet de rester en vie face au danger. Souvenez-vous-en et ne laissez pas votre fierté prendre le pas sur le reste. Vous voyez ce que je veux dire ?

Non, elle ne comprenait pas ce qu'il voulait dire. Faire semblant l'avait déjà sauvée. Certains hommes étaient excités par la peur d'une femme et elle avait toujours refusé de leur donner cette satisfaction. Elle s'était un peu laissée aller avec Mitch. Juste assez pour qu'il se rende compte qu'elle n'était pas aussi courageuse qu'elle le prétendait. Elle n'avait plus qu'à le convaincre que la terreur qu'il avait vue chez elle était désormais totalement surmontée.

Le taxi quitta l'autoroute et entra dans un quartier résidentiel. Mitch semblait plus détendu. Apparemment personne ne les suivait. Il expliqua au chauffeur comment se rendre à leur destination.

Ils s'arrêtèrent devant une maison moderne dans un quartier huppé.

— Votre coéquipier habite ici ? s'étonna-t-elle.

Comment un inspecteur de police pouvait-il se permettre de vivre dans un quartier aussi chic ?

— Kick m'a dit qu'il avait hérité de l'argent de sa famille, récemment.

— Alors pourquoi continue-t-il de faire ce qu'il fait ?

— Il aime son métier, j'imagine.

Kick était devenu riche pratiquement du jour au lendemain et il avait tendance à s'en vanter. Mais il restait sérieux dans son travail. Un peu *trop* sérieux, parfois…

S'il faisait équipe avec lui depuis un moment, Mitch avait toujours l'impression de mal le connaître. D'habitude, deux partenaires tissaient rapidement des liens d'amitié. Bien sûr, ils s'entendaient bien. Ils blaguaient et riaient ensemble. Mais il y avait une distance entre eux que Mitch ne parvenait pas à combler. Ils ne seraient probablement jamais proches.

Il continuerait d'essayer de devenir ami avec Kick, de leur trouver des points communs et de le décoincer. C'était déjà bon signe que Kick lui ait proposé de les héberger quand ils avaient besoin d'un lieu sûr.

8

Robin saisit la poignée pour ouvrir la portière, mais Mitch lui attrapa le bras.

— Vous savez quoi ? dit-il. Je crois que c'est une très mauvaise idée de rester ici.

— Quoi ? mais pourquoi ?

Mitch parut hésiter et regarda par la vitre du taxi.

— Je ne sais pas. J'ai un mauvais pressentiment.

Puis, sans aucune autre forme d'explication, il leva la voix pour dire au chauffeur :

— Allons-y !

— Où ?

— Sortez de la ville. Prenez la route 65 en direction du sud.

— Savez-vous où nous allons ? demanda-t-elle à Mitch à voix basse.

— J'y réfléchis.

Quand ils eurent quitté la ville, il sortit son portable et composa un numéro.

— J'appelle le patron, prévint-il Robin. Le capitaine Hunford, s'il vous plaît, dit-il dans le téléphone. Salut, patron, c'est Winton. Je voulais juste vous dire que Mme Andrews est toujours avec moi… Oui, monsieur, je me souviens très bien de ce que vous avez dit. Ecoutez, pourriez-vous dire à Kick que j'ai changé d'avis et que je me suis débrouillé tout seul ? Nous allons quitter la ville pendant quelques jours.

Il resta silencieux tandis qu'il écoutait la réponse de son

chef. A sa grimace, Robin comprit que le tour pris par les événements ne ravissait pas le capitaine Hunford.

— Pas de problème, nous serons rentrés ce jour-là, dit-il avant de raccrocher.

— Vous ne lui avez pas parlé de l'attaque dans le café et du vol de mon sac à main, lui reprocha-t-elle aussitôt. Pourquoi ?

— Parce qu'il aurait dit que ce n'était qu'un braquage ordinaire, une simple coïncidence. Dylan's est situé dans un quartier difficile, ce genre de choses arrive tout le temps. Un vol de sac à main, c'est le quotidien.

— Mais vous savez bien que ce n'est pas le cas !

— Je sais, je sais. Mais c'est une question de circonstances, vous voyez ? En apparence, chacun de ces incidents peut paraître banal, il n'y a rien qui établisse un lien entre eux et le meurtre de votre mari. Vous et moi, nous savons bien qu'il n'en est rien, mais Hunford et Kick voient les choses très différemment.

— Vous ne leur faites pas confiance.

Il soupira.

— J'ai besoin de temps pour réfléchir. Nous avons affaire à des gens dangereux, Robin. Je pense que toute cette affaire est bien plus grave qu'un simple meurtre, si vous me permettez de m'exprimer ainsi. Pour tout vous dire, je ne sais pas à qui nous pouvons faire confiance. Personne ne savait où je vous emmenais quand nous avons quitté le commissariat, à part Hunford. Et seul Kick savait que nous serions dans ce café aujourd'hui. Je suis certain de m'être débarrassé de la voiture qui nous suivait en y allant.

Au bout d'un moment, Mitch demanda au chauffeur de prendre la prochaine sortie et de les déposer à une station-service nantie d'un petit supermarché. Il paya la course et se dirigea vers la cabine téléphonique. Quelques minutes plus tard, il revint.

— Nous allons avoir besoin d'affaires de toilette et de quelques T-shirts. Allez chercher ce qu'il vous faut pendant que je m'occupe du reste. On dirait que c'est votre jour de shopping, hein ?

Robin s'exécuta, mais elle ne cessait de se demander où tout cela allait les conduire. Où l'emmenait-il ? Elle ne savait même pas où ils étaient, tout lui semblait étranger.

Il répondit à sa question après avoir payé.

— Nous allons à la pêche. Avez-vous déjà pêché ?

Robin secoua la tête.

— Nathan sera là dans quelques minutes. Il nous emmènera à la rivière. Il y a un petit camping juste à côté.

Robin n'avait jamais campé et l'expérience la tentait médiocrement.

— Et le disque ? s'enquit-elle. Ne devrions-nous pas le donner à quelqu'un ?

— J'ai un ami, Damien Perry. Il travaillait au FBI et il a gardé des contacts là-bas. Je l'appellerai à notre retour. Il parle plusieurs langues, peut-être le russe. Il pourra au moins me dire vers qui me tourner.

— Qui est ce Nathan qui doit venir nous chercher ?

— C'est un ami. Il habite à quelques kilomètres d'ici. Je l'ai arrêté une fois, il me doit une faveur. On dirait qu'il arrive.

Robin se retourna. Une vieille camionnette toute rouillée se dirigeait vers eux.

— Génial, marmonna-t-elle.

Le vieux tas de ferraille se gara devant une pompe à essence. Lorsque son chauffeur en sortit, Robin fut horrifiée.

— Mon Dieu, il aurait pu jouer dans le film *Délivrance* !

Mitch éclata de rire et lui prit le bras pour la guider vers Nathan. En jetant un coup d'œil à l'intérieur de sa camionnette, elle ne fut pas surprise d'y voir une carabine.

— Salut, Nate ! Comment vas-tu ? s'exclama Mitch en

tapant sur l'épaule de son ami comme s'ils se connaissaient depuis toujours. Je ne t'ai pas réveillé, j'espère ?

L'homme sourit. Il lui manquait plusieurs dents.

— Nan, j'me découpais juste un ours.

— Nate est sculpteur sur bois, expliqua Mitch. Il travaille à la tronçonneuse.

— Ah… super… Bonjour, Nathan.

Elle s'efforçait de ne pas le dévisager, mais c'était difficile. Ses longs cheveux sales et bouclés étaient attachés sur le dessus de sa tête avec un élastique en caoutchouc. Nathan ne devait pas avoir plus de trente ans, mais ils étaient presque complètement gris. Sa peau grêlée laissait deviner une grave crise d'acné dans sa jeunesse. Il avait le nez cassé, aplati en réalité, et portait une chemise à carreaux ouverte sur un T-shirt orné d'une moto qui avait dû être noir autrefois. Son jean usé et taché lui tombait bas sur les hanches, laissant apparaître un ventre impressionnant. L'archétype du péquenaud du Sud.

— Enchanté de faire votre connaissance, m'dame, dit-il d'une voix étonnamment douce et polie.

Et Robin d'être mortifiée de l'avoir si rapidement jugé. Il la considérait, lui, d'un air bienveillant et admiratif.

— Elle est flic ? demanda-t-il à Mitch.

— Non, c'est une amie, répondit celui-ci en lui tendant un billet de vingt dollars. Pour l'essence.

Nate prit le billet avec un petit signe de tête et retira la pompe du réservoir.

— Tous les chalets sont vides en ce moment, vous pourrez avoir celui que vous voulez.

— Vous entendez ça ? Nous avons de la chance, s'exclama Mitch en souriant.

— C'est formidable, en effet, répondit Robin avec un enthousiasme feint.

Tandis que Nathan allait payer l'essence, Mitch ouvrit

la portière côté passager de la camionnette. Robin n'avait pas d'autre choix que de s'y asseoir et de passer le trajet coincée entre Mitch et le sculpteur à la tronçonneuse.

— Vous me tenez ça ? lança Nathan à son retour en lui tendant un pack de bière.

Puis il s'installa derrière le volant et démarra. Il sentait le poisson et le bois — une odeur étrangement pas désagréable.

— Vous aimez les écureuils ?

— Moi ?

— Oui, m'dame.

Il regardait surtout la route, mais Robin était très consciente de l'intérêt qu'elle semblait éveiller en lui.

— Je… je ne sais pas.

— J'en ai un que je pourrais vous donner. Je pense qu'il vous plaira.

Robin jeta un regard surpris à Mitch, mais celui-ci regardait droit devant lui, un petit sourire aux lèvres, comme si cette conversation n'avait rien d'étonnant.

La camionnette cahota sur un chemin de terre qui serpentait dans une espèce de jungle. Au bout d'un long moment, ils arrivèrent dans une clairière où six petits chalets de bois très rustiques étaient montés sur des parpaings.

— Nous prendrons celui qui est tout au bout, dit Mitch à Nathan. Je pense que nous resterons deux ou trois jours. Je t'enverrai un chèque en rentrant. Ça ira ?

— Bien sûr. Si vous avez besoin de quoi que ce soit, passez à la maison. Si j'y suis pas, c'est que je suis chez Peggy. Entrez et faites comme chez vous.

Il prit les bières des mains de Robin.

— J'vous amènerai l'écureuil demain matin. Il me reste deux, trois trucs à faire dessus.

Robin hocha la tête, ne sachant que répondre. Que voulait-il dire ? Et que faisait-on à un écureuil pour le rendre à la hauteur ? Elle espérait vraiment qu'il parlait de l'une de ses sculptures et non d'un véritable écureuil.

En les quittant d'un signe de la main, Nathan se dirigea vers une maison un peu plus grande que les autres, isolée à l'autre bout de la clairière. A côté de sa porte d'entrée, un grand chef indien montait la garde. Il avait été taillé dans un tronc d'arbre. Robin devait admettre que la sculpture à la tronçonneuse pouvait avoir un certain charme.

— Pour quelle raison l'aviez-vous arrêté ? demanda-t-elle à Mitch.

— Une fausse plainte pour état d'ivresse et trouble à l'ordre public. Il avait prévu de se battre avec l'ex-petit ami de Peggy, qui devait rentrer ce soir-là de l'armée. Nate était boxeur quand il était plus jeune. S'il avait trouvé Tommy ce soir-là, il aurait été inculpé de meurtre. Ses poings sont de vraies armes fatales.

— A-t-il résisté lors de son arrestation ?

— Non, répondit Mitch en riant. On l'a fait boire et il nous a suivis comme un mouton. Le lendemain matin, nous l'avons relâché. Tommy avait fait ses adieux à Peggy. Il est parti vivre dans le Montana, je crois…

Robin se dit qu'à la place de Tommy elle aurait fait la même chose.

Mitch ouvrit la porte du dernier petit chalet et entra le premier.

— Tout a l'air d'être en bon état. Venez.

La propreté des lieux surprit Robin. La décoration était spartiate, mais de bon goût. Les rideaux et les dessus-de-lit étaient faits dans la même flanelle à carreaux.

Il y avait l'eau courante, nota-t-elle avec un certain soulagement. Une grande pièce servait de salon et salle à manger, et disposait d'un coin cuisine. A l'opposé, une porte menait à une petite salle de bains. Les placards contenaient de la vaisselle, des serviettes en papier et du linge propre, mais pas de nourriture.

— Qu'allons-nous manger ? s'enquit-elle.

Mitch rangea ce qu'il avait acheté au supermarché de la station-service.

— Nous avons de la soupe et des crackers, des haricots et des biscuits.

Robin leva les yeux au ciel, mais se garda de lui faire une remarque désobligeante sur ses choix en matière de diététique. Secrètement, elle n'était pas mécontente. Cela faisait des années qu'elle ne s'était pas autorisée à manger des biscuits.

— Nate aura des pommes de terre, de l'huile, des boissons fraîches et tout ce qu'il faut pour attraper le poisson.

— Des vers de terre ? fit Robin avec dégoût.

— Vous voulez aller pêcher le dîner ? répondit-il avec un grand sourire. Je vais lui emprunter des cannes.

— J'espère que nous n'irons pas sur un bateau, je n'aime pas l'eau…

— Non, il y a un ponton. Allez, la citadine, un peu d'air frais ne vous fera pas de mal…

A contrecœur, elle accepta la main qu'il lui tendait et le suivit dehors. Il avait entièrement raison, le grand air lui ferait du bien.

Elle prit une profonde inspiration. Le grand air en question sentait l'humidité et le moisi…

Ils traversèrent la pelouse desséchée pour aller sur un long ponton sur pilotis. La rive formait un demi-cercle, une sorte de baie protégée, qui partait du ponton et s'étendait bien plus loin que le bout du campement où se trouvait la maison de Nathan.

— La rivière est haute, lança Mitch.

On ne voyait même pas où elle s'arrêtait car l'autre côté était dissimulé par des îlots à la végétation luxuriante.

— Je n'ai pas l'habitude de faire ce genre de choses, marmonna Robin.

— Je sais, ma belle, mais ça ira pour un jour ou deux, vous ne croyez pas ? Comme je ne voulais pas impliquer plus ma famille pour ne pas les mettre en danger, nous n'avions pas d'autre solution.

— Non, bien sûr, vous avez raison. Je comprends très bien.

— Damien et sa femme, Molly, ont de jeunes enfants. Aller chez eux leur aurait fait courir un risque inutile. Si nous avions dormi dans un motel, j'aurais dû utiliser ma carte de crédit. Il vaut mieux ne pas laisser de traces, même informatiques. Ne sachant pas qui nous surveille, ni quels moyens ils ont à leur disposition, je préférais éviter d'aller chez Kick. Il est forcément sous surveillance, sinon comment auraient-ils su que nous étions au café ?

— Vous avez raison, répéta-t-elle en hochant la tête.

Il entrelaça ses doigts aux siens et repartit vers leur chalet, l'attirant à sa suite d'un pas lent.

— Je crois qu'il vaut mieux que nous restions ici quelques jours. S'ils vous cherchent chez Kick, ils iront aujourd'hui ou demain. Je pense que nous pourrons retourner à Nashville pour les besoins de l'enquête ensuite. En attendant, personne ne sait où nous nous trouvons à part Nate.

— Et il ne dirait jamais rien à personne ?

— Non, j'en suis absolument certain. Nate et moi nous connaissons depuis l'enfance.

Sa réponse l'étonna.

— C'est vrai ?

Il s'assit sur le porche de leur chalet et l'invita à en faire autant.

— Nate n'a pas eu une vie facile. Il a l'air un peu rustre, je sais. Mais il a bon cœur. Il ferait n'importe quoi pour moi, et c'est réciproque.

Robin n'avait jamais connu une amitié comme la leur, elle

devait donc faire confiance à Mitch sur ce point et le croire sur parole. Quel éclectisme, d'ailleurs, dans ses amitiés ! D'un côté il y avait cet ancien agent du FBI qui était également avocat, et qui selon Mitch les aiderait volontiers... Et de l'autre Nate, un ancien boxeur de la campagne qui sculptait des ours et des Indiens.

Elle avait l'impression d'être Alice et d'avoir été précipitée jusqu'au Pays des merveilles qu'était Nashville.

— Tout ira bien, Mitch. Je peux m'adapter.

— J'en suis sûr.

Les deux jours qu'ils passèrent dans le chalet de Nate auraient été parfaits si Mitch n'avait pas été torturé à chaque instant par sa libido. Voir Robin vêtue d'un simple T-shirt le soir avant d'aller se coucher lui donnait envie... eh bien, d'aller se coucher. Mais certainement pas pour dormir.

Ces deux jours furent donc bien moins reposants pour lui qu'il ne l'avait prévu. Robin, au contraire, s'épanouissait à vue d'œil dans la nature. L'absence de maquillage, un léger hâle et un ou deux kilos supplémentaires lui donnaient un air radieux.

— Tu m'avais caché que tu étais une fille de la campagne, sous tes airs de citadine, dit-il en lui pinçant la joue.

Ces deux jours de proximité forcée les avaient immanquablement rapprochés et ils avaient renoncé au vouvoiement, pour le plus grand plaisir de Mitch.

— Tu te trompes ! se récria-t-elle en écartant sa main d'une petite tape. J'ai hâte de retrouver la civilisation, l'air conditionné, les lave-vaisselle et les restaurants.

— Quoi ? Tu n'aimes pas nettoyer le poisson ? demanda-t-il innocemment.

Les mains dans les entrailles d'un poisson fraîchement

pêché, elle lui jeta un regard noir. Mitch éclata de rire et lui prit le couteau des mains pour achever à sa place la tâche ingrate.

Rien ne l'aurait rendu plus heureux que de rester là avec elle jusqu'à la fin de ses jours. Mais ce n'était qu'un fantasme…

De toute façon, même si leur relation avait eu un avenir, rester plus longtemps à la campagne était impossible. Un jour de plus, et son patron ou Kick lancerait un avis de recherche.

— Nous serons de retour ce soir, dit-il à Hunford au téléphone.

Il se garda néanmoins de lui dire où ils iraient exactement. Il raccrocha et se tourna vers Robin.

— Nous devons y aller.

Imagina-t-il la déception qu'il crut voir traverser son regard ? Mais peut-être était-elle simplement anxieuse à l'idée de quitter la sécurité de la clairière.

— Il faut que j'appelle Damien, ajouta-t-il. Nous devons lui confier le disque.

Elle sembla vouloir dire quelque chose, mais se ravisa.

— Qu'y a-t-il ?

— Non, rien. Tu as sans doute raison.

Mais Mitch savait qu'elle avait été sur le point de suggérer autre chose.

Durant les deux jours qui venaient de s'écouler, comme par un accord tacite, ils n'avaient parlé ni du CD ni de l'affaire. C'était autant d'heures volées à l'angoisse et à la peur.

Lui non plus n'avait pas envie de retourner à Nashville, mais ils n'avaient pas le choix.

— Alors ? Où allons-nous ? Chez l'inspecteur Taylor ?

— C'était notre projet et il nous l'a proposé.

9

Robin accepta la main tendue de Mitch pour l'aider à descendre de l'avant de la camionnette.

— Au revoir, Nathan, dit-elle. Et merci pour la sculpture, l'écureuil me plaît beaucoup.

Nathan, ravi du compliment, lui fit un grand sourire édenté qui ne lui paraissait plus si repoussant, maintenant qu'elle avait appris à le connaître.

— Oh ! c'est rien, répondit-il d'un air gêné.

— Mais cela me touche beaucoup, insista-t-elle.

Mitch avait raison, cet homme avait du talent. Nathan était très différent de la première impression qu'il donnait. C'était un homme attentionné et gentil, un artiste excentrique et un vrai ours en peluche.

Il les déposa devant la maison de l'inspecteur Taylor et, après lui avoir dit au revoir à contrecœur, elle laissa Mitch lui prendre la main et l'entraîner à l'arrière de la maison.

A sa grande surprise, il sortit alors une carte de crédit de son portefeuille et s'en servit pour ouvrir la porte. Elle avait bien sûr vu des gens le faire à la télévision, mais elle fut extrêmement choquée de constater qu'un membre de la police ait une maison aussi mal protégée.

Elle fut néanmoins rassurée quand elle vit Mitch taper le code qui désactivait le système d'alarme sur un petit clavier en métal à côté de la porte d'entrée.

— Un système dernier cri, dit-il. Je le lui ai installé moi-même.

Il alluma la lumière, une lumière froide et blanche.

— Je me rappelle que la serveuse du premier café où tu m'as emmenée t'avait remercié de lui avoir fait installer une alarme silencieuse. Posséderais-tu des actions dans une entreprise de sécurité, par hasard ?

— En quelque sorte. Mon père en dirige une. J'ai des réductions pour mes amis.

Ils entrèrent dans la cuisine. Robin n'aurait pu imaginer un intérieur plus différent de celui de Mitch. On aurait dit que personne n'avait jamais cuisiné dedans. Extrêmement moderne, elle était entièrement recouverte de métal chromé, sans aucune touche personnelle, ni rideaux ni couleurs.

Ils traversèrent la salle à manger pour aller dans le salon. Encore une fois, tout était monochrome, impersonnel et fonctionnel. Les meubles, pourtant luxueux, semblaient inconfortables. Le décor fleuri et vieillot de la maison de Mitch lui manquait presque.

— Cette maison me donne la chair de poule, murmura-t-elle.

— Moi aussi. Kick est sorti avec une décoratrice récemment.

— Cela devait être son premier contrat. Je crois bien que je préfère les goûts de Nathan.

Mitch éclata de rire et jeta le sac plastique contenant leurs vêtements de rechange sur le canapé.

— Fais comme chez toi. J'ai un coup de fil à passer. Trouve-nous deux chambres, dit-il en montrant du doigt un couloir. La chambre de Kick est la première sur la droite, je ne te conseille pas d'ouvrir la porte si tu n'as pas tous tes vaccins à jour.

Il se laissa tomber dans le canapé design et sortit son portable. Robin partit à la recherche des chambres d'amis, mais, en passant devant celle de Kick, sa curiosité eut raison d'elle et elle ouvrit la porte. Elle la referma aussitôt. Mitch avait raison. Dire que sa chambre était en désordre aurait été un doux euphémisme.

Quel genre d'homme était Kick Taylor ? Certainement quelqu'un qui privilégiait les apparences et gardait ses secrets enfermés à double tour. Elle était prête à parier qu'il amenait ses conquêtes dans une des chambres d'amis plutôt que dans la sienne.

— Je te l'avais dit ! cria Mitch du salon.

Robin le rejoignit d'un pas nonchalant.

— Tu crois bien me connaître, hein ? fit-elle avec un petit sourire.

— Mieux que tu ne le penses. Je savais que tu irais voir.

— D'accord, j'admets que je suis curieuse. Mais je voulais voir comment il vivait vraiment. On ne peut se faire une réelle idée d'une personne qu'en voyant où elle vit.

— La différence entre Kick et moi, c'est qu'il aime faire bonne impression. Dans mon cas, je suis exactement ce que je semble être.

C'était justement ce qui comptait le plus pour Robin. Mitch Winton ne se cachait pas. Certes, elle ne le connaissait pas encore très bien ; mais elle savait instinctivement qu'il n'avait rien à cacher. Les gens qui faisaient tout pour dissimuler leurs défauts et avoir l'air parfait la rendaient nerveuse. Elle se reconnaissait trop en eux.

— Depuis quand Kick Taylor est-il ton partenaire ?

— Pas longtemps. Il a été transféré de la brigade des mœurs à celle des homicides quand on l'a promu sergent. Pourquoi ?

— Il a l'air très… zélé.

— Oui, peut-être. Mais cela lui passera, crois-moi.

Robin avait peur que cela n'arrive pas assez tôt pour l'aider à se sortir de ce pétrin.

— Il me croit coupable.

— Il a peut-être changé d'avis. Il doit quand même se

demander pourquoi quelqu'un aurait volé ton ordinateur sur la scène de crime et te poursuivrait dans toute la ville.

— Mais il n'est pas au courant de l'existence du CD pour l'instant. Cela le convaincrait peut-être que je ne suis pas la seule coupable potentielle.

— Je préférerais en parler d'abord à Damien. Je pense que c'est la meilleure chose à faire pour le moment.

Mitch appela son ami, mais celui-ci ne décrocha pas. Dire sur une messagerie que l'on était en possession d'un CD contenant plusieurs pages en russe que des assassins voulaient récupérer à tout prix n'était pas une bonne idée. Il décida de le rappeler plus tard.

Une chose qui l'inquiétait particulièrement : le nom qu'il avait reconnu sur la liste. Il connaissait Rake Somers depuis longtemps. Cet homme était corrompu jusqu'à la moelle, mais personne n'avait jamais réussi à l'inculper de quoi que ce soit.

Peu après son arrivée à la brigade des homicides, Mitch avait eu affaire à lui dans le cadre d'une enquête sur un meurtre. La brigade des mœurs l'avait même placé sous surveillance, mais Somers s'arrangeait toujours pour avoir l'air innocent. Des rumeurs disaient que le FBI enquêtait également sur lui, dans l'espoir de l'impliquer dans une sombre histoire de crime organisé. Sans plus de succès jusqu'à présent.

James Andrews avait sans doute été tué pour avoir refusé de donner le CD à son agresseur. Somers ne s'en serait pas chargé personnellement, bien sûr. D'ailleurs, Mitch ne serait pas surpris si un autre corps était découvert dans les jours suivants. L'assassin avait commis une grave erreur en tuant Andrews avant d'avoir récupéré le disque et il en paierait probablement le prix.

Sa suspension empêchait Mitch d'agir de manière officielle. Tout ce qu'il pouvait espérer était de réussir à réunir suffisamment d'informations pour innocenter Robin et mettre la police sur la trace du véritable tueur.

Chez Kick, Robin et Mitch avaient partagé une pizza, puis la jeune femme était allée prendre une douche. Au bout d'une dizaine de minutes, elle revint dans le salon, toujours dans ses vêtements de la veille, les cheveux mouillés. Elle avait l'air si jeune sans son maquillage sophistiqué. Et si belle.

— Tu as trouvé tout ce dont tu avais besoin ?

Elle hocha la tête et s'assit dans le fauteuil face à lui.

— As-tu réussi à tirer les choses au clair ? demanda-t-elle en regardant la feuille qu'il était en train de plier.

— Es-tu sûr de ne connaître aucune de ces personnes, Robin ?

— Je n'en ai jamais entendu parler, je te le jure.

Elle resta silencieuse un moment, perdue dans ses pensées. Puis elle se redressa et plongea son regard dans le sien.

— Mitch, pourrais-tu me confier ce document pendant quelques heures ? J'aimerais essayer de travailler dessus…

— Comment cela ?

— Au lieu de le confier à ton ami ou à ton partenaire aujourd'hui, trouve-moi un ordinateur. Je n'ai besoin que de quelques heures. Peut-être moins. Qui sait ? Je pourrais peut-être découvrir quelque chose.

— Robin, es-tu sûre de ne rien me cacher ?

— En fait… si je réussissais à accéder à certains programmes…

— Pirater, tu veux dire ?

Elle haussa les épaules, en un aveu muet.

— J'ai peur que la voie légale ne soit trop lente.

— Et cela n'arrivera pas si tu t'en occupes toi-même, ajouta-t-il avec un sourire.

— Non, répondit-elle très sérieusement. Tu es libre de me surveiller, si tu le souhaites, mais je pense vraiment pouvoir faire avancer les choses plus rapidement.

— Robin, sois franche avec moi. Sais-tu quelque chose que tu ne m'as pas dit ?

— Non, je te le répète. Mais je pensais à la discussion que j'ai eue avec James quand il m'a demandé de lui apporter le CD. Sur le moment, j'ai cru qu'il faisait juste la conversation, mais maintenant que j'y repense… Il a dit qu'il prévoyait de partir en vacances. Tu veux savoir où ?

— En Russie ?

— Non, il a parlé de George Town. C'est la capitale des îles Caïmans.

— Les numéros correspondraient donc à des comptes *off-shore*. C'est ce que nous pensions dès le début. Ce n'est pas vraiment une surprise.

— Je sais, mais le seul moyen pour que James les ait eus en sa possession, c'est qu'il les ait ouverts lui-même pour le compte de ces gens-là.

— Puis il devait leur transmettre leurs numéros. Ils n'auraient pas eu besoin de se servir de leurs noms, seulement des numéros de compte et des codes secrets.

— Des comptes auxquels James avait facilement accès lui-même…

— C'est peut-être ce qu'il a fait. Mais pourquoi avoir laissé le CD à New York ?

— Je n'en sais rien. Il a peut-être pensé que ce serait le dernier endroit au monde où on songerait à le chercher.

— Dans un coffre dont sa femme avait la clé, ajouta Mitch.

— Exactement. En gardant les numéros de compte, il pouvait s'en servir comme d'une rançon pour extorquer plus d'argent à leurs propriétaires. Mais, d'abord, nous devons vérifier qu'il s'agit bien de numéros de comptes bancaires.

— Tu as raison. Mais peux-tu y arriver ?

Sans le vouloir, Robin avait éveillé ses soupçons. Pourquoi voudrait-elle s'impliquer ainsi ?

— Je peux essayer, répondit-elle. Je ne te promets rien. Mais si j'y parviens, cela prouvera que d'autres personnes auraient eu un mobile pour tuer James.

— A part toi, lui rappela Mitch. C'est d'accord, je suis partant. Voyons si tu découvres quelque chose de probant. Penses-tu pouvoir déchiffrer l'autre document ?

— Non, je ne crois pas. Je pourrais essayer d'obtenir une traduction par internet. Mais ces informations ne devraient peut-être pas être diffusées n'importe où. Nous ferions mieux de demander à ton ami de voir ce qu'il peut faire.

Au cours de cet échange, Mitch avait observé Robin de près pour voir si elle mentait, mais rien ne le laissait penser. Il avait l'habitude de déceler les signes qui ne trompaient pas lors d'un interrogatoire : si la personne gigotait, évitait son regard, croisait les bras sur sa poitrine… Or, elle le regardait droit dans les yeux et respirait de façon régulière. Pourtant, quelque chose le mettait mal à l'aise. Sa façon de le regarder, comme si elle savait que c'était justement ce qu'elle devait faire, comme si elle s'attendait à ce qu'il ne la croie pas.

Il ne parvenait pas à se débarrasser de ses soupçons. Au cours des jours qu'ils avaient passés ensemble, il avait appris à la connaître. Son calme apparent et sa froideur dissimulaient toute émotion qu'elle ne voulait pas montrer. Même si elle ne lui mentait pas à propos du meurtre de son mari, il brûlait de la voir enfin exposer ses sentiments réels. C'était peut-être le meilleur moment pour la pousser à le faire.

— D'abord, j'ai besoin d'en savoir plus sur Andrews,

dit-il en posant la feuille de papier à côté de lui. Sur votre mariage.

Elle réfléchit un moment. Si sa question ne semblait pas l'embarrasser, un petit sourire triste apparut sur ses lèvres et son regard s'embua.

— James était… attentionné.

— Attentionné ? Robin, il t'a trompée !

Elle haussa les épaules comme si cela n'avait aucune importance. Et il semblait bien que cela n'en avait vraiment pas pour elle. Elle n'avait jamais été amoureuse de cet homme.

— Vous étiez plus amis qu'amants, même pendant votre mariage, dit-il.

— Oui, des amis, c'est ce que nous étions. Je sortais tout juste d'une relation difficile. Il m'a aidée à m'en remettre, il a été là pour moi. Peu à peu, une certaine attirance est née entre nous. Ce n'était pas la passion, loin de là, mais c'était… confortable. Nous nous sentions bien ensemble. Pendant un moment, en tout cas…

Mitch se retint de rire. Il ne pouvait s'imaginer épouser quelqu'un pour une raison pareille.

— Et quand il a décidé de divorcer, c'est là qu'il a commencé à te tromper ? Tu as dit qu'il voulait que tu le démasques.

Son sourire disparut, mais pas la tristesse qui se lisait sur son visage.

— Il me l'a avoué. Il laissait des choses en évidence, des reçus de Carte bleue dans des bijouteries ou des fleuristes, ce genre de choses… Il les abandonnait dans les poches de ses costumes, que je vidais systématiquement avant de les emmener au pressing. Quand je décrochais le téléphone, on raccrochait tout de suite. Les indices classiques, en somme.

Elle eut un petit geste de la main qui disait que cela ne lui avait fait ni chaud ni froid.

— Et le reste ? Entre vous, comment cela se passait ? Le sexe, je veux dire…

— Pas très bien, répondit-elle d'un ton hésitant. Devons-nous vraiment parler de ça ?

— Robin, si ce n'est pas moi qui le fais, quelqu'un d'autre s'en chargera. L'autopsie aura lieu demain, puis l'enquête débutera vraiment. Le médecin légiste conclura à un meurtre, c'est certain, et on te demandera de parler de ta relation avec la victime en détail. Pour l'instant, tu es la seule suspecte, mais je crois qu'il n'y a pas assez de preuves pour t'inculper. Par contre, méfie-toi, cela peut changer au fur et à mesure que d'autres preuves seront analysées.

Il vit la peur dans ses yeux, la peur toute nue. Mitch se dégoûtait lui-même, mais il devait tout savoir s'il voulait l'aider.

— Robin, regarde-moi.

Elle obéit.

— Dis-moi tout ce que j'ai besoin de savoir. Je ferais tout ce qui est en mon pouvoir pour te sortir de ce pétrin. Si tu ne me parles pas, je ne peux pas t'aider.

Elle l'observa un long moment, comme si elle tâchait de voir s'il parlait sérieusement. Puis elle opina, résignée.

Robin prit une profonde inspiration. Devait-elle tout dire à Mitch ? Il lui fallait déterminer ce qui était important et ce qu'elle pouvait garder pour elle sans que cela lui nuise.

Mitch était assis sur le canapé face à elle, penché en avant, les coudes posés sur les genoux et les mains croisées. Son apparence décontractée, sa tenue, la mèche de cheveux qui tombait devant ses yeux et son air bienveillant lui faisaient presque oublier qu'il était inspecteur de police, qu'il la soupçonnait peut-être encore du meurtre de James.

Elle ne pouvait pas lui en vouloir si c'était le cas, car il savait à présent qu'elle avait un mobile, un excellent mobile, qui plus est. Il avait de bonnes raisons de la croire coupable, mais cela la blessait qu'il la pense capable de tuer quelqu'un.

Il la considérait d'un air compatissant, mais ce n'était peut-être qu'une technique pour gagner sa confiance. Encore une fois, il pouvait aussi être sincère. Il avait été franc avec elle dès le début, après tout.

— Tu as dit que tu avais eu une relation difficile avant de rencontrer James…

— J'étais avec un mannequin, Troy Mathison. Je l'avais rencontré six mois plus tôt à un gala de bienfaisance. Cela faisait environ six ans que je ne défilais plus, je me contentais de participer à certains grands événements. Mon ancien agent m'avait demandé d'y aller comme une faveur.

— Je vois. Et ce Troy Mathison, lui, était mannequin à plein-temps ?

— Oui, et il avait beaucoup de succès. Il posait pour des magazines, des catalogues, et il défilait aussi. Il est venu me parler, il disait que nous avions des tas de points communs. Au début, j'en ai eu aussi l'impression… Je me suis vite rendu compte qu'il n'était pas aussi gentil qu'il le paraissait. Notre liaison n'a pas duré très longtemps.

Robin parlait vite, dans l'espoir qu'il ne l'interrompe pas pour lui poser plus de questions.

— Après seulement quelques rendez-vous, Troy a emménagé chez moi. Je ne sais toujours pas comment il a réussi à le faire. J'avais toujours vécu seule, j'aimais vivre seule…

Elle se força à sourire.

— Entre nous, ça n'a pas marché. Il était égoïste, pas du tout l'homme que je croyais. Au bout de deux semaines, je lui ai demandé de partir. Il a refusé. J'ai menacé d'appeler la police, mais il ne m'a pas crue.

— Et ?

— J'ai fini par le faire et la police l'a jeté dehors. Ça l'a humilié et rendu furieux. Il a commencé à me harceler. Il a fait de ma vie un enfer. J'ai porté plainte, mais cela n'a servi à rien.

— Et James Andrews t'a aidée ? dit Mitch.

— Oui. Il vivait dans le même immeuble que moi. Nous nous connaissions depuis quelques années, il nous arrivait de dîner ensemble de temps en temps. Je lui arrosais ses plantes et je lui montais son courrier quand il était en déplacement.

— Il voyageait beaucoup alors qu'il était dans les assurances ? s'étonna Mitch.

— Je croyais qu'il partait en voyage d'affaires, mais je ne lui ai jamais posé la question et il ne m'a jamais rien dit à ce sujet. A son tour, il s'occupait de mon appartement quand j'allais voir ma mère en Floride…

— Et tu l'as épousé pour qu'il te protège ?

Il y avait de l'incrédulité et une certaine désapprobation dans la voix de Mitch.

— Ce n'est pas aussi simple, contra Robin. Il a commencé à passer à la maison le soir, puis tous les soirs. Il répondait au téléphone, afin que Troy se croie remplacé. Il est resté dormir dans mon canapé quand les coups de fil se sont faits plus insistants.

— Tu lui faisais confiance à ce point-là ?

Robin se mordit la lèvre. Elle ne voulait pas avouer qu'elle fermait la porte de sa chambre à clé quand James dormait chez elle.

— Au bout d'un moment, oui…

— Et c'est lui qui a voulu t'épouser ?

Elle hocha la tête.

— J'ai d'abord refusé. Nous ne nous connaissions pas assez bien. C'est là qu'il a commencé sa campagne pour gagner mon cœur, comme il disait. C'était très… flatteur.

Comment pouvait-elle dire à Mitch qu'on ne l'avait jamais

courtisée ainsi ? Les hommes pensaient qu'elle était une fille facile parce qu'elle était mannequin.

— James me respectait. Il disait toujours qu'il m'aimait pour moi-même.

Mitch sourit, mais son sourire semblait forcé.

— Est-ce inhabituel ? demanda-t-il.

— Quand on est mannequin ? Oui. Les hommes te voient poser pour des magazines dans des tenues sexy ou défiler sur un podium sans soutien-gorge et se disent que tu es prête à tout pour gagner de l'argent.

Mitch détourna la tête pour regarder par la fenêtre.

— On dirait que tu parles de prostitution.

Elle soupira.

— Ce n'est pas si différent. Je vendais mon corps, d'une certaine manière. C'est presque aussi dégradant, et sûrement aussi dangereux.

— Est-ce pour cela que tu vis en recluse, maintenant ?

Cette question était trop personnelle et trop douloureuse. Robin ne put y répondre.

— OK, tu as donc fini par accepter sa proposition, vous vous êtes mariés et vous avez emménagé ensemble. Chez lui ou chez toi ?

— Chez moi.

— Vous partagiez le loyer et les dépenses ?

— Pourquoi cette question ? Je ne vois pas le rapport. Il m'aidait.

Mitch eut un soupir et se passa la main dans les cheveux d'un air frustré. Il ne déplaisait pas à Robin de le voir réagir comme un homme et non comme un policier, une fois de temps en temps.

C'était étrange comme tout le monde portait un masque, en fait. Elle en avait eu tellement marre de porter le sien qu'elle avait fini par vivre comme un ermite pour pouvoir enfin être elle-même…

— Est-ce que cela lui arrivait de te parler de son travail ? reprit Mitch après quelques instants. Vous deviez bien vous raconter vos journées.

Robin prit le temps d'y réfléchir.

— Non, pas vraiment. Nous parlions surtout d'art, de théâtre, de l'actualité, ce genre de choses.

Maintenant qu'elle y pensait, cela lui semblait bizarre à elle aussi. Leurs conversations avaient toujours été assez impersonnelles. Même le sexe entre eux n'avait jamais dépassé un certain degré d'intimité, un niveau assez minimal en fait… C'était un triste constat.

Mitch dut se rendre compte de sa tristesse car il se pencha vers elle pour lui toucher la main.

— Robin, je sais à quel point ce doit être difficile. Veux-tu faire une pause ? demanda-t-il d'un air sincèrement inquiet.

— En fait, je ne sais pas trop quoi dire d'autre. James était quelqu'un de gentil. Il était là pour moi quand j'avais besoin d'un ami. S'il m'a trompée, c'était tout autant ma faute que la sienne. C'était sa façon à lui de mettre un terme à notre relation. Nous n'aurions pas dû nous marier, c'était une erreur dès le début. Nous en avons parlé ensemble et nous sommes tombés d'accord. Nous nous sommes séparés en bons termes.

— Tu as fait preuve de beaucoup d'indulgence.

L'ironie dans sa voix la décida à lui avouer quelque chose qu'elle ne s'était avoué à elle-même que récemment.

— Je crois que je n'aurais jamais pu donner à James ce qu'il méritait en tant que mari. Aimer n'est pas dans ma nature, tout simplement. Je n'en suis pas capable.

Mitch eut un rire amer.

— N'importe quoi ! Cet homme se servait de toi, Robin. Tu lui as fait confiance et il s'est servi de toi. Tu lui as donné un toit, tu as payé les factures. Je te parie qu'il t'a poussée à investir de l'argent, pas vrai ?

Elle sentit la colère monter en elle. La croyait-il aussi naïve ?

— Penses-tu que j'ai réussi à amasser tout ce que j'ai en distribuant mon argent à chaque homme qui m'offrait des roses ? Je ne suis pas stupide !

— Tu as refusé de le laisser gérer ton argent ?

— Evidemment ! James disait qu'il avait un diplôme de gestion et qu'il savait ce qu'il faisait... Mais moi aussi !

— Il devait être furieux, dit Mitch avec un sourire amusé.

— Ah, oui, mais je...

Soudain, elle eut comme une révélation. Elle attrapa la main de Mitch.

— Mon Dieu, je n'avais jamais fait le rapprochement avant ! Mais j'ai refusé de le laisser gérer mon argent et, peu de temps après, les choses ont commencé à aller de plus en plus mal entre nous.

Elle avait l'impression de voir clairement pour la première fois. James avait commencé à la tromper peu de temps après ce conflit.

— Il n'était pas si gentil que ça, en fait, grommela Mitch. S'il était encore en vie, je crois que je l'étranglerais moi-même.

— Je ne l'ai pas tué, Mitch, jura Robin.

— D'accord, dit-il en serrant sa main dans les siennes. A-t-il parlé d'un projet précis dans lequel il comptait investir ton argent ?

Robin fouilla sa mémoire, mais James s'était toujours montré très vague sur son travail.

— Non, il a juste dit qu'il pouvait tripler ma mise. Crois-tu que ce soit ce qu'il a fait pour les hommes de la liste ? Qu'il a investi leur argent ?

— Peut-être. Combien voulait-il que tu lui donnes ?

Robin hésita.

— Allez, ma belle. Tu crois que j'en ai après ton argent

ou quoi ? Je n'ai jamais pris un centime à une femme de ma vie. J'ai besoin de savoir combien il te demandait.

— Un demi-million de dollars.

Mitch ouvrit de grands yeux ébahis.

— Mon Dieu ! Tu as…

— Non, il pensait que c'était tout ce que j'avais, mais il se trompait.

Mitch en resta un moment bouche bée.

— Plus ? fit-il enfin d'une voix rauque.

— J'ai presque deux millions, mais la plus grosse partie de cet argent n'est pas immédiatement accessible. J'en ai placé une partie dans un fonds pour ma mère, une autre sous forme d'actions, et le reste est dans un compte bancaire spécial. Je vis sur les intérêts.

— Mais tu travailles encore.

— Bien sûr que je travaille ! Rester assise toute la journée devant la télé, ça va un moment. Il faut bien que je fasse quelque chose ! Et puis je n'ai pas tant d'argent que ça quand on y réfléchit.

Il lui jeta un regard profondément incrédule.

— Il me faut une minute pour me faire à l'idée. Tu veux boire un verre ?

— Crois-tu que l'inspecteur Taylor ait du vin blanc ?

— Je vais voir, dit-il en se levant.

Mitch alla dans la cuisine d'un pas lent, secouant la tête de temps en temps sous l'effet de la stupeur. Robin regrettait de lui avoir révélé son secret car cela changerait à tout jamais la façon dont il la voyait. Il la traiterait différemment désormais. Soit il garderait ses distances afin qu'elle ne le prenne pas pour quelqu'un d'intéressé, soit il tenterait de profiter de la situation pour lui soutirer le plus d'argent qu'il le pourrait. Quoi qu'il en soit, Robin avait l'impression d'avoir perdu quelque chose de précieux.

Jusqu'à présent, elle n'avait été que Robin Andrews,

une New-Yorkaise comme les autres placée dans une situation compliquée et qui avait besoin de l'aide de Mitch. Une femme qui l'attirait bien malgré lui. Le seul homme droit et juste dont elle ait été proche de toute sa vie. Mais peut-être s'était-elle trompée sur lui. Comme elle s'était déjà trompée avant.

Mitch s'appuya contre le plan de travail et contempla la bouteille de vin qu'il n'avait pas encore ouverte. *Elle était millionnaire.*

Cela éliminait le mobile financier. Robin n'avait pas besoin de mettre la main sur l'assurance vie de James. Mais cela compliquait aussi les choses, car elle avait pu engager quelqu'un pour assassiner James. Cependant, si cela avait été le cas, pourquoi serait-elle venue à Nashville ?

Peut-être afin de terminer ce que son mari avait commencé et tenter d'extorquer encore plus d'argent à Rake Somers et les autres. Après tout, certaines personnes n'avaient jamais assez d'argent. James Andrews avait dû investir les capitaux des hommes de la liste et leur ouvrir des comptes *off-shore*, mais il était sûrement devenu un peu trop gourmand et avait demandé un pourcentage plus élevé que prévu. Les pages en russe l'inquiétaient encore plus. James avait-il été mêlé à des affaires d'espionnage ou à la mafia russe de New York ?

Mitch ne croyait pas Robin mêlée à ce genre d'histoires, mais il devait tout de même envisager cette possibilité. Ce n'était pas facile, d'autant que plus il apprenait à la connaître, plus elle l'attirait. Jamais il ne s'était trouvé dans une telle situation. Le désir le consumait de l'intérieur. Chaque instant en sa compagnie était à la fois un délice et une torture insupportable.

Et sa dernière révélation changeait tout entre eux. Evidemment, tant que l'affaire n'était pas résolue, il ne pouvait rien se passer. Toutefois Mitch avait espéré lui demander de la revoir, une fois l'enquête terminée. C'était impossible à présent. Elle était riche, extrêmement riche, et devait bien se moquer d'un homme comme lui.

Il avait entendu dire que les mannequins pouvaient gagner beaucoup d'argent, les plus connues faisant même fortune. Il ne se rappelait pas avoir vu son visage dans un magazine, mais ce n'était peut-être pas si étonnant car il ne feuilletait pas souvent des magazines de mode. Elle avait peut-être changé au fil des années ou gagné son argent en défilant sur des podiums plutôt que de poser pour des photos.

Rien de tout cela n'avait d'importance. Elle n'avait aucune raison de lui mentir à propos de l'argent qu'elle avait gagné. Il pouvait facilement vérifier ses propos sur sa situation financière, elle devait forcément le savoir. Kick avait déjà dû l'apprendre dans son enquête, de toute façon.

Mais où était Kick ? Sa journée de travail était terminée depuis plus d'une heure et il n'était toujours pas de retour.

Mitch déboucha la bouteille et versa un verre de vin pour Robin. Il se servit un verre de bourbon et rapporta les verres dans le salon.

Robin n'avait pas bougé et l'attendait, l'air triste, les mains croisées sur ses genoux.

— Tiens, dit-il en s'efforçant de dissimuler sa gêne. C'est du merlot, mais je ne sais pas ce qu'il vaut. Je n'y connais rien.

— Moi non plus, dit-elle en prenant le verre. Tant que ce n'est pas du vinaigre, cela me va très bien.

— Ah bon, fit-il sans lever les yeux de son bourbon.

— Tu ne sais plus comment me parler maintenant, dit-elle avec amertume. Rien n'a changé, pourtant.

— Non, rien du tout, répondit-il avec ironie.

Il avala son verre d'un trait et grimaça. Le whisky était beaucoup trop amer, mais tout lui aurait sans doute paru amer dans de telles circonstances.

Elle se pencha vers lui et tenta d'accrocher son regard.

— Mitch, cet argent n'a aucune importance. Deux millions, ce n'est pas tant que ça. Surtout quand on sait que c'est probablement tout ce que je gagnerai. Le mannequinat paye bien, c'est sûr, mais les carrières sont très courtes.

Il ne put s'empêcher de lever les yeux au ciel.

— Bien sûr ! Tu as pratiquement un pied dans la tombe. Regarde-toi…

Robin poussa un soupir de frustration.

— Je suis la même personne qu'il y a une heure.

— Et moi aussi, rétorqua-t-il en posant violemment son verre sur la table basse.

— Je crois que nous ferions mieux de reprendre ce que nous étions en train de faire, dit-elle sèchement.

Mitch se leva et se mit à faire les cent pas.

— Parle-moi des amis de James à New York. As-tu rencontré ses associés ?

— Je l'ai accompagné à des soirées, trois en tout, je crois. Il m'a présentée à plusieurs personnes, mais apparemment c'étaient des artistes. James s'intéressait beaucoup à l'art.

— Il aimait parader avec toi à son bras, hein ?

Elle n'apprécia pas son commentaire. Il ne pouvait pas l'en blâmer.

— Je crois, mais je n'aimais pas sortir.

— Tu t'amuserais encore moins ici, je parie. Les activités culturelles sont assez limitées dans le coin…

Elle se leva subitement et vint d'un pas décidé se planter face à lui, les poings sur les hanches et le regard noir.

— Tu cherches la dispute ou quoi ? Je te préviens, je déteste les conflits.

Il la voyait vraiment en colère pour la première fois et cela lui faisait presque plaisir. Au moins, elle extériorisait ses émotions.

— Ah, oui ? s'exclama-t-il. Tu ne t'es jamais dit que

c'est normal de se disputer de temps en temps ? Ce n'est pas parce que tu es belle que tu dois te laisser marcher sur les pieds ! Je sais que tu es courageuse. Pourquoi ne l'as-tu pas été quand cette ordure se servait de toi ?

— Arrête ! cria-t-elle. Je ne sais pas ce que tu attends de moi…

— Je veux que tu sois toi-même, Robin ! répliqua-t-il en agrippant son bras et en l'attirant à lui. Je veux te voir telle que tu es pendant plus de cinq minutes d'affilée ! Je veux voir la femme sous le mannequin. Montre-moi qui tu es vraiment. J'en ai marre d'être confronté à un masque…

Elle l'embrassa.

Mitch fut bien trop surpris pour comprendre ce qu'il se passait ou l'interrompre. Toute pensée cohérente disparut soudain de son esprit, dans un tourbillon de sensations. La chaleur de ses lèvres contre les siennes, de sa langue qui envahissait sa bouche, de ses longs doigts caressant son visage…

Mitch passa ses bras autour d'elle et la serra contre lui comme si elle était sa bouée de sauvetage dans un océan déchaîné. La sentir contre lui, dans ses bras, surpassait de loin en intensité tous ses fantasmes.

Il remua lentement pour ajuster son corps au sien — dans une danse lente et charnelle qui se terminerait dans une chambre si elle ne lui demandait pas d'arrêter.

Mais il ne voulait pas arrêter et elle ne semblait pas non plus le vouloir. Il fit glisser ses mains le long de sa taille, de ses hanches minces, l'attirant encore plus près, tout contre lui.

— Eh bien ! lança une voix forte qui obligea Mitch à s'écarter de Robin et à sortir son arme. Qu'avons-nous ici ?

10

— Je vois que vous avez fait comme chez vous, dit Kick Taylor en adressant un clin d'œil appuyé à Robin. Madame Andrews, comment allez-vous ? Mon collègue vous a aidée à vous remettre de votre deuil, à ce que je vois…

— Tais-toi, Kick, dit Mitch d'un ton menaçant en rangeant son revolver. Que fais-tu ici ?

— J'habite ici, je te le rappelle. La question est plutôt : où étiez-vous ?

— A la campagne. Ta proposition d'hébergement tient-elle toujours ou vas-tu m'obliger à te supplier ?

— Non, elle tient toujours, répondit Kick en haussant les épaules. Heureusement que je ne suis pas arrivé quelques minutes plus tard. Je ferais peut-être mieux de repartir une heure ou deux pour vous laisser finir ce que vous aviez commencé…

— C'est bon, Kick, ça suffit, dit Mitch d'une voix qui se voulait apaisante. Ce n'était qu'un baiser, rien de plus.

— Bien sûr, juste un petit baiser de rien du tout. Mitch, tu veux bien venir une minute, s'il te plaît ?

Kick quitta la pièce. Mitch jeta un regard à Robin, qui avait rougi jusqu'aux oreilles.

— Excuse-moi.

— Ce n'est rien, murmura-t-elle.

Comme il le rejoignait dans la cuisine, Mitch décida de ne pas parler du disque à Kick. Si le fait de ne pas transmettre ces preuves aux autorités était considéré comme une obstruction à la justice, il en assumerait l'entière responsabilité et Kick ne serait pas inquiété. De plus, il voulait en parler à Damien avant toute chose.

Il laisserait à Robin la chance de voir ce qu'elle pouvait faire. Elle avait dit que quelques heures lui suffiraient. Ensuite, qu'elle ait découvert quelque chose ou non, ils donneraient le CD à la police.

— Alors, où en est l'enquête ? demanda Mitch. Qu'a donné l'analyse de sa paire de chaussures ?

— Le labo n'a pas terminé, répondit Kick.

Il fouillait dans le frigo. Il se retourna, un pot de guacamole dans les mains, et ouvrit un placard dont il sortit un paquet de chips.

— Elle est innocente, déclara Mitch.

— Tu crois qu'on la poursuit parce qu'elle a vu le meurtrier ?

— Peut-être. Ou alors parce qu'elle en sait plus qu'elle ne le croit sur la raison pour laquelle Andrews a été assassiné.

— Cette fille te fait marcher, dit Kick en secouant la tête. Tu ferais mieux de rentrer chez toi et de me laisser m'en charger.

— Hors de question. Elle est innocente, et je suis prêt à risquer ma carrière pour le prouver.

— Tu l'as déjà fait, mon vieux. Et nous savons tous les deux quelle partie de ton anatomie prend tes décisions… Ne la laisse pas t'embrouiller. Mets-la en confiance, mais garde les idées claires. Et appelle-moi dès qu'elle se décidera à parler. C'est *mon* enquête.

— Dis donc, à t'entendre parler ainsi, j'ai du mal à croire que cela ne fait que quelques mois que tu travailles aux homicides, dit Mitch sur le ton de la plaisanterie, dans l'espoir de détendre un peu l'atmosphère.

Kick lui fit un sourire penaud et fourra ses mains dans ses poches.

— Oh ! ça va ! Mais n'oublie pas de la faire parler. Ouvre tes oreilles mais pas ta braguette, compris ?

Sur ces mots, Kick laissa tout en plan sur la table et se dirigea vers la porte.

— Où vas-tu ?

— Je suis de sortie ce soir, je ne rentrerai pas cette nuit, répondit Kick avec un sourire entendu. Appelle-moi si tu apprends quoi que ce soit, d'accord ?

— Merci de nous laisser dormir chez toi.

— *Mi casa es su casa.*

Kick lui fit un signe de la main et sortit par la porte arrière qui menait au garage.

— D'accord, marmonna Mitch. Nous ferons comme chez nous.

Plus tard dans la soirée, Robin s'installa dans le bureau de Kick Taylor. Utiliser son ordinateur personnel sans le lui avoir demandé la mettait un peu mal à l'aise.

— Tu es sûr que ça ne le dérange pas ? Nous devrions peut-être l'appeler pour lui demander.

Elle l'alluma enfin et fut étonnée de ne pas devoir rentrer de mot de passe. C'était la première ligne de défense. Beaucoup de gens ne songeaient pas à protéger leurs ordinateurs personnels parce qu'ils vivaient seuls, sans penser qu'un invité puisse être curieux.

— Impossible, il est chez sa petite amie, expliqua Mitch. Je crois que nous le dérangerions davantage en l'appelant. Et puis nous devrions lui dire pourquoi on veut utiliser son ordinateur…

— Ah oui, bien sûr.

Ce n'était pas comme si elle s'apprêtait à violer l'intimité de l'inspecteur. Elle souhaitait simplement se connecter à internet et elle veillerait, quand elle en aurait fini, à effacer l'historique de ses connexions.

En quelques clics, elle était connectée à la base de données dont elle se servait d'habitude pour se renseigner sur des clients potentiels. Elle tapa l'un des noms figurant sur la liste du CD et une page remplie d'informations sur l'homme en question s'afficha instantanément.

— Comment as-tu fait ça ? s'exclama Mitch.

— C'est parfaitement légal, répondit-elle en haussant les épaules. Je suis abonnée à cette base de données. Tu veux imprimer ça ?

— Oui, bien sûr, dit-il en s'asseyant à côté d'elle. Crois-tu pouvoir trouver autant d'informations sur tous les autres noms de la liste ?

— Je ne sais pas. Lis-moi les noms au fur et à mesure et nous verrons.

Pour chaque homme, elle trouva un fichier contenant des renseignements sur son métier, son âge, son état civil, son adresse et sa situation financière.

— C'est génial, dit Mitch en lisant les pages qu'elle avait imprimées. Toutes ces informations sont à jour, d'après toi ?

— Difficile à dire. Attends une minute.

Elle accéda à un autre site internet et continua ses recherches.

— Ah, celui-ci est décédé…

— Décédé ? Depuis quand ?

Elle lui montra la date sur l'écran, puis entra les autres noms. Tous étaient morts dans les trois derniers mois. Tous, sauf Rake Somers.

— C'est pas vrai ! s'écria Mitch.

Robin s'assura qu'elle n'avait pas laissé de traces de ses recherches dans la base de données avant de se déconnecter pour accéder à un troisième site qui leur fournit d'autres détails, d'ordre très personnel cette fois.

Mitch lut les informations que Robin avait collectées sur Rake Somers et les autres.

— Tu as réussi à obtenir plus d'informations que nous n'en avons dans notre dossier sur Somers. Je pense que nous avons découvert qui est à la recherche de ce disque. Mais la question c'est « pourquoi » ? Vois-tu des points communs entre lui et James ?

— Non, je ne vois pas.

— Je n'arrive pas à croire que tu aies trouvé tout ça. Aucun secret n'est à l'abri.

— Pas même les tiens, répondit-elle en tapotant la feuille sur le dessus de la pile de papiers.

— Tu t'es renseignée sur moi ? s'étonna-t-il.

— Non, bien sûr que non. Je te rappelle que je n'ai pas eu accès à un ordinateur depuis que nous nous sommes rencontrés, hormis celui de ta sœur. Et je te jure que je ne le ferai pas. Tes secrets ne me regardent pas.

— Vas-y, répliqua-t-il d'un air de défi. Tu ne trouveras pas grand-chose sur moi. Je n'utilise pas internet pour regarder mes comptes en banque, investir ou faire des courses. Je n'ai pas confiance.

Robin était très tentée de lui montrer qu'il avait tort. Mais il lui semblait que c'était une mauvaise idée…

— Fais-le, insista-t-il. Je veux voir ce qu'on peut trouver sur moi. Le suspense est trop grand et je vois bien, à ta tête, que tu sais quelque chose que je ne sais pas.

Hésitante, Robin se rendit sur un autre site internet et tapa le nom de Mitch. Plusieurs Mitch Winton apparurent, mais seulement un vivait à Nashville.

— Te voilà, dit-elle.

— Ah, tu vois ! Nom, numéro de téléphone, adresse postale et courrier électronique. Rien de bien compromettant.

Il s'était levé de sa chaise et était allé s'installer dans le canapé du bureau de Kick. Robin, incapable de résister, surligna son nom et cliqua. Toute une page d'informations apparut à l'écran.

— Tu t'intéresses aux armes anciennes, tu aimes la cuisine cajun et ton auteur préféré est Nelson DeMille. Veux-tu en savoir plus ? demanda-t-elle avec un sourire malicieux. Le nom de jeune fille de ta grand-mère, peut-être ? Combien il y a sur ton compte courant ? La situation de tes crédits à la banque ?

Il se leva d'un bond et vint regarder l'écran au-dessus de son épaule.

— Quoi ? Mais comment ont-ils obtenu toutes ces informations ? s'exclama-t-il, abasourdi.

Elle détourna les yeux de l'écran avant d'apprendre des choses qu'il ne voulait peut-être pas qu'elle connaisse.

— Tu as des cartes de crédit, tu vas sur internet même si tu n'achètes pas en ligne. Et le système informatique de ta banque est bien plus vulnérable que tu ne le penses, ou que ta banque ne le sait. Tu as postulé à différents emplois et je suis prête à parier que la police a déjà effectué une enquête interne sur ta situation personnelle.

— Mais rien de cela n'a été fait sur internet !

— Cela ne change rien. Les entreprises ont toutes des fichiers informatisés. Elles les partagent, parfois sans le savoir. Si je cherchais un peu plus, je pourrais retracer toute ta carrière professionnelle. En cherchant bien, n'importe qui pourrait y avoir accès, il suffit d'être un peu intéressé.

Il avait appuyé ses mains sur le bord du bureau et se penchait tout près d'elle. Son regard quitta l'écran et vint se fixer sur le sien.

— L'es-tu ? Intéressée ? s'enquit-il à voix basse.

Robin voulut reculer, mais elle en fut incapable. Son visage était tout près du sien, elle en voyait chaque détail — les petites ridules au coin de ses yeux, par exemple. Ses yeux bleu clair, si intenses dans la lumière tamisée.

Le parfum de son après-rasage, à peine perceptible, et son odeur à lui, légère et subtile, l'attiraient irrémédiablement. Il avait les lèvres légèrement entrouvertes, comme s'il attendait qu'elle l'embrasse. Elle n'allait pas l'embrasser de nouveau. Non. Mais elle ne parvenait pas à tourner la tête non plus.

— L'es-tu, Robin ? demanda-t-il encore dans un murmure.

— Qu… quoi ?

Elle ne parvenait pas à réfléchir, son cerveau était une page blanche, une ardoise sans craie, un cœur sans…

— Intéressée ?

— Oui, souffla-t-elle.

Les lèvres de Mitch s'écartèrent en un sourire, un sourire doux et heureux qu'elle ne put que lui rendre même si elle savait qu'ils étaient sur une pente dangereuse.

Sa bouche vint caresser la sienne, doucement, lentement — une caresse qui ne dura qu'une seconde, mais quelle seconde ! Un baiser d'une tendresse irrésistible…

Soudain, tout s'accéléra. Mitch s'agenouilla à côté d'elle, ses doigts glissant dans ses cheveux, et sa bouche — cette bouche incroyablement sculptée — lui accorda enfin le répit qu'elle désirait si ardemment.

Lentement, il relâcha son étreinte et plongea son regard dans le sien ; une expression mêlant émerveillement et surprise passa sur son visage. Ses mains glissèrent le long de son cou, de ses épaules, de ses bras pour venir s'emparer des siennes. D'un air ébahi, il entrelaça ses doigts aux siens.

— Tu me rends fou, dit-il avec un petit sourire.

Robin, prise de court, ne sut que répondre. Voulait-il qu'elle s'excuse ? Qu'elle proteste ? Qu'elle lui accorde la permission ?

— Que veux-tu ? murmura-t-elle.

— Je te veux, *toi,* répondit-il sincèrement. Je ne crois pas… Non, je sais que je n'ai jamais désiré personne comme je te désire.

Cette phrase résonna en elle à travers la douce torpeur

du désir qu'il avait fait naître en elle mais, quelque part, elle eut l'impression d'entendre une petite voix la prévenir. *Tu as déjà entendu cette phrase avant.*

— Jetons un coup d'œil au solde de ton compte en banque, dit-elle d'une voix tremblante.

La réaction de Mitch fut immédiate et lui montra à quel point son insulte l'avait blessé.

— Fais comme tu veux, dit-il en se levant d'un bond et en ramassant les pages imprimées. Si tu crois que tout ce qui m'intéresse est ton argent, tu peux bien faire ce que tu veux. Moi, pendant ce temps-là, je vais essayer de résoudre cette affaire pour que tu puisses quitter Nashville au plus vite.

— Mitch…

La porte du bureau claqua derrière lui. Robin poussa un soupir et revint vers l'ordinateur. Elle savait qu'elle devait se déconnecter. Les affaires de Mitch Winton ne la concernaient pas. Elles ne la concerneraient jamais après ce qu'elle venait de lui dire.

Une part d'elle cependant voulait prendre ce risque et voir jusqu'où ce qu'elle ressentait pour lui pourrait les mener. Heureusement que son cerveau continuait à fonctionner.

Elle fixait l'écran sans le voir. Elle repensait à tous les mauvais choix qu'elle avait faits dans sa vie.

Troy l'avait séduite, elle était tombée amoureuse de son charme factice et de son physique d'apollon. Comment avait-elle pu être aussi naïve ? Elle était bien placée pour savoir que la beauté était trompeuse. James, quant à lui, avait profité de sa vulnérabilité, du fait qu'elle avait eu besoin de quelqu'un. Il lui avait fait croire qu'il avait vu au-delà des apparences et aimé la femme qu'elle était vraiment. En réalité, elle n'était qu'une enfant qui avait désespérément besoin d'être aimée.

Dieu merci, elle avait protégé son argent, et par là même son indépendance, avant de rencontrer ces deux hommes.

James avait-il accepté de ne pas divorcer tout de suite dans l'espoir de la pousser à lui verser de l'argent en contrepartie ? Il n'en avait parlé qu'une seule fois, en riant, lorsqu'ils s'étaient séparés. C'était bizarre, d'ailleurs, qu'il n'ait pas plus insisté. Peut-être avait-il eu plus d'argent qu'elle ne le pensait et n'avait-il pas eu besoin du sien.

Soudain inspirée par ces réflexions, elle entra son nom dans la base de données qu'elle avait consultée plus tôt. Un quart d'heure plus tard, elle poursuivait toujours ses recherches et imprimait des documents petit à petit. Il lui semblait voir enfin les choses clairement, pour la première fois depuis longtemps. Mais pourquoi ne s'était-elle pas renseignée sur lui avant de l'épouser ? Evidemment, à l'époque, il lui restait encore un petit peu de ce qu'elle avait depuis perdu à jamais — la confiance dans les autres.

Mitch parcourut la maison de Kick, vérifiant que portes et fenêtres étaient bien fermées à clé, avant d'aller se coucher. Il dormirait dans l'horrible canapé en cuir du salon. Il se refusait une couche plus confortable, car il voulait avoir le sommeil léger. De toute façon, après ce qui s'était passé avec Robin, il doutait fort de réussir à fermer l'œil. *Ce qui s'était presque passé…*

Il aurait dû écouter son chef et ne pas s'impliquer personnellement dans cette affaire. Robin le prenait désormais pour un vulgaire chasseur de fortune et c'était entièrement sa faute. Pourquoi l'avait-il embrassée juste après qu'elle lui eut avoué sa richesse ? Cela n'avait aucune importance à ses yeux, mais il ne pouvait pas la blâmer d'avoir eu cette impression.

Il étouffa un juron et retourna dans le salon.

Robin l'attendait, assise dans le canapé ; des dizaines de pages imprimées étaient éparpillées sur la table basse. Mitch s'assit dans le fauteuil face à elle avec un soupir. Il ne savait pas quoi lui dire pour la rassurer, lui faire comprendre qu'il n'en avait pas après son argent.

— Tu peux croire ce que tu veux. Je ne me défendrai pas. Je t'ai embrassée parce que j'en avais envie. Si tu veux des excuses, tu les as, je m'excuse.

— Je crois qu'il avait des liens avec la mafia, dit-elle de but en blanc.

— Qui ?

— James ! s'écria-t-elle en pointant son doigt sur la table. Tout est là. Sal Andreini a payé ses études. James avait un diplôme de droit !

Robin était dans tous ses états, il ne l'avait jamais vu dans un tel état d'agitation.

— Tout est ma faute…

— Son diplôme de droit ou ses liens avec la mafia ?

Il savait très bien que ce n'était pas ce qu'elle voulait dire, mais il avait besoin d'une minute pour remettre ses idées en ordre. Ce qui s'était passé entre eux, elle paraissait l'avoir complètement oublié.

— Alors tu as fait des recherches sur lui ?

— Enfin ! répondit-elle avec véhémence. J'aurais dû le faire depuis longtemps. Il avait même changé son nom !

— Ainsi il avait un lien de parenté avec Sal Andreini ?

— Il était son *neveu.* C'est fou, je n'aurais jamais cru qu'il avait des origines italiennes. J'ai cru tout ce qu'il me racontait ! Comment ai-je pu être aussi *stupide* ?

Elle se leva d'un bond et Mitch l'imita. Il lui toucha le bras du bout des doigts.

— Robin, tu n'as pas à t'en vouloir ! Tu n'avais aucune raison de douter de lui. Il devait tenir à toi…

Elle se retourna violemment vers lui. Il ne l'avait jamais vue aussi vivante.

— Non ! Il se fichait bien de moi ! Tu avais entièrement raison. Il se servait de moi, voilà tout.

Pour la première fois, il la vit au bord des larmes. La torture était trop forte. Il ne devait pas la toucher, mais elle avait tellement besoin de réconfort…

— Viens ici, dit-il en la prenant dans ses bras.

Elle résista faiblement, mais il tint bon. Quand elle tenta de s'écarter de lui, il la retint fermement.

— Robin, ne t'inquiète pas… Je ne vais pas t'embrasser, je ne vais pas profiter de la situation. C'est juste un câlin. Tu en as besoin et moi aussi.

Il lui tapota le dos et la sentit céder. Elle enfouit son visage contre sa chemise, secouée de sanglots silencieux.

— Ecoute-moi. James n'était peut-être pas celui que tu croyais, mais il a fait tout ce qu'il pouvait pour te débarrasser de cet homme qui te harcelait, pas vrai ? Ce Troy je-ne-sais-quoi ?

Il la sentit hocher la tête contre son torse.

— Tu vois ? Vu ses liens avec la mafia, son objectif premier devait être de faire profil bas. Alors pourquoi t'avoir épousée, toi, un mannequin célèbre ? Cela n'a pas de sens.

Elle hocha de nouveau la tête sans un mot.

— Il était sincère, il voulait t'aider. Tout ce que j'ai dit sur toi et ton argent, c'était seulement ma jalousie qui parlait. Peu importe quel genre d'homme il était, il avait quand même des sentiments. Et je ne vois pas quel homme n'aurait pas envie d'être ton preux chevalier, princesse.

Elle eut un mouvement de recul et leva les yeux vers lui.

— Pourquoi ?

— Eh bien…

— Non, je veux vraiment savoir. Pourquoi ?

Mitch savait qu'il devait faire attention à ce qu'il disait. Il répondait non seulement à la place de James Andrews, mais surtout en son propre nom.

— Parce que tu éveilles en moi des instincts protecteurs, et je ne doute pas que ce soit le cas de n'importe quel autre homme. Je sais bien que tu n'es pas une petite chose fragile et sans défense. Mais tu dégages quelque chose de profondément bon, une certaine innocence en quelque sorte. N'importe quel homme serait prêt à tout pour préserver cela, pour se montrer digne de ta confiance et de ton admiration. Je suis certain que c'était ce que pensait James.

— Mais il m'a menti.

— Je ne dis pas le contraire. Mais, s'il t'a menti, c'était peut-être pour te protéger justement de tous ses problèmes, pour que tu ne sois pas mêlée à tout ça…

Tendrement, il replaça une mèche de cheveux derrière son oreille.

— Il m'a mêlée à tout ça en me demandant de lui apporter le disque, dit-elle tristement.

— Je parie qu'il était désespéré. Il était au pied du mur, tu ne crois pas ? Sa vie était en danger s'il ne donnait pas ce CD.

— Et je suis arrivée trop tard pour le sauver, murmura-t-elle.

Mitch la prit par les épaules.

— Tu ne peux pas t'en vouloir. Tu ne pouvais pas savoir dans quelle situation il se trouvait, il ne t'avait rien dit. Comment aurais-tu pu le deviner ?

Doucement, il la guida vers le canapé et la fit s'asseoir.

— Montre-moi tout ce que tu as découvert.

Et elle avait découvert bien des choses. Mitch passa tout en revue avec elle. James Andrews n'était pas le dernier des idiots, loin de là. Il avait fait de brillantes études et avait terminé dans les premiers de sa promotion. Les preuves étaient flagrantes, le célèbre parrain de la mafia new-yorkaise avait financé ses études à l'université de Virginie.

Juste après avoir obtenu son diplôme, il avait travaillé dans un petit cabinet d'avocats de Manhattan, où il s'était spécialisé en droit des affaires. Il avait démissionné au bout de deux ans après avoir acquis une bonne réputation. Il avait passé les deux années suivantes dans une société d'investissement en valeurs mobilières avant de démissionner de nouveau. Puis, plus rien. Aucune fiche de paie émanant d'une entreprise privée ou d'une société d'assurances. La piste s'arrêtait là. Apparemment, son oncle Sal l'avait embauché dans le business familial après ces quatre années d'emploi légitime.

Mais quel lien avait la famille Andreini avec Rake Somers, dans le sud des Etats-Unis ?

— Quel sens vois-tu dans tout ça ? demanda Robin. Il travaillait certainement pour son oncle, non ?

— Nous ne pouvons malheureusement qu'émettre des suppositions pour le moment. Somers et les autres de la liste fournissaient peut-être des services à la famille Andreini. James devait être chargé des comptes et des paiements. Grâce aux comptes *off-shore*, cet argent ne transitait jamais par les Etats-Unis et n'avait pas besoin d'être blanchi. Mais l'un d'entre eux a dû vouloir plus chercher à obtenir tous les numéros de compte.

— Rake Somers, tu veux dire ?

— Je ne vois que lui. Tous les autres sont morts.

Robin soupira. Toute sa colère semblait avoir laissé place à la fatigue.

— James est probablement venu à Nashville pour superviser les affaires des Andreini avec ces hommes.

— Oui, je pense. Son oncle a dû l'envoyer pour garder un œil sur ce qui se passait ici.

— Mais où est le rapport avec la Russie ? Je ne comprends pas.

— La mafia russe est très forte à New York. Ils collaboraient peut-être avec la famille Andreini. Cela s'est déjà vu. Quoi qu'ils aient fait ensemble, c'est au moment du paiement que leurs relations ont dégénéré.

Il tapota sa main d'un geste rassurant.

— Ne t'inquiète pas. Nous découvrirons le fin mot de l'histoire. Ta contribution à l'enquête a été précieuse. Le procureur sera aux anges. Et les fédéraux aussi, je pense.

Robin eut un sourire las.

— Non, je t'assure. Tu sais, tu pourrais te faire embaucher par le bureau local du FBI, je suis sûr qu'ils auraient besoin de tes compétences dans leurs investigations.

— Je n'ai pas besoin d'un travail.

— Ah, c'est vrai.

Pendant une minute, il avait oublié qu'elle était assez riche pour ne pas travailler.

— Parce que j'ai déjà un travail, ajouta-t-elle.

— La conception de sites internet.

— En fait, dit Robin un peu gênée, concevoir des sites n'est pas mon activité principale. C'est juste quelque chose que je fais pour nourrir ma créativité. J'ai un autre métier dont je ne t'ai pas parlé. Tu l'aurais sans doute découvert étant donné que l'on m'interrogera sur la façon dont j'ai réussi à obtenir toutes ces informations sur James et les autres. On peut acheter certains renseignements si on sait à qui demander, mais j'ai également recours à des sources non autorisées.

Elle ne cessait de le surprendre et de l'intriguer. En plus d'être incroyablement belle, elle était intelligente, bien plus intelligente même qu'il ne l'avait pressenti.

— Alors ? Que fais-tu exactement ?

— Je suis testeur d'intrusion.

— Qu'est-ce que c'est ?

— Je suppose que certains diraient que c'est la même chose qu'un hacker. En gros, une entreprise publique ou privée embauche quelqu'un pour tester la sécurité de son système informatique. Les administrateurs réseau testent rarement les systèmes qu'ils ont installés pour voir s'ils sont capables de résister à une véritable intrusion. Ils les dotent de serveurs de proximité et de pare-feux, mais quelqu'un doit vérifier que tout fonctionne correctement. La plupart du temps, ce n'est pas très efficace.

Mitch éclata de rire.

— On te paye pour fouiner et espionner, c'est ça ? Incroyable.

— C'est même bien payé. On me demande souvent aussi de traquer des hackers travaillant sans autorisation. Comme je l'ai fait ce soir…

Ebahi, il secoua la tête. Puis il serra sa main.

— Tu es vraiment surprenante, tu sais ?

Robin retira sa main et le dévisagea.

— Je m'excuse de ce que je t'ai dit tout à l'heure, dit-elle. Les histoires d'argent ont tendance à me rendre un peu paranoïaque.

— Ce n'est pas grave, répondit-il en souriant. Si j'avais autant d'argent que toi, je serais pareil. Mais sache que ce n'est pas ton argent qui m'intéresse, Robin. Tu m'attirais bien avant que tu ne m'avoues ta fortune.

Il voyait bien qu'elle avait envie de le croire.

— Je ne suis pas très sociable, dit-elle en regardant le sol.

— Tu me l'as déjà dit. Mais je pense que tu l'es bien plus que tu ne le penses. Ma famille t'a beaucoup aimée. Je t'aime bien aussi. Beaucoup, même.

Leur conversation prenait un tour dangereux. Robin semblait d'ailleurs très gênée, elle avait rougi jusqu'aux oreilles.

— Merci, répondit-elle. Moi aussi, je t'aime bien, mais je pense que nous devrions garder des rapports strictement… professionnels.

Sa réponse agit sur Mitch comme une douche froide. Il avait envie de la prendre dans ses bras et de l'embrasser jusqu'à en perdre la raison. Il voulait la secouer pour qu'elle sorte enfin de sa coquille, de cette armure qu'elle s'était créée pour se protéger. Mais il devait respecter ses désirs et se plier à sa volonté.

Elle leva les yeux vers lui, attendant sa réponse d'un air inquiet.

— Très bien. Nos rapports resteront professionnels pour le moment. Mais j'aimerais bien que nous restions amis quand toute cette histoire sera terminée, si tu es d'accord. Je pourrais t'appeler de temps en temps pour prendre de tes nouvelles. Si un jour je viens à New York, nous pourrions sortir dîner quelque part. Qu'en penses-tu ?

— Vraiment ? fit-elle avec un grand sourire. Ce serait super. Je pourrais te faire visiter la ville ! Il y a tant de choses à voir et à faire !

— Oui, cela me ferait très plaisir.

Il n'eut pas le cœur de lui avouer qu'il était déjà allé à New York et qu'il avait beaucoup voyagé. Et puis être à New York avec elle, ça n'aurait pas du tout la même saveur…

Robin était décidément une femme à part, un mélange contradictoire de sophistication et de vulnérabilité absolument irrésistible. Comment allait-il pouvoir lui résister pendant le temps qu'il leur restait à passer ensemble ? Et comment la protégerait-il, une fois qu'elle serait partie ?

11

Robin sentait la fatigue dans tout son corps. Ses paupières étaient si lourdes qu'elles se fermaient toutes seules. Elle réussirait peut-être à dormir, après tout.

Plus tôt, Mitch lui avait ordonné d'aller se coucher. Elle avait essayé de dormir, mais rien n'y faisait. Une heure plus tard, elle s'était relevée pour aller dans la cuisine chercher un verre de lait, espérant que cela ferait l'affaire. Mais, voyant Mitch endormi dans le canapé, elle avait rebroussé chemin sur la pointe des pieds, craignant de faire du bruit et de le réveiller.

Au lieu de retourner dans la chambre d'amis, elle avait décidé d'essayer de faire quelque chose de productif. Elle se sentait encore un peu coupable d'utiliser l'ordinateur de leur hôte sans son autorisation, mais elle était quand même allée dans le bureau de Kick. Peut-être découvrirait-elle d'autres informations permettant d'expliquer la mort de James.

Elle ne trouva rien dans les archives des journaux de New York, du New Jersey et de Nashville. Quelques-uns des hommes de la liste avaient des casiers judiciaires, mais rien de sérieux. Ils n'avaient jamais été condamnés. Tous étaient des hommes d'affaires d'une cinquantaine d'années sans point commun apparent.

— Oh, non ! Je parie que tu as appris que j'avais eu une très mauvaise note en maths.

Robin sursauta et fit pivoter le fauteuil de bureau pour être face à lui.

— Je n'arrivais pas à dormir, dit-elle.

Mitch lui tendit un verre de vin.

— Je sais. Je t'ai entendu te balader tout à l'heure. Le vin t'aidera peut-être à dormir. Du nouveau ?

— Rien de spécial. Je n'en sais pas plus que ce que nous savions déjà, répondit-elle en se déconnectant.

— Ce que nous avons deviné, dit-il avec un sourire bienveillant. Il est 2 heures du matin, tu sais ?

Robin se leva, posa son verre de vin et s'étira.

— Je sais. Et j'ai sommeil. Merci pour le vin.

— De rien.

Il laissa son regard brûlant descendre le long de son corps, en prenant tout son temps. Il s'attarda sur son T-shirt bon marché, hésita quand il arriva au haut de ses cuisses, là où le T-shirt s'arrêtait, puis suivit la ligne de ses jambes.

— Waouh, souffla-t-il dans un murmure.

Robin résista à l'envie de se faire toute petite et resta plantée devant lui, gênée d'être si court vêtue. Elle était coiffée n'importe comment, ses seins étaient trop petits et ses pieds trop grands. Au moins, maintenant, il avait tout vu d'elle, le meilleur comme le pire.

Enfin, ses yeux rencontrèrent les siens. Il eut un sourire penaud.

— Désolé. Je n'ai pas pu m'en empêcher. Mais tu es tellement belle, c'est incroyable.

Elle se garda bien de lui renvoyer le compliment, mais elle ne put s'empêcher, elle non plus, de le dévorer du regard. C'était la première fois qu'elle le voyait torse nu et elle admira — elle espérait discrètement — ses épaules larges, sa taille mince et son ventre plat.

Elle détourna vite le regard.

— Je crois que nous ferions mieux de retourner nous coucher.

Il émit un petit rire.

— Oui. Je pourrais avoir des idées qu'un ami ne devrait pas entretenir. Tu as de sacrées jambes, en tout cas. Tu sais que tu es la seule femme que je connaisse qui ait de beaux genoux ? Certaines filles ont de belles cuisses, des mollets bien dessinés, de jolies chevilles et même de beaux doigts de pied... Toi aussi, bien sûr. Mais je n'ai jamais vu d'aussi jolis genoux.

Robin retint un rire nerveux. Mitch s'était retourné et disparaissait dans le couloir, secouant la tête et marmonnant dans sa barbe.

Robin le suivit et éteignit la lumière. Elle appréciait qu'il réussisse à parler aussi ouvertement de son attirance pour elle. Il réussissait même à la tourner en dérision. Elle, par contre, en était bien incapable.

C'était rare qu'un homme la fasse rire. Et elle n'avait encore jamais ressenti l'envie de ricaner bêtement, comme une adolescente. Tout cela la surprenait.

Perdue dans ses pensées, elle ne s'était pas rendu compte que Mitch avait rebroussé chemin dans le couloir sombre et elle lui rentra en plein dedans. Il la saisit par les épaules, déposa un baiser chaste sur son front et la fit se retourner.

— Ta chambre est par là, dit-il en la poussant doucement. Dors bien, ma belle.

Toutes ces années, elle avait attendu. Attendu qu'un homme éveille une part d'elle qu'elle commençait à désespérer de découvrir un jour. Elle se croyait incapable de désirer quelqu'un. Pourquoi était-ce tombé sur lui ? Le mot « désir » n'était pas assez fort pour décrire ce qu'elle ressentait. Ce n'était qu'un doux euphémisme. Mon Dieu, elle n'arriverait jamais à dormir...

Mitch se laissa tomber dans le canapé de Kick et se prit la tête dans les mains.

C'était moins une. Il avait dû faire appel à toute sa volonté pour ne pas la plaquer contre le mur de ce couloir noir et s'emparer de son corps. Mais il savait que cela gâcherait tout entre eux, et c'était pour cela qu'il s'était raisonné.

Elle aussi avait envie de lui, il n'en avait pas l'ombre d'un doute. Enfin, elle avait retiré son masque. Son visage était désormais un livre ouvert sur toutes ses émotions. Elle le désirait, se répéta-t-il sans parvenir à y croire. Comment une femme aussi belle qu'elle pouvait avoir envie de lui ? Etait-ce l'intimité qu'ils étaient forcés de partager qui créait cette attirance ?

Il n'aurait qu'à faire avec, se dit-il avec un soupir résigné. Il avait une responsabilité envers elle, celle de la protéger, et il devait s'en montrer digne.

Il se leva et se mit à faire les cent pas. Il avait rarement été aussi tendu. Il avait envie de sortir et de courir aussi vite et aussi loin qu'il le pouvait. Mais il ne pouvait pas la laisser seule. Kick avait un vélo d'appartement, se souvint-il soudain. Il l'avait vu lorsque lui et d'autres collègues l'avaient aidé à emménager. Un peu d'exercice physique lui ferait le plus grand bien et l'aiderait peut-être à dormir.

Il traversa le couloir sur la pointe des pieds jusqu'à la dernière chambre et alluma la lumière. Il n'y avait pas de plafonnier dans la pièce, seulement une lampe dans un coin qui éclairait faiblement le mur et le plafond.

Le vélo était un modèle dernier cri, comme tout le reste de l'équipement de cette salle de gym improvisée.

Mitch ôta son pantalon et commença sa séance de sport. Une demi-heure plus tard, il était trempé de sueur, les muscles de ses jambes le brûlaient et il avait soif. Mais des visions de Robin en petite tenue le torturaient toujours.

Lorsqu'il descendit du vélo et qu'il se baissa pour ramasser son pantalon, il la vit. Elle se tenait dans l'ouverture de la porte et le dévorait du regard. Toutes les tensions qu'il avait réussi à apaiser réapparurent en un instant.

— Que se passe-t-il ? Tu n'arrives toujours pas à dormir ?

— Je ne voulais pas être seule, répondit-elle dans un souffle.

Mitch lâcha ses vêtements. Elle s'approcha lentement de lui. Le silence résonnait dans la pièce. Ils n'avaient pas besoin de parler. Son regard lui disait exactement ce qu'elle voulait.

— Tu es sûre ? murmura-t-il.

Elle hocha la tête et souleva le bas de son T-shirt. Il la regarda, fasciné, l'enlever et le jetait à ses pieds. Il en eut le souffle coupé.

Il ouvrit les bras et les referma autour d'elle quand elle vint se blottir contre lui. Comme c'était bon de la tenir dans ses bras, de sentir sa peau contre la sienne, d'entendre sa respiration haletante, d'être caressé par ses longs doigts fins. Sa poitrine, petite et parfaite, était collée contre son torse et il huma avec délice le parfum de ses cheveux.

Il caressa son corps mince et glissa ses doigts sous le tissu satiné qui couvrait à peine ses fesses. Comme sa peau était douce… Il l'attira tout contre lui. La chambre était trop loin. En la serrant fermement contre lui, il recula de quelques pas et ils se laissèrent tomber sur le petit tapis de yoga. D'une main le long de sa peau de velours, il traça le contour de sa hanche, de sa taille fine, puis il prit enfin l'un de ses seins entre ses doigts.

Sa poitrine était d'une telle perfection qu'il aurait pu la vénérer. Divine, c'était bien le mot. Lentement, il referma ses lèvres autour d'un téton pointé. Il lécha d'abord lentement, avec une certaine ferveur, puis plus avidement, son propre corps se faisant l'écho des frissons qui la secouaient.

Sa main frôla son ventre plat, puis plus bas le nœud de boucles qui dissimulait sa destination finale. Sa chaleur enveloppa ses doigts quand il les pressa contre elle et que l'un d'eux s'aventura en elle avec lenteur et détermination. Son cri de plaisir faillit annihiler toute sa volonté.

Elle se mit à bouger contre lui, se frottant toujours plus près, sa main cherchant, trouvant, lui arrachant un râle. Il était sur le point de perdre tout contrôle.

— Maintenant ? demanda-t-il.

— Maintenant, répondit-elle.

Mitch fondit sur sa bouche. Sa réponse passionnée le fit tout oublier, tout sauf le désir ardent de posséder son corps. Comme par réflexe, leurs corps s'assemblèrent parfaitement, et il plongea en elle aussi profondément qu'elle était entrée dans son cœur.

Le plaisir à l'état pur le transperça et toutes ses inquiétudes s'envolèrent aussitôt. Comment tout cela se terminerait, ce qu'il en adviendrait n'avait plus aucune importance. Il n'y avait pas de demain, pas d'hier, il n'y avait que maintenant, un moment hors du temps qui ne serait jamais égalé. Robin était à lui.

Il alla et vint langoureusement en elle, savourant les sensations étourdissantes qui l'assaillaient, la joie absolue d'être enfin en elle, de ne faire qu'un avec elle, la promesse du bonheur tout juste à portée de main. Encore et encore, il donna et il prit, offrit et exigea, n'attendant que son signal pour lui livrer tout ce qu'il était.

Son pouls battait frénétiquement contre sa bouche comme il dévorait son cou. Elle poussa un cri et chercha ses lèvres. Chaude et sauvage. Cela dura une éternité. Une éternité de passion, de ferveur, de délice.

Elle se mit à onduler contre lui de plus en plus vite, répondant à chacun de ses mouvements, tentant d'augmenter le rythme. Il plongea aussi profond qu'il le pouvait et la sentit retenir son souffle, la vit fermer les yeux comme si elle voulait capturer à tout jamais cette émotion.

La voir ainsi lui fit perdre la raison et il s'abandonna à l'instant. Il faufila une main entre eux et la caressa, voulant à tout prix lui donner tout le plaisir qu'elle méritait. Son corps l'enserra, trembla tout autour de lui et l'entraîna dans un orgasme d'une telle puissance qu'il crut en mourir. Mourir de plaisir.

Mitch émit un grognement, le seul son qu'il était capable de produire, et se laissa tomber sur elle. Il ne pouvait plus bouger, pas même ses lèvres. Un sourire béat les figeait.

Robin eut un long soupir d'aise, sa poitrine se levant et se baissant sous lui. Un si joli compliment ne put que le ravir.

Il réussit finalement à rouler sur le côté pour la laisser respirer plus facilement. Elle émit aussitôt un murmure de protestation.

Ce ne fut qu'à ce moment-là qu'il se rendit compte qu'il avait commis la plus grosse erreur de sa vie. La pire erreur qu'un homme puisse faire dans ce genre de situation. A aucun moment, il n'avait pensé à utiliser un préservatif.

Pourquoi ? Cela ne lui était jamais arrivé auparavant, pas une seule fois. Et la seule fois où il couchait avec la femme qu'il aimait, il avait…

Mon Dieu ! *Il l'aimait.* Il aimait Robin. Or, si elle était peut-être venue chercher auprès de lui un peu de réconfort, il ne pouvait pas imaginer la voir tomber un jour amoureuse de lui. Cela n'avait aucune chance d'arriver…

Et si, par miracle, elle décidait un jour qu'elle l'aimait, que ferait-il ensuite ? La demanderait-il en mariage ? Elle n'accepterait jamais. Même s'il signait un contrat de mariage, elle penserait toujours qu'il voudrait se servir d'elle comme d'un trophée, un bel accessoire qui le mettrait en valeur. Si seulement elle n'était pas aussi belle, ou aussi riche. Et aussi méfiante. Il ne pouvait cependant pas lui en vouloir d'être telle qu'elle était, pas après ce qu'elle avait vécu.

Elle manquait aussi de confiance en elle, par moments. Bien sûr, elle savait qu'elle était intelligente. Et elle devait savoir qu'elle possédait de nombreuses qualités, en plus de sa beauté. Le problème, c'était qu'elle était persuadée qu'aucun homme ne voudrait voir plus loin que son apparence pour découvrir la véritable Robin. Mais il l'avait trouvée.

Robin resta allongée et feignit de s'être endormie. Elle n'avait pas envie d'ouvrir les yeux et de le voir. Avait-elle perdu la tête ? Elle connaissait à peine cet homme et elle était nue dans ses bras sur un tapis de sol dans la maison d'un inconnu.

Elle le sentit presser ses lèvres contre sa tempe, tout doucement. Il lui caressa le dos.

— Robin ? murmura-t-il.

— Mmm ? répondit-elle à contrecœur.

— Nous devrions aller au lit. Tu vas avoir froid.

Elle se blottit un peu plus contre lui pour éviter de lui faire face. Il voudrait une explication et elle ne savait pas quoi dire, comment justifier ce qui s'était passé et dont elle était la cause.

— Viens, dit-il en continuant de caresser son dos pour la rassurer.

Elle se redressa, les yeux toujours fermés. Il l'aida à se lever et elle n'eut qu'à passer ses bras dans les manches de son T-shirt. Lorsqu'elle ouvrit enfin les yeux, il avait renfilé son caleçon. Il passa un bras autour de sa taille, la tenant fermement, un peu comme si elle était un enfant.

— Je refuse d'en parler, dit-elle avec force.

— Très bien.

Il était sincère. Il ne l'obligerait pas à le faire. Mais elle crut déceler autre chose dans sa voix. Des regrets peut-être ?

— Et ne me traite pas comme une gamine ! ajouta-t-elle.

Elle se sentait tellement mal à l'aise qu'elle lui en voulait presque, alors qu'il s'était montré si gentil avec elle.

— Désolée, je ne voulais pas dire ça. Je ne le pensais pas.

— Je sais. Ça ne fait rien, répondit-il en déposant un baiser sur son front.

Il avait la main posée sur sa nuque. Sa gentillesse et sa tendresse étaient si touchantes, comment parviendrait-elle à y résister ? Elle nageait en pleine confusion et, perdue dans ses pensées, faillit perdre l'équilibre.

Mitch la rattrapa et, en un geste, la souleva dans ses bras. Robin enfouit son visage contre son torse puissant. Lorsqu'il la déposa sur le lit où elle avait tantôt cherché en vain le sommeil, elle eut envie de le supplier de rester auprès d'elle. Au lieu de cela, elle tira la couette sur elle et ferma les yeux, toujours décidée à éviter son regard.

Elle avait brisé leur accord, pensa-t-elle.

— Veux-tu toujours être mon ami ? demanda-t-elle d'une petite voix qui trahissait toute sa vulnérabilité.

— Toujours, répondit-il immédiatement. Allez, endors-toi, ajouta-t-il en caressant ses cheveux tendrement. Ne t'inquiète pas, Robin.

Elle se contenta de hocher la tête. Si elle parlait, Mitch entendrait qu'elle était sur le point de pleurer.

Elle attendit d'être seule pour le faire.

Le lendemain matin, Robin prit une douche, renfila les mêmes vêtements que la veille et resta longtemps assise sur le lit.

Comment éviter de faire face à l'homme qu'elle avait séduit si honteusement ?

Enfin, « séduit » était un bien grand mot. Elle n'avait pas joué les femmes fatales, loin de là. Elle s'était bornée à aller le voir et à lui faire comprendre clairement ce qu'elle voulait. Sans se poser de question, elle s'était déshabillée devant lui et s'était conduite comme une parfaite idiote. Drôle de façon de célébrer une amitié naissante. Désormais, il la prendrait pour ce qu'elle avait passé sa vie à essayer de ne pas être : un objet sexuel.

Elle ne méritait pas mieux. Comment pourrait-il la respecter intellectuellement après ce qu'elle avait fait ? Elle-même doutait de son intelligence à présent.

Mais elle ne pouvait pas rester à bouder dans sa chambre toute la journée. Elle devait trouver le courage de se lever et de regarder Mitch dans les yeux.

En plus, elle mourait de faim.

Elle se leva et alla ouvrir la porte d'un pas décidé. Elle faillit rentrer dans Mitch. Il se tenait là, une main tendue pour ouvrir la poignée, un plateau chargé dans l'autre main.

— Bonjour ! Je t'ai apporté le petit déjeuner. J'espère que tu aimes les œufs au plat ?

Mitch souriait. Le plateau était dressé pour deux. Outre les œufs, il y avait des toasts, de la confiture et deux tasses de café. Elle recula dans la chambre.

— Merci, mais... Ce n'était pas la peine, marmonna-t-elle.

Il passa devant elle et alla poser le plateau sur une petite table ronde devant la fenêtre.

— Tiens. Mange tant que c'est chaud.

Elle n'en revenait pas. Personne — même pas sa mère — ne lui avait jamais préparé son petit déjeuner auparavant. Sa mère l'avait mise au régime dès son plus jeune âge et ne lui autorisait, pour le petit déjeuner, que des fruits et du yaourt allégé. Arrivée à l'âge adulte, elle n'avait pas changé cette habitude. Elle n'avait jamais mangé d'œuf au plat de toute sa vie.

Mitch prit une tasse de café et s'installa confortablement sur le lit.

— Vas-y, mange.

Robin s'assit sur le petit tabouret à côté de la table et coupa un morceau de blanc d'œuf. C'était un peu gras, vu que l'œuf avait été frit à la poêle. Elle croqua le coin d'un toast beurré.

— Très bon, dit-elle en voyant qu'il attendait son verdict.

Il vint à côté d'elle et lui prit d'autorité le couteau et la fourchette.

— Il faut faire comme ça, dit-il en coupant les œufs en petits morceaux et en les mélangeant.

Le jaune d'œuf coulant se mêla au blanc dans un amalgame peu ragoûtant. Il remit la fourchette dans sa main.

— Goûte-moi ça.

Robin hésita, mais Mitch avait l'air tellement fier de lui qu'elle n'eut pas le cœur de refuser. Elle prit une bouchée. Mon Dieu, c'était délicieux. Ou peut-être avait-elle tellement faim que n'importe quoi lui aurait semblé bon.

— Un délice ! s'exclama-t-elle la bouche pleine.

— Je savais que ça te plairait.

Mitch alla se rasseoir sur le lit. Elle finit son assiette en une minute et étala de la confiture sur un toast. Elle ne s'en autorisait jamais, mais elle fit une nouvelle exception. A ce rythme-là, si elle restait à Nashville, elle pourrait dire adieu à sa silhouette de mannequin.

— Tu sais que je ne pourrai pas manger tout le temps comme ça, dit-elle en avalant sa dernière bouchée de toast.

— Bien sûr que si. Regarde-toi. Mince comme tu es, tu dois pouvoir manger ce que tu veux.

— Tu ne sais pas ce que c'est que de contrôler son poids, dit-elle avec un petit rire amer. J'ai pris au moins cinq kilos depuis que j'ai arrêté le mannequinat. Et je les ai pris seulement parce que ma vie était moins stressante.

— *Moins* stressante ? répéta-t-il d'un air incrédule. Avec tes histoires avec Troy et les incartades de James ?

Robin sourit. Elle se sentait bien plus détendue maintenant

qu'elle voyait que Mitch ne semblait pas vouloir parler de ce qui s'était passé la veille.

— Etre mannequin est un travail difficile et épuisant. Les gens pensent qu'on se fait payer grassement pour passer la journée devant un objectif ou défiler sur un podium. Mais, crois-moi, ce n'est pas aussi facile que ç'en a l'air. On gagne notre argent à la sueur de notre front.

— Alors tu ne comptes pas recommencer un jour ? demanda-t-il d'un air inquiet.

— Grands dieux, non ! Je n'ai jamais eu envie d'être mannequin. C'était ma mère qui m'y a forcée.

— Un peu comme ces mamans qui obligent leurs enfants à jouer dans des publicités ou à participer à des concours de beauté ? J'ai vu un reportage à la télévision à ce sujet. C'était horrible. Le sourire forcé de ces pauvres petites filles… Je ne comprends pas qu'une mère puisse infliger cela à son enfant.

Robin haussa les épaules et soupira.

— Certaines mères vivent leurs rêves par procuration et je crois que c'est ce qu'a fait la mienne. J'ai eu de la chance, je n'ai commencé ma carrière qu'à l'âge de neuf ans. Mais elle n'était pas contente que j'arrête, je crois qu'elle m'en veut encore.

— Neuf ans ? répéta-t-il, furieux. Elle t'a fait travailler à neuf ans ?

— J'ai commencé à poser pour des catalogues de jouets. Tu m'as peut-être vue sur des photos où je jouais aux Barbie. Bien sûr, tu ne devais pas regarder les poupées…

Il lui sourit, mais son sourire lui parut un peu faux, comme s'il feignait une bonne humeur qu'il ne ressentait pas vraiment pour ne pas lui montrer qu'il avait pitié d'elle.

— Oh ! je ne les regardais pas dans les catalogues, mais tu peux être sûre que je jetais un coup d'œil sous leurs jupes quand Susie et Meg laissaient traîner leurs poupées à la maison. Un truc de garçon, j'imagine.

Robin éclata de rire en imaginant Mitch enfant regardant sous les jupes des Barbie de ses sœurs.

— Oh, mon Dieu ! s'exclama-t-elle entre deux fous rires.

— J'adore t'entendre rire, dit-il avec un sourire attendri. Tu jouais à la poupée quand tu étais petite ?

— Evidemment ! Comme toutes les petites filles.

Elle aussi avait organisé de multiples mariages entre Ken et Barbie en rêvant de princesses et de contes de fées. Bien sûr, elle n'avait eu aucun exemple de mariage heureux sur lequel se fonder. Ses parents avaient divorcé quand elle avait quatre ans, et elle n'avait jamais revu son père depuis.

— Tu es enfant unique ?

— J'en ai peur. Pourquoi ? Est-ce que j'ai l'air d'être une enfant gâtée ?

— Non, je me demandais juste comment tu t'amusais, s'il y avait autour de toi d'autres enfants avec qui jouer…

Robin repoussa son assiette sur le plateau en soupirant.

— Non, je n'avais pas de compagnons de jeu. Les seuls enfants que je côtoyais étaient mes collègues de travail, si j'ose dire. J'ai été déscolarisée très tôt, ma mère me faisait les leçons à la maison et ensuite j'ai eu des professeurs particuliers. J'ai quand même réussi à aller à l'Université, tout en continuant à travailler et à vivre chez ma mère.

Mitch secoua la tête.

— J'imagine que tu ne faisais pas souvent la fête. Ça devait être dur. Tout le monde a besoin de s'amuser.

— Je crois que c'est un peu trop tard. Mais j'ai beaucoup apprécié notre expédition au lac. Ça compte aussi…

Elle se leva et prit le plateau.

— Quel est le programme de la journée ? lança-t-elle.

Il la suivit dans la cuisine, sa tasse à la main.

— Je crois que nous ferions mieux de rester ici. Kick

rentrera tout à l'heure et je n'ai toujours pas eu de nouvelles de Damien. Nous allons devoir nous en remettre à la police.

— Oui, tu as raison.

Il lui caressa le bras, comme s'il voulait seulement la toucher, sans trace de la moindre arrière-pensée.

— C'est dimanche aujourd'hui et je vais toujours manger chez mes parents le dimanche. Tu veux y aller ?

Par automatisme, elle pensa à refuser, mais elle ne voulait pas le décevoir. Elle lui avait déjà dit qu'elle n'était pas à l'aise avec les gens qu'elle ne connaissait pas. Il ne l'avait pas écoutée alors et il ne l'écouterait sûrement pas cette fois non plus. Bizarrement, cela lui faisait plaisir. Et puis elle s'était plutôt bien entendue avec sa mère et sa sœur la dernière fois. Il avait dit qu'elles l'avaient bien aimée.

Mitch était proche de sa famille et elle n'avait pas le droit de le priver de leur compagnie juste parce qu'elle était maladroite.

— Pas de problème, répondit-elle d'un ton qui manquait un peu d'enthousiasme. Allons-y.

Il eut l'air si content qu'elle se dit que cela valait la peine de tout endurer. Bizarre comme elle aimait le faire sourire.

Mitch était vraiment surprenant. Elle se sentait bien avec lui. Il savait tenir ses promesses. Il le lui prouvait en ne disant pas un mot de ce qui s'était passé la veille. Pas un mot, pas un regard déplacé ou un sourire en coin indiquant qu'il y repensait. Elle commençait même à avoir confiance en lui…

12

— Qu'est-ce qui te fait sourire, Mitch ?

— Je pensais aux enfants. C'est l'anniversaire de ma nièce aujourd'hui, elle a treize ans. Ce qui veut dire qu'il y aura un gâteau et, connaissant Paula, il sera forcément au chocolat…

Et un kilo de plus ! pensa Robin tandis que Mitch se garait devant la maison de ses parents. Il avait emprunté la seconde voiture de Kick, qui était flambant neuve.

— Merci de m'accompagner, dit-il en lui tapotant la main d'un geste affectueux.

— Merci de m'avoir invitée. On y va ?

Elle ouvrit sa portière et sortit de voiture sans attendre qu'il fasse le tour pour aller lui ouvrir.

Pour la première fois de sa vie, elle avait honte de son apparence. Jusqu'à récemment, elle n'aurait jamais osé sortir ainsi. Ses vêtements étaient propres puisqu'elle les avait lavés et fait sécher chez Kick, mais ils étaient tous froissés. S'il possédait un fer à repasser, elle n'avait pas réussi à mettre la main dessus. Pis, elle portait le même jean et le même T-shirt que la dernière fois qu'elle avait rendu visite à la famille Winton. A part le T-shirt que Mitch lui avait offert à la station-service, c'était tout ce qu'elle possédait.

Elle avait perdu son maquillage quand elle s'était fait voler son sac à main. Heureusement qu'elle avait toujours pris soin de sa peau !

Ses cheveux étaient relativement bien coiffés, mais son

vernis à ongles avait presque complètement disparu. Elle aimait bien ses chaussures, une bonne paire de sabots en cuir qu'elle avait payée moins de dix dollars… Bah, peu importe son apparence, elle n'avait pas le choix, de toute façon.

Mitch ouvrit la porte sans frapper, comme il l'avait fait la dernière fois.

— Tu devrais apprendre à frapper, dit-elle sans réfléchir.

— Pourquoi ? demanda-t-il d'un air étonné, comme si cette idée était incongrue.

Patricia Winton leur fit un signe de la main depuis la cuisine.

— Entrez, vous deux. Tout le monde est dans le jardin !

Robin ne pouvait pas passer par la cuisine sans s'arrêter, comme le fit Mitch. La pièce sentait incroyablement bon et elle huma l'air longuement, les yeux fermés.

— Ça doit être l'odeur du paradis, dit-elle.

— J'ai fait un rôti de bœuf, dit Patricia. Je vous donnerai ma recette.

— Oh ! je ne réussirai jamais à faire ça ! En tout cas, si le goût est aussi bon que l'odeur, je crois que je devrai me remettre au régime dès demain. Parce que je compte bien manger autant que je veux aujourd'hui !

— Tant mieux !

La mère de Mitch lança un petit pain à son fils de l'autre côté de la cuisine.

— Tu as une bière, maman ?

— Elles sont dehors, dans la glacière. Alors, que raconte ce rôti… Robin, pourriez-vous me passer le plat sur la table, s'il vous plaît ?

Ainsi, deux minutes après son arrivée, Robin était déjà complètement intégrée à la fête d'anniversaire. Elle s'installa sur un tabouret haut dans la cuisine et mélangea la salade de pommes de terre. Elle but tranquillement le verre de vin glacé que lui servit Mitch et discuta avec sa mère tandis que celle-ci lui racontait par le menu les activités de tous les enfants dont elle s'occupait.

— Un récital de piano ? J'ai toujours voulu prendre des cours de piano, dit sincèrement Robin en empilant des assiettes. Depuis combien de temps Paula prend-elle des leçons ?

— A peu près deux ans. Mais, vu que son récital a lieu la semaine prochaine, nous pourrons lui demander de nous donner un avant-goût ce soir.

— Et où est la reine de la fête ?

Robin avait aperçu deux jeunes enfants courir dans tous les sens, mais n'avait pas vu d'adolescente.

— Elle se maquille, répondit Patricia en secouant la tête d'un air désolé. Susan lui a offert un nécessaire ce matin et elle n'a cessé de jouer avec toute la journée. Paula pense qu'elle est assez grande pour porter du rouge à lèvres.

Mitch et son père les rejoignirent alors, chacun tenant une bouteille de bière à la main et riant.

— J'ai réparé la grille du jardin pour que les enfants ne puissent pas l'ouvrir de l'intérieur, lança Susan, qui entrait derrière eux, portant des outils. Tu peux laisser Sheba sortir jouer, maman.

Le petit yorkshire en question sautillait joyeusement autour de ses chevilles.

Soudain, Mitch éclata de rire et montra du doigt la porte qui menait à la salle à manger. Robin se retourna pour voir ce qui lui causait une telle hilarité et vit une jeune fille vêtue d'un jean taille basse et d'un débardeur moulant. Son visage était couvert d'une épaisse couche de maquillage et son expression profondément blessée.

Robin donna à Mitch un coup de poing dans l'épaule.

— Arrête de rire immédiatement ! Ne vois-tu pas qu'elle s'entraîne à se maquiller pour son récital ? Les projecteurs rendent le visage tout blanc, elle est obligée de mettre beaucoup de fond de teint si elle ne veut pas ressembler à un cadavre.

Bien décidée à apaiser l'orgueil malmené de l'adolescente, Robin alla se planter devant elle et, avec un haussement d'épaules :

— Moi, c'est Robin, lui dit-elle. Je suis une amie de Mitch. Est-ce que ça t'embêterait si je t'empruntais un peu de poudre ? Un pickpocket m'a pris mon sac à main.

La jeune fille la regarda comme si elle avait perdu la tête.

— Euh… OK, répondit-elle d'un air méfiant.

— Robin est mannequin, dit Mitch avec autorité. Ecoute bien ses conseils de maquillage, Paula, sinon nous te confisquerons toutes ces bêtises et tu ne les récupéreras que quand tu auras l'âge d'en porter.

Robin se tourna vers Mitch et lui lança un regard noir.

— Toi, Mitch Winton, tu ferais bien de la fermer. Paula s'est très bien débrouillée toute seule. Si tu me prêtes de la poudre, reprit-elle en se retournant vers la jeune fille, je te montrerai un secret que j'ai appris à Paris pour ôter les paquets de mascara. Mais, sinon, tu es superjolie, tu as fait du beau boulot.

Elle suivit Paula dans le couloir, attristée de la voir marcher les épaules voûtées et l'air déconfit. Très émue, elle passa un bras autour de ses épaules et se pencha pour murmurer à son oreille :

— Tu veux les épater ? Je vais te montrer tout ce que j'ai appris au cours de ma carrière.

Paula renifla et leva les yeux vers elle. Son sourire était identique en tout point à celui de son oncle.

— Je ne savais pas trop combien en mettre, dit-elle tout bas. Merci d'avoir pris ma défense. L'idée des projecteurs était géniale.

— La première fois que j'ai eu le droit de me maquiller toute seule, j'avais seize ans, répondit-elle.

— Seize ans ?

— Absolument ! Je travaillais déjà depuis plusieurs années et j'étais habituée à ce que quelqu'un d'autre me maquille. Quand j'ai essayé de le faire moi-même, ç'a été un vrai désastre. Ce n'est pas facile.

— Ah ! ça, oui ! s'exclama Paula, qui semblait avoir oublié les moqueries de Mitch.

Le cœur de Robin se gonfla de fierté. Elle s'était fait une nouvelle amie et ça n'avait pas été difficile du tout.

— Cette jeune femme a de la suite dans les idées. Je suis impressionné, fiston.

— Elle m'impressionne, moi aussi, papa. Tu penses que j'ai fait pleurer Paula ? Je ferais peut-être mieux d'aller voir ce qu'elles font. Robin n'a pas trop l'habitude des enfants.

Mitch se leva de son tabouret, mais sa mère l'obligea à se rasseoir.

— Ne va pas te mêler de leurs affaires. Robin se débrouillera bien mieux que toi.

Susan passa un bras autour des épaules de son frère.

— Tu n'as pas à t'en vouloir, dit-elle. Je n'ai pas osé lui donner des conseils ce matin. Je pensais qu'elle n'apprécierait pas trop mon aide après notre conversation au sujet de son petit ami.

— Le dîner est prêt, annonça Patricia. Je suppose que nous n'avons plus qu'à attendre que nos filles sortent de la chambre de Paula. Elles peuvent en avoir pour un moment… Quelqu'un veut une autre bière ?

Nos filles. Mitch eut un pincement au cœur en entendant sa mère parler de Robin avec une telle affection. S'il lui avait demandé de l'accompagner au traditionnel repas familial du dimanche, c'était aussi pour voir comment elle réussirait à trouver sa place parmi les siens.

Apparemment, elle n'avait eu aucune difficulté. Jouait-elle la comédie ? Faisait-elle un effort pour le remercier de l'avoir aidée ? S'il avait été à sa place, il aurait eu le plus grand mal à s'adapter à la vie à New York.

Leurs existences étaient si différentes. Ils n'avaient rien en commun. Rien, à part une enquête sur un meurtre. Et une nuit inoubliable… Jamais il n'avait éprouvé un tel sentiment de plénitude, de perfection. Jamais il n'avait aimé une femme comme il aimait Robin.

— Ça ne marchera jamais, dit-il à haute voix.

— Ne sois pas idiot, répondit sa mère. C'est la femme qu'il te faut.

Son père hocha vigoureusement la tête et Susan lui fit un clin d'œil complice.

Plus tard, alors qu'ils s'installaient dans la voiture de Kick pour rentrer chez lui, Mitch se demanda si sa famille avait raison. Il l'aimait, c'était certain. Mais ressentait-elle la même chose ?

Il resta silencieux pendant presque tout le trajet. Robin souriait. Elle semblait avoir passé une bonne journée.

— Merci de t'être occupée de Paula, finit-il par lui dire. Tes conseils ont fait toute la différence, elle était très jolie.

— Elle est adorable, très ouverte et bourrée de talent, répondit Robin.

— Elle s'intéresse un peu trop aux garçons, si tu veux mon avis.

— Oh ! je crois que tu n'as pas trop de soucis à te faire. Nous en avons longuement parlé et elle n'est pas aussi naïve que tu le crois.

Sa réponse le rassura. Ce n'était pas facile pour lui de parler de ce genre de choses avec une adolescente.

— Merci encore. Je suis sûr que tu lui as donné pleins

de bons conseils. Grâce à toi, elle risque moins de se faire briser le cœur, de tomber enceinte ou un truc comme ça…

Mitch se rendit compte trop tard de sa bourde. Il jeta un coup d'œil à Robin. Elle faisait une drôle de tête.

— Tu ne pourrais pas l'être… Si ?

Elle tourna la tête.

— Robin, si…

— Je refuse d'en parler !

Mitch leva les yeux au ciel.

— Robin, ne fais pas l'autruche. Si tu es enceinte… Ce genre de chose ne disparaît pas juste parce qu'on n'a pas envie d'y penser…

Mais une grossesse non désirée n'était plus synonyme de fatalité, pensa-t-il soudain. Elle pourrait très bien ne rien lui dire et s'en occuper seule, avec l'aide d'un médecin…

— Robin, s'il te plaît. Dis-moi que tu ne ferais pas ça…

Elle lui lança un regard noir.

— Non, je ne le ferais pas ! Et tu n'as pas à t'en soucier ! Laisse tomber, OK ?

Non, il ne laisserait pas tomber. Cette idée n'était pas aussi saugrenue. L'idée de Robin portant son enfant ne le faisait pas paniquer. Au contraire, elle l'intriguait.

— Ce n'est pas quelque chose qu'une femme devrait traverser seule. Est-ce que tu m'épouserais ?

— Ce serait absurde. Je te connais à peine !

— Bibliquement, tu me connais mieux que quiconque, dit-il en souriant.

Elle eut un soupir excédé.

— Ne me dis pas que je suis la seule femme avec laquelle tu as couché, je sais bien que c'est faux.

— Non, bien sûr, tu n'étais pas la première, mais… Avec les autres, ce n'était que du sexe. Je n'avais jamais vraiment fait l'amour auparavant. Jamais de façon aussi intime, en tout cas. Et puis nous nous entendons bien, tu connais ma famille. C'est facile de tomber amoureux de toi, Robin. C'est déjà fait, d'ailleurs. Je pense même que…

— N'en dis pas plus ! Un mot de plus et je descends de voiture sur-le-champ.

— D'accord, d'accord.

Il n'avait pas voulu la bouleverser. Il avait été bête de penser qu'elle pourrait désirer un enfant de lui. Mais elle aussi avait oublié de se protéger quand elle avait décidé de coucher avec lui. Il voulait juste qu'elle sache qu'il serait là pour elle si leur nuit avait des conséquences imprévues. Ou non.

— Ecoute, je ne veux pas insister, mais je trouve que tu ferais une mère formidable.

Il venait de s'arrêter à un feu rouge. Robin ôta sa ceinture de sécurité et ouvrit sa portière. Mitch dut lui attraper le bras pour l'empêcher de sortir de voiture.

— Attends ! J'arrête d'en parler, je te le jure.

Elle claqua la portière et croisa les bras, regardant fixement devant elle d'un air furieux. Il ne pouvait pas lui en vouloir. Elle n'était pas prête pour ce genre de conversation. Mais il voyait bien qu'elle était inquiète. A cause d'une possible grossesse ou de sa déclaration d'amour ?

Pendant le reste du trajet, personne ne dit mot. Mitch prit un air dégagé et évita de l'observer. De toute façon, il était trop occupé à planifier sa stratégie.

Il devait se débarrasser de tout élément extérieur avant de pouvoir pleinement tenter de la séduire. Mais, quand l'enquête serait terminée, elle serait libre de partir et de retourner à New York… Il devrait donc tout mener de front. Et agir vite.

Robin fut surprise, mais pas déçue, de découvrir que Kick Taylor était toujours absent lorsqu'ils rentrèrent chez lui. Il leur aurait demandé des explications et ils auraient dû lui parler du CD et de tout ce qu'elle avait découvert sur internet. Or, elle n'avait pas la tête à ça. Elle était peut-être enceinte ! Tout le reste semblait beaucoup moins important, tout à coup.

Elle ne pouvait pas en parler pour le moment. Elle n'osait pas croire qu'un bonheur pareil puisse lui arriver. Que dirait Mitch si elle lui avouait qu'elle rêvait depuis longtemps de devenir mère ? Elle avait même pensé sérieusement à l'insémination artificielle, sans jamais oser sauter le pas.

La porte du garage étant bloquée, ils entrèrent par la porte d'entrée principale. Mitch tapa le code de l'alarme.

— Où est-il, à ton avis ? demanda-t-elle.

— Kick ? Oh ! j'imagine qu'il est toujours chez Charlene, mais il devrait rentrer dormir ici parce qu'il travaille demain. Pourquoi poses-tu la question ? Tu as hâte de lui parler de ce que nous avons découvert ?

— Non, au contraire. Je crois qu'il ne sera pas content que nous le lui ayons caché pendant tout ce temps.

— Il sera furieux, en effet. Mais ça lui passera. Tu veux boire quelque chose ?

— De l'eau, merci.

Elle le suivit dans la cuisine. Il lui tendit une petite bouteille et se servit un soda.

— Nous aurions dû rapporter des restes du dîner.

— Oh ! Je crois que j'ai assez mangé pour toute une semaine. Ta mère est une excellente cuisinière, je n'ai jamais rien mangé d'aussi bon. Et c'est une femme formidable. Ta famille est si gentille. Je ne peux pas te dire à quel point je me suis amusée avec eux.

— Nous devrons y retourner bientôt, répondit-il avec un sourire. Tu as entendu comme ma mère insistait. Dimanche prochain, peut-être ?

— Peut-être. Si je suis encore à Nashville…

Robin n'avait pas menti, elle avait passé une journée

merveilleuse avec la famille de Mitch. Mais, à présent, elle se sentait déprimée et très effrayée. La famille Winton l'effrayait. *Mitch* l'effrayait. La vie qu'ils menaient lui était totalement étrangère, mais elle lui faisait envie. Très envie…

Son éducation solitaire et sa carrière de mannequin ne l'avaient pas préparée à fréquenter des hommes comme lui. L'amour inconditionnel, comme celui qu'il partageait avec sa famille, lui était inconnu.

Et elle, une étrangère, suspecte dans une affaire de meurtre, avait été accueillie à bras ouverts ! Comme si elle était déjà des leurs ! Mitch l'acceptait telle qu'elle était, il disait même l'aimer ! Mais Robin savait que tout avait un prix. S'autoriser à tomber amoureuse de Mitch signifierait abandonner la vie de recluse qu'elle avait choisie pour se protéger. Serait-elle capable d'y renoncer ?

La journée qu'elle avait passée avec les Winton lui avait donné un avant-goût de ce qu'était une vie normale. Etait-ce normal, justement, de le désirer tant ? Prendrait-elle le risque d'être aimée pour elle-même ?

Si elle avait été tout à fait honnête à l'époque, elle aurait admis que Troy n'était pas l'homme qu'il lui fallait. Il était égocentrique et ne supportait pas la contradiction.

James, lui, avait tenu à elle. Mais il ne l'avait pas vraiment aimée, et elle non plus.

Avec Mitch, tout était différent. Les sentiments qu'elle éprouvait pour lui étaient bien réels et elle croyait pouvoir lui faire confiance. Elle s'était déjà donnée à lui, physiquement du moins. Elle s'était même carrément jetée sur lui. Cela ne faisait aucun doute, elle s'était laissé surprendre par ses sentiments, et lui aussi, si elle le croyait.

— Robin ? Tout va bien ?

— Oui, oui…

— Non, je vois bien que ça ne va pas. Si c'est à cause de ce que j'ai dit dans la voiture, excuse-moi. Je voulais juste que tu saches que tout irait bien, peu importe ce qui se passe.

— Si ça ne te dérange pas, je vais aller me coucher.

Robin ne savait plus où elle en était. C'était trop. Mitch était trop parfait pour être vrai. Elle devait s'éloigner de lui pour essayer de revenir à la réalité.

— A 8 heures et demie ? s'étonna-t-il.

Elle haussa les épaules. Elle avait besoin d'être seule.

— Allez, reste un peu. Allons regarder la télévision. Je nous ferai un petit en-cas plus tard. Tu m'en veux toujours ?

Oui, elle lui en voulait. A cause de lui, elle espérait pouvoir un jour faire partie de cette famille merveilleuse et heureuse, être aimée et entourée pour plus qu'un dimanche.

Elle accepta néanmoins sa proposition, mais s'installa dans un fauteuil dans un coin de la pièce et non dans le canapé, où il se serait assis à côté d'elle.

— Robin, dis-moi quoi faire pour que tu me pardonnes ?

— Je veux un billet de retour pour New York, répondit-elle sans quitter des yeux la télévision. Je ne sais plus où j'en suis. J'ai besoin de réfléchir.

— Réfléchir ? A quoi ? A moi ?

— Oui.

— Et tu ne veux pas que nous en parlions ensemble ?

— C'est inutile, dit-elle sincèrement. Je ne veux pas en parler parce que je ne sais pas quoi dire ni quoi penser.

Maintenant qu'il lui avait parlé d'avoir un enfant, cette idée l'obsédait.

— Parlons honnêtement, dit Mitch d'un ton apaisant. Je t'ai mise mal à l'aise quand j'ai parlé de la possibilité que tu sois enceinte. Mais c'est la vérité.

— Si je le suis, ce sera entièrement ma faute. J'aurais dû…

Il leva une main pour l'interrompre.

— J'ai été maladroit. Cela ne me traumatiserait pas, mais je sais quel impact un enfant peut avoir sur la vie d'une femme. J'essayais juste de te rassurer et de te dire que j'assumerais ma part de responsabilité. Et bien plus encore ! Robin, j'adore les enfants. J'aimerais notre enfant. Et je t'aimerai, toi. Je t'aime déjà …

Il poussa un long soupir.

— Excuse-moi. Voilà que je recommence. Je ne voulais pas te faire peur. Dieu sait que cela m'a fait peur quand je m'en suis rendu compte.

Un rire hystérique et défensif échappa à Robin. Mitch se renfrogna.

— Ce n'est pas drôle.

— Non, je sais, excuse-moi. C'est juste que je ne comprends pas que tu puisses t'imaginer aimer quelqu'un que tu ne connais que depuis quelques jours. Hier soir, ce n'était que du sexe, Mitch.

— Pour toi, peut-être, marmonna-t-il.

Robin se pencha vers lui. Elle devait tâcher de lui faire comprendre ce qu'elle pensait.

— Je ne voulais pas te vexer. J'ai passé une nuit merveilleuse avec toi, tu le sais. Mais un homme de ton âge ne devrait pas être naïf au point de confondre sexe et amour.

— Naïf ? s'exclama-t-il. Mais qu'est-ce que c'est l'amour pour toi, Robin ? L'admiration et le respect ? Le besoin de protéger l'autre ? De le posséder et de lui appartenir ? Toutes les émotions qui naissent d'une attirance irrésistible ? Une attirance si forte qu'on n'a pas le choix d'y succomber ou non ? Parce que c'est ce que je ressens, moi ! Mais c'est peut-être différent pour toi…

Oh, mon Dieu ! Ils ressentaient la même chose. *Mon Dieu, faites qu'il soit sérieux*, pria-t-elle.

Elle n'eut pas le loisir de répondre car le téléphone sonna.

— Kick m'appelle de son portable, dit Mitch en voyant le numéro s'afficher. Oui, Kick ?

Mitch resta silencieux un long moment. Son expression se fit de plus en plus grave.

— Bon sang, Kick. Que fais-tu au boulot un dimanche soir ? Non, non, ne viens pas. Je viens avec elle. Oui, tout de suite.

Il raccrocha.

— Que se passe-t-il ?

Il baissa la tête et se frotta la nuque. Lorsqu'il leva enfin les yeux vers elle, elle lut dans son regard un mélange de regret et de colère.

— Je crois que nous avons de bien plus gros problèmes que notre définition de l'amour. Le labo a donné les résultats des analyses vendredi après-midi. Kick a parlé à Hunford et au procureur.

— Et ?

— Ils pensent qu'ils ont de quoi t'inculper. Ils veulent te mettre en examen. Il m'a demandé de t'emmener au poste.

Robin crut que son cœur s'était arrêté.

— Mais… mais, je n'ai rien fait ! Je suis innocente, Mitch !

— Je le sais. Mais nous n'avons pas le choix, il faut que tu y ailles. Je vais essayer de rappeler Damien. Il pourra nous conseiller un bon avocat.

Il se leva et lui tendit la main.

— Viens, nous ferions mieux d'y aller.

Elle prit sa main et le suivit, restant légèrement en arrière.

— Je pourrais payer la caution…

Robin pensait même à s'enfuir. Elle avait assez d'argent pour se cacher n'importe où dans le monde jusqu'à…

— Robin, je vais être honnête avec toi. Une libération sur caution n'est pas possible quand il s'agit d'un homicide volontaire. Un avocat pourra peut-être plaider l'homicide involontaire puisque tu n'as pas apporté l'arme avec toi, ils auront du mal à prouver la préméditation. Je ne sais pas.

Parvenu devant la porte d'entrée, il se tourna vers elle, posa ses mains sur ses épaules et plongea son regard dans le sien.

— Ecoute-moi bien. Tu devras peut-être rester là-bas jusqu'à ce que j'arrive à trouver l'ordure qui a tué James. Mais je le trouverai, Robin, je te le jure solennellement. Fais-moi confiance.

Robin passa ses bras autour de la taille de Mitch et se blottit contre lui. Elle aurait tout donné pour passer l'éternité dans ses bras. Mitch prouverait son innocence. Elle devait lui faire confiance. Elle n'avait personne d'autre.

Elle sentit sa réticence quand il s'écarta d'elle.

— Si nous n'y allons pas maintenant, ils enverront quelqu'un pour venir te chercher.

Elle n'avait aucune raison de s'attarder, n'avait rien à prendre avec elle. Elle soupira et essuya ses yeux humides du revers de la main.

— Que vas-tu faire du CD et des informations que nous avons imprimées ?

Mitch hésita avant de répondre.

— J'ai laissé les papiers dans le coffre-fort de mon père cet après-midi. Le CD est rangé sur les étagères de Kick, avec le reste de sa musique. Je veux montrer le tout à Damien discrètement avant de le livrer à la police. Il parle plusieurs langues et pourra peut-être traduire une partie du document.

— Mais ça ne t'attirera pas des ennuis si tu gardes le disque ?

— Ça n'a pas d'importance, répondit-il en lui prenant le visage entre ses mains. Robin, ne dis rien, d'accord ? Ne réponds à aucune de leurs questions. S'ils essaient de te mettre la pression, dis-leur que tu attends ton avocat. Je te trouverai quelqu'un de bien. Tu n'auras pas à attendre trop longtemps.

— J'ai un avocat à New York.

— Non, il te faut un avocat spécialisé dans les affaires criminelles. Pas quelqu'un qui s'occupe de contrats et d'investissements. Damien a un diplôme de droit, il n'exerce pas, mais il pourra me conseiller quelqu'un. Et je suis sûr qu'il m'aidera à trouver le coupable. Attends-moi là-bas sans rien dire à personne et essaie de ne pas trop t'inquiéter.

— Ça ira, ne te fais pas de souci.

Il ferma les yeux et fit la grimace.

— Ce ne sera pas agréable, Robin. Ils te fouilleront et te mettront dans une cellule.

— Ne t'inquiète pas pour moi, ça ira, insista-t-elle.

Elle était terrifiée, bien sûr, mais Mitch était mort d'inquiétude et voulait à tout prix le rassurer.

— Allons-y, dit-elle en prenant son courage à deux mains. As-tu besoin de me passer les menottes ?

— Mon Dieu, non ! fit-il d'un air horrifié. Mais ils le feront peut-être à notre arrivée…

— Je suis forte, Mitch. Et je le resterai, je te le promets.

Mitch ferma la porte à clé derrière eux et Robin jeta un dernier regard à la maison où elle avait passé la nuit la plus inoubliable de sa vie. Main dans la main, ils marchèrent jusqu'à la voiture de Kick qu'ils avaient laissée à l'air libre. Il faisait noir et ils ne remarquèrent pas la camionnette sombre garée devant eux avant que ses portières ne s'ouvrent soudain à la volée.

Sans un mot, Mitch la poussa et elle tomba sur la pelouse. Elle entendit le coup de feu partir au même moment. Mitch s'effondra sur elle, un poids mort, lui coupant la respiration.

Elle tenta frénétiquement de le repousser, mais il ne bougeait pas. Ses mains étaient couvertes de sang. *Oh, mon Dieu !* Le sang de Mitch !

Des bruits de pas se rapprochèrent. Deux hommes.

Ils attrapèrent Mitch et le poussèrent de côté. Dans la

nuit, elle ne voyait que leurs silhouettes. Ils fondirent sur elle et la tirèrent jusqu'à la camionnette. Elle cria et se débattit. S'ils l'emmenaient avec eux, elle ne pourrait pas appeler les secours et Mitch perdait du sang.

Sa peur panique qu'il meure décupla ses forces. Elle parvint à se libérer de l'emprise d'un des deux hommes et frappa l'autre aussi fort qu'elle le pouvait.

Le premier leva son poing vers elle et, dans son dernier moment de conscience, elle tenta vainement d'éviter le coup.

13

Robin ne fut pas longtemps inconsciente. Quand elle reprit ses esprits, le véhicule dans lequel elle était roulait encore. Elle avait les mains liées et les yeux bandés.

Les émanations du pot d'échappement étaient presque suffocantes et elle n'avait pas la place de bouger. Elle devait être dans le coffre. Elle tenta de tortiller ses poignets mais le Scotch épais dont les hommes s'étaient servis pour la ligoter lui coupait la circulation du sang.

Elle ne pouvait rien faire. Tout cela avait un rapport avec le CD, elle en était certaine. Les hommes qui l'avaient enlevée étaient les mêmes qui avaient tué James.

Elle tâcha de ne pas paniquer. Mitch était peut-être encore vivant. On les attendait au poste de police. En ne les voyant pas arriver, quelqu'un irait les chercher. Probablement Kick.

Il appellerait des secours. Si Mitch reprenait connaissance rapidement, quelqu'un tenterait de venir la sauver. Elle s'efforçait de rester positive, mais le doute l'assaillait. Et si Mitch tombait dans le coma ? Et s'il s'était déjà vidé de son sang ? Elle ne savait pas comment, mais elle devait trouver le moyen de se libérer pour appeler une ambulance.

Garde ton sang-froid. Ne t'affole pas. Elle devait fuir, la vie de Mitch en dépendait, et la sienne. Et peut-être une autre vie, une vie qu'ils avaient créée et dont personne ne connaissait l'existence. Mais elle ne pouvait pas se permettre de penser à cela maintenant.

Elle employa les minutes qui suivirent à reprendre le

contrôle de ses émotions. Quand la camionnette s'arrêta, la peur fusa dans ses veines. Elle ne savait pas du tout à quoi s'attendre, ni où elle était. La porte arrière s'ouvrit. Quelqu'un lui attrapa les jambes et la traîna dehors. On la mit debout. Du gravier blessa ses pieds nus. Elle avait dû perdre ses chaussures sur la pelouse de Kick.

Deux grosses mains la prirent par les coudes et la forcèrent à avancer le long d'une allée. Une porte grinça et ils entrèrent dans un bâtiment. L'air était plus chaud et sentait le bois ciré, le pot-pourri à la cannelle. Une maison, sûrement. Une pression sur ses épaules la força à s'asseoir. Elle était sur une chaise à dos droit, relativement confortable, bien qu'elle ne puisse pas s'appuyer à cause de ses mains liées dans le dos.

— Où suis-je ?

Elle avait parlé d'une voix claire qui la surprit elle-même.

— Il vaut mieux pour vous que vous ne le sachiez pas, répondit une voix d'homme affable. Sinon je devrais vous tuer et ce serait regrettable.

— Par contre, blesser l'inspecteur Winton, cela ne vous fait rien, répliqua-t-elle sur le ton de l'accusation.

— Non. Je m'en réjouis, même.

L'homme n'avait pas tout à fait le même accent que Mitch et sa voix était plus aiguë.

— Cependant, il serait fort dommage de vous réserver le même sort.

— Parce que je suis une femme ?

Il devait s'agir de Rake Somers. Il était le seul de la liste à être encore vivant.

— Non. Parce que vous êtes très divertissante et pleine de ressources. Vous avez séduit ce gentil inspecteur et réussi à éviter la prison. J'admire votre ingéniosité, madame Andrews. Si ce disque avait atterri entre les mains de la police, j'aurais été fort déçu.

— Quel disque ?

Il ignora sa question.

— J'ai donc décidé de faire preuve d'indulgence et de vous laisser la vie sauve. C'est pour cette raison que vous avez les yeux bandés. Vous ne pourrez pas me reconnaître. Vous voyez, vous êtes en parfaite sécurité tant que vous m'obéirez.

Robin ne croyait pas un mot de ce qu'il disait. Il tentait de l'amadouer. Elle décida de jouer le jeu. De toute façon, elle était prête à tout.

— Très bien. Vous êtes prévoyant, c'est une qualité que j'admire. Que diriez-vous de nous associer ?

— Non, mais je vous remercie de votre proposition, répondit-il en éclatant de rire. Je veux que vous me disiez où est le disque.

— Il n'y a pas de disque. Je l'ai détruit. Je ne voulais pas le donner à la police. James m'a dit de m'en débarrasser s'il y avait le moindre risque que quelqu'un d'autre que lui ne mette la main dessus.

Il la frappa soudain et la force du coup faillit la mettre K-O. Son poing avait délogé le bandeau sur ses yeux et, en laissant aller sa tête en arrière, elle réussit à apercevoir son kidnappeur.

C'était un homme imposant d'une soixantaine d'années, avec des cheveux gris et de petits yeux noirs. Très élégant dans son costume impeccable, il se frottait la main avec laquelle il venait de la frapper.

— Reprenons. Et finis les mensonges, compris ?

Robin prit une profonde inspiration. Elle devait le convaincre qu'elle ne représenterait pas de danger pour lui s'il la relâchait.

— Je vous l'ai dit, je l'ai détruit. Mais je sais ce qu'il contenait. Je veux bien vous donner les numéros que j'ai mémorisés pour la moitié de ce que vous demandait mon mari.

— C'est exactement pour ça qu'il est mort, ma chère. Il a été payé grassement pour ouvrir ces comptes bancaires. C'était son boulot. La cupidité est un bien vilain défaut, vous ne trouvez pas ?

— Ce n'est pas de la cupidité, répondit-elle, mais un dédommagement. James ne m'a rien laissé.

— Dites-moi ce qui était sur le disque et je vous relâcherai. Cela me semble tout à fait juste.

Robin se mit à rire.

— Bien sûr ! Vous allez me laisser partir et courir le risque que j'aille directement parler à la police ? Pour qui me prenez-vous ? Il me faut une garantie.

— Vous n'en avez pas besoin. Tout le monde croira que vous avez tué votre mari puis votre amant, l'inspecteur Winton. Votre seule solution est de fuir. Je peux vous garantir le transport jusqu'aux îles Caïmans. Le compte au nom de votre mari est à vous. Mais vous n'y aurez accès qu'une fois que vous m'aurez donné les autres numéros de comptes. Je les veux maintenant. Et ensuite vous direz ce qu'il y avait d'autre sur ce disque. Mot pour mot.

— Le reste était protégé sous forme de code. Je n'ai jamais su ce que c'était. J'ai simplement détruit le disque comme James me l'avait demandé. Je l'ai brûlé et enterré dans le jardin de l'inspecteur Taylor.

Tout en parlant, Robin réfléchissait. James avait un compte à son nom ? Pourtant il ne figurait pas sur la liste. Les autres hommes étaient morts de manière accidentelle, c'était en tout cas ce qu'en avait conclu la police. Mais elle était prête à parier que Somers avait commandité leurs assassinats avant de demander à James les numéros de leurs comptes. James avait sauvegardé tout ce qu'il savait sur le CD pour s'assurer que Somers ne le tue pas, lui aussi. Les numéros de comptes et les noms correspondant auraient servi de preuve aux autorités si James avait choisi de les contacter.

— Alors ? J'attends, dit Somers calmement.

— Très bien. Donnez-moi du papier et un stylo. Je vais vous écrire les numéros. Pour l'autre fichier sur le disque, je suis désolée, mais je ne peux pas vous aider. J'ai réussi à trouver le mot de passe, mais le document était crypté dans une sorte de code.

— Quel genre de code ?

— Je ne sais pas. On aurait dit des symboles. Je n'ai pas trop regardé, cela ne voulait rien dire. Tant que j'ai des fonds, je veux bien disparaître.

Il la ferait tuer, elle en était certaine. Aux îles Caïmans, ce serait plus discret. Et il allait vouloir vérifier que les numéros de comptes qu'elle s'apprêtait à lui donner étaient les bons. Si James avait un compte là-bas, Somers voudrait obtenir cet argent aussi.

— Vous pensez que vous n'avez pas la moindre chance de survie, c'est ça ? dit-il comme s'il lisait dans ses pensées.

— Cela m'a traversé l'esprit, répondit-elle, sarcastique.

— Eh bien, vous avez tort. Je ne veux pas vous tuer. Si j'avais prévu de le faire, je vous le répète, vous n'auriez pas les yeux bandés. Tant que vous ne connaissez pas mon nom, il ne vous arrivera rien. Il y avait au moins cinq noms sur la liste, je pourrais être n'importe lequel d'entre eux ou même quelqu'un d'autre. Vous n'avez aucune raison d'avoir peur. Donnez-moi les numéros de comptes. Dites-les-moi et je les écrirai.

— Et que se passera-t-il ensuite ?

Elle l'entendit soupirer.

— Je vous donnerai des vêtements et des chaussures. Puis nous prendrons l'avion ce soir et irons chercher l'argent. Je vous préviens, ces numéros ont intérêt à être corrects.

J'espère que vous avez une bonne mémoire. Il me faudra aussi le nom de la banque, bien sûr.

Le nom de la banque ? Oh, mon Dieu ! Il devait y avoir des centaines de banques aux îles Caïmans. Elle n'avait pas le choix : bluffer était sa seule solution.

— J'ai une excellente mémoire. Pourrais-je avoir un verre d'eau ?

Il claqua des doigts et, un instant plus tard, un verre toucha ses lèvres.

Quelle banque ? James avait-il donné un indice ? Il avait parlé d'aller aux îles Caïmans, à George Town précisément. Avait-il parlé d'autre chose ? Tout s'embrouillait dans son esprit. Elle devait penser à un nom et vite. Elle termina le verre d'eau, la panique s'emparant un peu plus d'elle à chaque gorgée.

— Pourrais-je en avoir d'autre ?

— Je crois que ça suffit. Vous n'essayeriez pas de gagner du temps par hasard, ma chère ?

— Vous voulez les numéros de comptes ou pas ? Alors donnez-moi un autre verre d'eau !

Feindre la colère était bien plus facile qu'elle ne le pensait, mais c'était à ses risques et périls. La gifle qui en résulta faillit lui faire perdre connaissance. Elle laissa sa tête rouler sur le côté, le sang coulant lentement de son nez.

Combien de temps pourrait-elle feindre l'inconscience ?

Mitch avait réussi à se lever, non sans mal, et à tituber jusqu'à la voiture de Kick. Son pistolet dans sa main gauche, il était appuyé contre le volant, tentant de retrouver des idées suffisamment claires pour conduire.

Une voiture s'arrêta à côté et Kick en sortit en courant.

— Mon Dieu, mais que t'est-il arrivé ? s'exclama-t-il.

— Qu'est-ce que tu fais là ? demanda Mitch en réponse. Non… Ça ne fait rien. Somers a enlevé Robin. Nous devons partir à sa recherche. Conduis, je ne suis pas en état.

— Somers ? répéta Kick avec surprise. Attends, montre-moi où tu es blessé.

Mitch glissa sur le siège passager et Kick monta derrière le volant.

— La balle a juste traversé, je pense. Rien de grave. Nous n'avons pas le temps de…

— Tu dois aller à l'hôpital, protesta Kick.

— Démarre, bon sang ! s'énerva Mitch.

Il se rendit soudain compte que son arme était passée dans sa main droite et qu'elle était pointée sur Kick. De l'autre main, il exerçait une pression sur sa blessure pour tenter de stopper l'hémorragie.

— Comment sais-tu que c'est Somers ?

— J'ai reconnu Billy Ray Hinds, son bras droit. Je le reconnaîtrais n'importe où, même dans le noir.

Kick étouffa un juron et démarra en marche arrière.

Mitch appuya plus fort contre sa blessure, juste sous la clavicule, et dut retenir un gémissement de douleur. Il ne saignait pratiquement plus, c'était bon signe. Il sentait à peine les muscles de son bras gauche et commençait à trembler. Il reprit l'arme dans sa main gauche.

Kick jeta un œil à son arme.

— Essaie de rester calme, dit-il.

— Appelle du renfort, répondit Mitch sèchement.

Kick sortit son portable, composa un numéro et se mit à crier dans le téléphone.

— Winton est blessé, mais sa blessure est superficielle. Nous nous rendons chez Rake Somers dans Willow Road. Il nous faut du renfort.

Mitch n'entendait pas de voix à l'autre bout du fil. C'était étrange, étant donné le silence qui régnait dans la voiture.

Il avait la tête qui tournait et avait du mal à se concentrer. Quelque chose clochait. La douleur était si forte… S'il ne résistait pas à la douleur, il ne serait d'aucune utilité à Robin. Kick n'était pas capable de gérer cette crise seul. Il baissa la vitre, espérant que l'air frais le réveillerait un peu.

Il devait la sauver. Si Somers découvrait où était le disque, il la tuerait.

— Elle a le disque avec elle ? demanda Kick.

— Le disque ? répéta Mitch.

Comment Kick était-il au courant de son existence ? Il était sûr de ne pas lui en avoir parlé.

— Mitch, tu t'endors ?

— Non, loin de là, répondit-il en se redressant.

Il devait garder les yeux ouverts, rester en alerte. Que Kick puisse l'avoir trahi lui donnait la force de demeurer conscient.

— Range ton arme, tu trembles trop, dit Kick avec un petit rire nerveux. Ne t'inquiète pas, je suis armé. Je m'occuperai de tout une fois sur place.

— J'aime mieux l'avoir à la main, on ne sait jamais.

Le trajet dura une éternité, la douleur augmentant avec chaque secousse de la voiture. Mitch priait pour avoir assez de force. Il espérait se tromper, mais son instinct lui disait qu'il avait vu droit dans le mille.

Il s'efforça de se concentrer sur Kick. Avait-il assez d'éléments pour l'accuser ouvertement, exiger des réponses ? C'était le moment ou jamais, mais croirait-il ce que Kick lui dirait ?

Avant d'être transféré au service des homicides, Kick avait passé plusieurs années à la brigade des mœurs. Il avait bien dû tomber sur Rake Somers à un moment ou à un autre de sa carrière. Etait-il corrompu ? Travaillait-il pour Somers ? Cela expliquerait la soudaine richesse de Kick et l'impunité de Somers.

Ce n'était pas Kick qui avait tenté d'entrer chez Sandy le premier jour, mais il aurait pu appeler quelqu'un pour le faire, sachant pertinemment que Mitch mettrait un moment à rentrer chez lui du travail. Et personne d'autre que Kick ne savait où ils étaient quand le sac à main de Robin avait été volé dans le café.

Kick avait très bien pu subtiliser discrètement la valise et l'ordinateur de Robin avant que Mitch n'arrive sur les lieux du crime. Quant à l'incident chez Dylan's le premier soir, Hunford avait peut-être dit à Kick que Mitch emmenait Robin chez lui. Kick savait très bien que Mitch s'arrêtait toujours là-bas pour manger un morceau après son service de nuit. Il avait pu prévenir Somers.

Soudain, la trahison de Kick était la seule explication plausible. Il était temps de prendre une décision. Kick s'était garé dans l'allée sombre qui menait à la maison de Somers.

Dans la lumière blanche de la lune, la bâtisse était monstrueuse, une horreur pseudo-coloniale isolée par un immense terrain parfaitement entretenu. Kick s'était garé suffisamment loin de la maison pour que leur arrivée ne soit pas remarquée. Et suffisamment loin pour que la distance fatigue encore un peu plus Mitch.

Il n'était pas complètement sûr que c'était là que Somers retenait Robin. Ils pouvaient être n'importe où après tout, dans un hangar désaffecté, une cabane au fond des bois… Mais il savait que Rake Somers n'avait pas de famille proche et donc aucune raison de ne pas mener ses affaires chez lui.

Kick était peut-être arrivé à la même conclusion que Mitch, mais ils n'en avaient pas discuté. Il n'avait pas demandé pourquoi Mitch lui avait dit d'aller directement chez Somers, non plus. Il regarda son partenaire et se rendit compte, trop tard, que son expression l'avait trahi.

— Tu as compris, n'est-ce pas ? dit Kick d'un air fataliste.

— J'ai deviné, avoua Mitch en pointant son arme sur son collègue. Est-ce que Sommers te fait chanter ?

— En quelque sorte. Je suis trop impliqué dans cette histoire, Mitch. S'il coule, je coule avec lui.

Mitch soupira.

— Et maintenant on fait quoi ?

— Ecoute, j'essayais de mettre la main sur le disque sans qu'il t'arrive quoi que ce soit. J'ai dit à Somers que s'il tirait sur un flic, il aurait toute la police de Nashville à ses trousses. Si tu m'avais filé ce fichu CD, rien de tout ça ne serait arrivé. Pourquoi ne me l'as-tu pas donné, Mitch ?

— Est-ce que tu as tué Andrews pour l'obtenir ?

— Non, bien sûr que non ! répondit Kick d'un air horrifié. C'est Billy Ray. Somers était furieux quand il a appris ce qu'il avait fait.

— Jusqu'où es-tu impliqué dans cette affaire ? Es-tu responsable de quoi que ce soit ? De destruction de preuves pour l'homicide ?

— Somers voulait que je sois de service ce soir-là. Si les choses tournaient mal, j'étais seulement censé récupérer le disque. C'est tout. Je ne sais même pas ce que contient ce fichu truc et je ne veux pas savoir.

Tout s'expliquait. Voilà pourquoi Kick était de service le soir du meurtre. Somers voulait récupérer le disque et tuer Andrews ensuite. Un inspecteur de la brigade des homicides sur place aurait été extrêmement utile. Si Mitch ne s'était pas pointé, Robin aurait été arrêtée pour meurtre. Ou tuée, elle aussi.

Mitch prit sa décision. Il ne pouvait pas se permettre d'arrêter Kick maintenant pour le traîner en prison. Il n'en avait pas la force physique, de toute façon.

— Aide-moi à sauver Robin, dit-il. Et je te promets qu'ensuite je ferai tout pour te sortir de ce pétrin. Tu pourras prétendre que tu faisais marcher Somers, que tu menais en douce une enquête sur lui, ce que tu veux ! Mais réfléchis bien à ta version des faits, sinon tu seras complice de meurtre et de kidnapping.

Kick poussa un long soupir et se prit la tête dans les mains.

— Tu as raison. C'est la seule solution.

— Tu as demandé du renfort ou tu as prévenu Somers ?

— J'ai demandé de l'aide, Mitch. Tu m'as entendu le faire, répondit Kick d'un air scandalisé.

Ils n'avaient pas de temps à perdre. Dieu seul savait ce que Somers était en train de faire à Robin à l'intérieur. Même si Kick disait la vérité et que des renforts étaient en route, ils arriveraient peut-être trop tard. Mais si Kick mentait et qu'il avait en fait appelé Somers pour le prévenir de leur arrivée, Mitch devait s'attendre à tomber dans un guet-apens. La troisième possibilité était que Kick n'ait appelé personne, puisque Mitch n'avait absolument rien entendu à l'autre bout du fil.

— Je suis de ton côté, insista Kick. Fais-moi confiance, Mitch. Je veux essayer d'arranger les choses.

— Je ne vois pas de lumière, répondit Mitch.

Il n'avait plus aucun doute. Kick lui disait ce qu'il voulait entendre pour le faire entrer dans la maison.

— Ils doivent être dans le salon qui est à l'arrière de la maison. Nous pouvons passer par le jardin et faire le tour.

Kick sortit de la voiture et Mitch l'imita, gardant prudemment son arme à la main. Son collègue semblait bien connaître la maison, trop bien même. L'épaule de Mitch le lançait.

— Marche devant, ordonna-t-il. Et décharge ton arme.

— Fais-moi confiance, supplia Kick. Tu vas avoir besoin de moi. Il faut que je sois armé.

— Fais-le. Tout de suite.

Kick lui obéit. Il sortit le chargeur de son pistolet et fit tomber les balles au sol. Puis il remonta l'allée qui menait à l'arrière de la maison.

Mitch le suivit d'un pas vif. La douleur était toujours aussi forte, mais l'adrénaline avait pris le relais. Cela ne durerait pas. Il devait faire vite.

Les volets étaient fermés, mais la lumière filtrait. Mitch fit signe à Kick de frapper à la vitre.

— Ne fais pas le malin, dit-il d'un ton menaçant.

Kick hocha la tête et frappa deux fois.

— Monsieur Somers ? C'est Kick Taylor.

La porte s'ouvrit vers l'intérieur et Mitch vit Billy Ray reculer. Il poussa Kick dans la maison et se précipita derrière lui.

— Police ! Personne ne bouge ! cria-t-il. Allonge-toi par terre, maintenant ! Mains derrière la tête !

La scène correspondait à ce qu'il avait imaginé. Somers était debout devant la chaise sur laquelle Robin était assise, un rouleau de gros Scotch marron à ses pieds. Il avait reculé et mis les mains sur sa tête. Billy Ray et le deuxième homme de main étaient allongés au sol, hors d'état de nuire.

— Tu vas bien ? demanda Mitch à Robin.

Elle opina vivement. Un bleu se formait néanmoins sur sa pommette et un filet de sang coulait de son nez.

Billy Ray observait son patron comme s'il attendait ses instructions. Kick, tombé quand Mitch l'avait poussé, s'était relevé.

— Tu veux que je les désarme ? demanda-t-il.

— Oui. Utilise deux doigts de ta main gauche et balance leurs armes sur la chaise. Ne me pousse pas à bout !

Il surveilla son collègue sans ciller.

— Bien. Maintenant, mets-toi à genoux et va la détacher.

Il avait vu une paire de ciseaux sur la table basse. Il les prit et les envoya à Kick.

— Coupe le Scotch. Un geste de travers et tu es mort.

Il garda son arme braquée sur Kick tandis qu'il la détachait.

— A présent, recule et va te mettre dans le coin. Robin, appelle la police et demande du renfort.

Robin prit le téléphone et composa le 911. Elle parla d'une voix tremblante mais forte.

— C'est Robin Andrews. J'ai été kidnappée et l'inspecteur Winton est venu me sauver. Il a besoin de renforts. Nous sommes chez Rake Somers... Non, je ne connais pas l'adresse ! Cherchez-la !

— C'est dans Willow Road, dit Mitch.

— Willow Road, répéta-t-elle. Et envoyez une ambulance, il est blessé... Oui, il est conscient. Dépêchez-vous !

Elle raccrocha, posa le téléphone sur la table et vint vers lui.

— Prends une de leurs armes, dit-il. Enlève le cran de sûreté. Tire s'ils bougent. Vise le corps, pas la tête. Compris ?

— Je sais tirer, je ne les raterai pas, répondit-elle d'un air déterminé.

Elle jouait encore la comédie, pensa-t-il. Rien qu'à la façon dont elle tenait l'arme, il voyait bien qu'elle n'avait jamais touché à un pistolet de sa vie. Mais il ne doutait pas qu'elle tirerait si c'était nécessaire.

Lorsqu'elle eut la situation sous contrôle, il s'autorisa à fermer les yeux et à s'appuyer contre un fauteuil. Il savait qu'il était sur le point de perdre connaissance. Juste quelques minutes... Il devait attendre l'arrivée des renforts. Il ne pouvait pas la laisser seule.

Il ouvrit les yeux. Il voyait flou.

— Reste calme, dit-il autant pour elle que pour lui. Ce sera bientôt fini. Tu vas bien ? Ils ne t'ont pas fait mal ?

— Je vais bien, Mitch. Ne t'inquiète pas. *Ne tombe pas* !

Elle avait murmuré ces derniers mots, mais il avait perçu l'urgence et la panique de sa voix. Il se força à écarquiller les yeux. Il avait eu tort d'essayer de se reposer, même une seconde. Il devait rester conscient et minimiser le risque pour Robin. En premier lieu, il fallait ligoter les criminels.

— Prends ça, dit-il à Kick en lui montrant le rouleau de Scotch. Attache leurs mains, puis envoie-moi tes clés et passe-toi les menottes.

Kick ouvrit de grands yeux.

— Mais, Mitch, je t'ai déjà dit que j'étais de ton côté ! Pourquoi me traites-tu comme si j'étais l'un d'eux ?

— Je t'ai dit que je ferai de mon mieux pour t'aider, et je le ferai, tant que tu coopères. Mais tu n'as jamais appelé les renforts, Kick. Si tu l'avais fait, ils seraient déjà là.

Kick avait ramassé le Scotch et ligoté le deuxième garde du corps. Alors il se pencha au-dessus de Billy Ray, et il se retourna soudain, brandissant une arme automatique. Billy Ray devait l'avoir gardée à l'arrière de son jean, coincée dans sa ceinture.

— Robin, à terre ! cria Mitch.

Il plongea au sol et atterrit sur son épaule droite. Une balle vint se loger dans la moquette à seulement quelques centimètres de sa tête. Il roula sur le dos et tira plusieurs fois, mais Kick avait bougé.

Somers et Billy Ray se précipitèrent vers la chaise où étaient posées leurs armes. Robin tira dans leur direction. Les vitres de la bibliothèque derrière eux explosèrent.

Somers tomba, mais Billy Ray s'élança vers elle. Mitch lui tira trois balles dans la poitrine et l'homme s'écroula.

Kick pointa son arme sur lui, mais Mitch ne pouvait rien faire. Son bras et sa main ne lui obéissaient plus. La balle percuta sa poitrine tandis qu'il tentait vainement de l'éviter. Il la sentit entrer une seconde avant d'entendre le coup partir. Paralysé, il vit les doigts de Kick se serrer de nouveau, mais son arme était vide.

Mitch vit aussi la lumière des sirènes bleues provenant

de la porte ouverte, entendit le crissement des pneus et les pas qui approchaient.

Robin était à moins d'un mètre de lui. Son arme tomba au sol. Elle ouvrit de grands yeux horrifiés lorsqu'elle le vit à terre, sans doute couvert de sang.

Kick, lui, s'empressa d'essuyer la crosse de son revolver avec sa chemise et lança l'arme à Robin. Par réflexe, elle l'attrapa pour ne pas la prendre en pleine figure. Paniquée, elle tenta de la pointer sur Kick.

Ce fut la dernière chose que Mitch vit.

14

Les policiers firent irruption dans la pièce en lui criant de jeter son arme. Robin ouvrit la main et la laissa tomber.

Kick Taylor se rua sur elle, l'écrasa au sol et tira ses bras derrière son dos. Il la menotta tout en lui récitant ses droits. Elle entendait à peine ce qu'il disait. Les sirènes hurlaient, de plus en plus proches.

La pièce était emplie d'officiers de police en uniforme, le bruit augmentant au fur et à mesure que d'autres arrivaient. Kick lui arracha un cri lorsqu'il tira sur ses menottes pour la faire se lever.

Un officier de police était penché sur Mitch. Deux autres s'occupaient de Somers et de ses sbires.

— Comment va Winton ? demanda Kick d'une voix forte.

Le policier agenouillé à côté de lui s'écarta pour laisser passer deux ambulanciers portant un brancard. Il leva les yeux vers Kick et secoua la tête. Que voulait-il dire ? Que Mitch allait mourir ? Qu'il était déjà mort ?

— Non ! hurla Robin en se débattant.

— Toi, tu ne bouges pas ! dit Kick en la retenant fermement. Tu paieras pour ça et pour le meurtre de ton mari !

— Quoi ?

Robin n'en croyait pas ses oreilles. Elle l'avait *vu* tirer sur Mitch. Il ne s'en tirerait pas si facilement.

— C'est *vous* qui lui avez tiré dessus ! cria-t-elle. Il avait confiance en vous ! Mitch était votre partenaire ! Comment avez-vous pu lui faire ça ?

— La ferme !

— Nous allons l'emmener dans la voiture de patrouille, sergent Taylor, dit l'un des hommes en uniforme. Vous pourrez nous rejoindre au poste.

Le policier devait avoir peur de ce que Kick ferait à Robin s'il se retrouvait seul en voiture avec elle après qu'elle eut soi-disant tiré sur son partenaire.

Kick hocha la tête d'un air réticent.

— C'est moi qui l'ai arrêtée, compris ? aboya-t-il.

Le jeune policier fit un signe de tête et saisit le coude de Robin pour la mener dehors. Avant de la lâcher, Kick serra si fort son bras qu'elle fut persuadée qu'elle aurait un bleu le lendemain.

— Tu ferais bien de ne pas dire un mot, murmura-t-il à Robin d'un air menaçant.

Qui était cet homme ? se demanda Robin. Pas une trace de remords dans sa voix ni dans son regard, alors qu'il venait de tirer sur Mitch, son collègue.

Robin et l'officier qui s'était chargé d'elle attendirent que les ambulanciers aient transporté Mitch dehors sur la civière, suivis de près par Kick, qui disparut dans la nuit. Puis Robin fut propulsée à l'intérieur d'un véhicule de police.

Qui croirait sa version des faits ? Elle était en route pour répondre d'une inculpation pour meurtre lorsqu'elle avait été enlevée. Le revolver que Kick lui avait lancé portait désormais ses empreintes. Toutes les preuves étaient contre elle.

Piégée deux fois. Elle aurait bien du mal à convaincre un jury. Mais rien de cela ne comptait pour elle. Si Mitch mourait, plus rien n'aurait d'importance. Elle devait être forte et ne pas baisser les bras. Elle portait peut-être l'enfant de Mitch en elle.

Kick Taylor ne s'en sortirait pas cette fois. Elle le devait à Mitch. Il était également hors de question que la famille de Mitch la croie responsable de sa mort.

Elle tenta de l'apercevoir, mais les ambulanciers étaient en train de fermer les portes et l'officier de police la força à s'asseoir à l'arrière de la voiture.

Mitch était son seul espoir. S'il survivait, elle serait son seul espoir aussi. S'il ne succombait pas à ses blessures, Kick Taylor ferait tout pour qu'il ne reprenne jamais conscience.

Elle jeta un dernier regard à l'ambulance qui démarrait sirènes hurlantes, emmenant l'homme qui lui avait sauvé la vie, l'homme qui l'avait serrée dans ses bras et qui l'avait aimée, l'homme qui lui avait montré ce qu'était la famille et qui l'avait fait rire.

— Ne meurs pas, s'il te plaît, murmura-t-elle.

Elle devait s'assurer que quelqu'un protégerait Mitch à l'hôpital. Il se ferait sûrement opérer immédiatement. Il serait donc en sécurité pendant plusieurs heures, heures durant lesquelles Kick Taylor n'aurait pas le droit de l'approcher. Ensuite, Mitch serait vulnérable. Quelques minutes seul avec son partenaire et il ne se réveillerait jamais…

Elle se pencha pour parler au policier qui conduisait et à son partenaire.

— S'il vous plaît, il faut que je parle au capitaine Hunford dès que nous arriverons au commissariat, demanda-t-elle d'une voix suppliante.

— Oui, bien sûr, répondit l'un des deux avec un petit rire narquois. Je parie qu'il sera ravi de vous faire la causette.

Clamer son innocence et incriminer l'inspecteur Taylor ne servirait à rien pour l'instant. Elle avait vu la haine dans les regards des policiers, bien compréhensible après tout, puisqu'ils croyaient tous qu'elle avait tué l'un des leurs. Mais elle devait les convaincre de la laisser voir Hunford. Elle réussirait peut-être à faire naître le doute dans son esprit, assez, en tout cas, pour qu'il accepte de faire protéger Mitch.

— Ecoutez, je détiens des informations de la plus haute importance. Elles pourraient faire sauter tout le crime organisé de Nashville. Je ne parlerai qu'à Hunford.

Les deux hommes la regardèrent d'un air dégoûté et l'un d'entre eux marmonna des injures à son encontre.

Tant pis, se dit-elle. Elle avait essayé, et elle continuerait, une fois arrivée au commissariat.

Deux heures plus tard, son interrogatoire n'avait toujours pas commencé. Un dimanche soir, en plein milieu de la nuit, Hunford n'était peut-être pas au travail. Même s'il décidait de lui accorder quelques minutes de son temps, elle devrait peut-être encore attendre plusieurs heures.

Elle s'était laissé faire en silence quand ils avaient pris ses empreintes et sa photo. Elle aurait été emmenée directement à la prison du comté s'il n'avait pas été si tard dans la nuit. On lui avait dit qu'elle resterait en cellule jusqu'au matin, et qu'alors elle passerait devant le juge pour déterminer le montant de sa caution, si elle y avait droit. La cellule en question était sans doute l'endroit où une policière l'emmenait à ce moment même.

Elle devait faire quelque chose. Le temps commençait à manquer.

— Vous avez droit à un coup de téléphone, dit la femme.

Elles étaient entrées dans une pièce similaire en tout point à celle dans laquelle Mitch l'avait interrogée après le meurtre de James. Elle était meublée de deux chaises et d'une table en métal sur laquelle reposaient un téléphone et un vieux Bottin. La policière referma la porte et défit les menottes de Robin.

— Alors ? Je n'ai pas toute la nuit !

Qui pourrait bien l'aider ? Elle ne pouvait pas appeler les parents de Mitch. Ils devaient être à l'hôpital et morts d'inquiétude pour leur fils. Un avocat ? Elle n'en connaissait aucun dans la région.

Soudain, elle eut une idée. Damien… Perry ! Oui, c'était bien ainsi qu'il s'appelait. Si elle réussissait à le joindre, l'ami de Mitch pourrait lui conseiller un avocat, voire accepter de lui venir en aide. Mais Mitch avait plusieurs fois vainement essayé de l'appeler pour lui parler du disque …

Elle feuilleta l'annuaire et trouva son nom avec un soupir de soulagement. Elle composa le numéro. Après quatre sonneries, le répondeur se mit en route. Une voix grave avec un léger accent britannique lui demanda de laisser un message ou de rappeler plus tard.

— Bonjour, c'est Robin Andrews. J'ai été arrêtée pour avoir tiré sur Mitch Winton, mais le vrai coupable est Kick Taylor. Il fera tout pour empêcher Mitch de parler. S'il vous plaît, allez à l'hôpital, Mitch n'est pas en sécurité. Pitié, vous devez me croire, personne ne veut m'écouter !

La policière tâchait de lui enlever le téléphone des mains.

— Ça suffit ! ordonna-t-elle. Vous voulez un avocat, oui ou non ?

— Oui ! cria Robin. Laissez-moi appeler un avocat ! N'importe qui, je vous en supplie !

Bouleversée et désespérée, Robin éclata en sanglots. Elle était prête à appeler le premier avocat qu'elle trouverait dans l'annuaire pour lui demander d'avertir Hunford du danger que courait Mitch.

— Je sais que vous ne me croyez pas, dit-elle d'une voix suppliante, mais envoyez quelqu'un pour le protéger, pour l'amour du ciel. Taylor le tuera si vous ne le faites pas !

La policière considérait Robin comme si elle avait perdu la raison. Sans un mot, elle la menotta à la table métallique et quitta la pièce.

Au comble du désespoir, Robin s'effondra sur la table en sanglotant. Se laisser aller lui fit du bien, mais elle devait se reprendre. Elle resta longtemps seule dans cette pièce froide. On lui avait pris sa montre et il n'y avait pas d'horloge. Elle eut l'impression qu'une éternité s'était écoulée quand la porte s'ouvrit enfin.

Kick Taylor entra. Il avait l'air grave et inquiet.

— Espèce de salaud ! s'écria-t-elle en le voyant.

— Quoi ? Vous voulez me tuer aussi, c'est ça ?

— Laissez Mitch tranquille, gronda-t-elle. N'en avez-vous pas fait assez ?

— Alors, ça y est, vous avez perdu la tête. Deux meurtres, c'était trop pour vous ?

— C'est vous qui lui avez tiré dessus ! répliqua-t-elle en espérant que quelqu'un les observait de l'autre côté de la vitre sans tain. Vous avez tiré sur Mitch, il vous a vu. *Je* vous ai vu ! Vous ne vous en sortirez pas comme ça. Vous lui avez tiré dessus et vous m'avez lancé le revolver, vous saviez que je l'attraperai sans réfléchir.

— Vos mensonges sont inutiles.

— Vous travailliez pour Somers. Vous connaissiez l'existence du disque et vous avez volé mon ordinateur en pensant que j'en avais fait une copie. Vous avez tué mon mari. Combien Somers vous a-t-il payé pour ça ?

Dos à la vitre sans tain, Taylor s'appuya sur la table.

— J'espère pour vous que vous avez un bon avocat, madame Andrews. Vous serez peut-être libérée sur caution. Et j'espère que vous le serez, ajouta-t-il d'une voix si basse que Robin dut lire sur ses lèvres. Où est le disque ?

— Allez vous faire voir. J'ai détruit le disque. Je suis la seule à savoir ce qu'il contenait et, croyez-moi, je ne vous le dirai jamais.

Taylor se redressa et se dirigea vers la porte.

— Ils vont vous emmener dans une cellule. Vous pourrez y passer le restant de vos jours, je me fiche bien de votre sort.

— Vous ne vous en sortirez pas aussi facilement ! Je le crierai sur tous les toits. Je l'ai déjà dit à tous les policiers que j'ai croisés et à Damien Perry. Si vous faites quoi que ce soit à Mitch, vous serez le premier suspect !

La main sur la poignée, il se retourna avec un sourire confiant.

— Qu'est-ce qui vous fait croire que Mitch est toujours en vie ?

L'horreur et le chagrin envahirent Robin. Elle ne pouvait plus respirer. Il était trop tard. Trop tard pour Mitch, et trop tard pour elle.

Robin attendit. Elle avait fait tout ce qu'elle pouvait. Mitch devait être mort. C'était la seule raison qui expliquait que Kick Taylor soit venu lui parler au lieu de se rendre directement à l'hôpital. Elle ne pouvait l'accepter. Au fond d'elle, elle ne pouvait pas croire que Mitch soit mort. Elle l'aurait senti, ne cessait-elle de se répéter, si une part aussi importante d'elle-même avait quitté ce monde pour toujours.

Elle se redressa soudain. La poignée de la porte tournait.

— Madame Andrews, dit l'homme qu'elle attendait comme le messie.

— Capitaine Hunford !

Aussi intimidant soit-il, Robin se serait jeté dans ses bras si elle n'avait pas été menottée à la table.

— Il paraît que vous avez demandé à me voir.

— Mitch est-il mort ?

Elle cherchait dans son regard la moindre trace de vérité, mais l'homme évitait soigneusement de la regarder dans les yeux. Il prit place sur la chaise face à elle.

— Je veux d'abord entendre ce que vous avez à dire.

— Est-il mort ? répéta-t-elle.

Il croisa enfin son regard.

— Pas encore.

Robin poussa un soupir de soulagement, mais ce fut

un sanglot qui sortit de sa gorge. Elle mit la main sur sa bouche pour étouffer l'émotion qui la submergeait, en vain.

— Parlez-moi de ce disque.

— Vous êtes au courant ? Alors vous écoutiez quand Taylor est venu me voir ?

Enfin, elle pouvait se permettre d'espérer.

— Oui. Dites-moi tout ce que vous savez.

Elle tendit la main vers lui, même si elle savait qu'il était trop loin pour l'atteindre.

— S'il vous plaît, il faut que vous m'écoutiez. C'est Kick Taylor qui a tiré sur Mitch. Il est corrompu. Il travaille pour Somers et Mitch l'a découvert. Mitch doit être placé sous protection policière, sinon Kick va essayer de le tuer.

— Parlez-moi du disque, insista le capitaine. Pourquoi est-il caché et que contient-il ?

— Je veux tout vous dire, croyez-moi, mais je ne le ferai que quand vous aurez demandé une protection pour Mitch.

Hunford l'observa quelques secondes, puis il prit le téléphone et composa un numéro. Ses yeux ne quittèrent pas les siens pendant qu'il donnait ses instructions.

— Je veux que la chambre de Mitch Winton à l'hôpital soit protégée nuit et jour. Seuls ses parents et le personnel hospitalier ont l'autorisation de lui rendre visite. Compris ?

Il raccrocha.

— Satisfaite ?

— Oui, merci beaucoup ! Le disque est chez Kick Taylor. Mitch l'a caché dans sa collection de CD. Il est dans un étui de musique classique. Il contient une liste de numéros de comptes bancaires que James a ouverts au nom de cinq hommes dont Somers. Les quatre autres sont morts à l'heure actuelle. Il y a d'autres informations sur le disque que je n'ai pas pu déchiffrer, je pense que cela a un rapport avec la manière dont ils ont obtenu l'argent, je ne sais pas. Mais Somers avait peur de ce qu'il pouvait contenir. James a refusé de le lui donner et c'est pour ça qu'il l'a fait assassiner. C'est du moins ce que j'ai compris de ce que m'a dit Somers quand il m'a kidnappée et interrogée.

— Qui a tiré sur Somers ?

— C'est moi, répondit Robin, effrayée.

Elle expliqua brièvement pourquoi elle avait été enlevée et ce qui s'était passé au cours de son interrogatoire par Somers, puis l'arrivée de Mitch et Kick, jusqu'à la fusillade.

— Et vous ? demanda Hunford. Pourquoi étiez-vous impliquée dans cette histoire ?

— James m'avait demandé de lui apporter le CD de New York. Il l'avait laissé dans un coffre à la banque. Somers le cherche depuis la nuit où James a été assassiné. Il avait dû leur promettre que je l'apporterai.

— Pourquoi avez-vous parlé de crime organisé aux agents dans la voiture ?

Robin hésita, et finit par décider de dire la vérité.

— Je pensais que ce serait le meilleur moyen pour réussir à vous parler.

Hunford se leva et fit mine de sortir.

— Attendez ! cria Robin. Est-ce que vous me croyez ?

— Je vais vérifier les informations que vous m'avez données.

— Allez-vous me laisser ici ?

— Madame Andrews, vous avez avoué avoir tiré sur Rake Somers. Il a des amis très puissants dans cette ville. Vous êtes en sécurité ici. En outre, c'est un de mes inspecteurs que vous accusez. Je prends ce genre d'accusation très au sérieux, croyez-moi.

— Qu'allez-vous faire ?

— Je vais aller à l'hôpital.

— Merci beaucoup, dit-elle au bord des larmes. Je ne pourrais jamais assez vous remercier.

Hunford referma la porte derrière lui sans un mot de

plus. Passer la nuit en prison n'était rien, comparé à ce que Mitch devait endurer, ou ce qu'il aurait enduré si Kick Taylor avait eu le droit de lui rendre visite.

La policière revint au bout d'un moment, lui retira les menottes et la mena dans une espèce de cage au bout d'un couloir.

— On m'a dit de vous donner ça, dit-elle. Pour votre visage.

Robin prit le sachet de glace emballé dans un torchon, le plaça sur son visage tuméfié et s'allongea sur le lit de camp. La cellule était propre, mais sinistre. Elle ferma les yeux et tenta de s'endormir.

Elle s'éveilla en sursaut quand quelqu'un la secoua.

— Madame Andrews ? Réveillez-vous !

— Quoi ? fit-elle.

Elle cligna les yeux. Elle avait du mal à bouger, tous ses muscles étaient endoloris.

— Je suis Damien Perry, dit l'homme qui se tenait accroupi à côté d'elle. Je suis venu aussi vite que j'ai pu.

Robin se redressa lentement. Damien Perry était un bel homme aux cheveux blonds.

— Comment va Mitch ?

— Il est fort, il s'en sortira. Comment vous sentez-vous ?

D'une main, il écarta de son visage les cheveux qui avaient collé à sa joue. Son nez avait dû se remettre à saigner dans la nuit. Robin l'essuya à l'aide du torchon humide de la poche à glace.

— Ça va. L'avez-vous vu ?

— Non, mais j'ai parlé à sa sœur deux fois. Après l'opération, il s'est réveillé. Le pronostic des médecins est bon.

Robin éclata en sanglots et l'inconnu la prit dans ses bras.

— Ça va aller, dit-il d'une voix rassurante. Tout ira bien. J'ai parlé à Hunford et nous avons eu une longue conversation avec le procureur. Il a accepté de vous libérer sous ma garde.

— Alors il ne me croit plus coupable ?

Damien Perry recula et plongea son regard dans le sien.

— Il a l'air de penser que vous avez tiré sur Somers en légitime défense puisqu'il est évident que vous avez été battue. On a remarqué aussi les bleus que vous avez sur les poignets, signe que vous avez été ligotée. Et Mitch n'aurait pas réclamé votre présence si vous lui aviez tiré dessus.

— Il a demandé à me voir ? s'enquit-elle au comble du bonheur. Il a parlé ?

L'inconnu lui sourit.

— Apparemment. Hunford a répété au procureur tout ce que vous lui avez dit. Les deux tentatives de meurtre dont Kick Taylor vous accuse reposent presque entièrement sur son témoignage, qui manque pour le moins de fiabilité.

— Mais j'étais également accusée du meurtre de James. Mitch et moi nous rendions au commissariat quand j'ai été enlevée.

L'homme se leva et lui tendit la main avec un sourire bienveillant.

— Vos empreintes se trouvaient sur l'arme du crime, mais elles montrent bien que vous n'étiez pas le tireur. Le test de paraffine prouve que vous n'avez pas tiré avec une arme à feu ce soir-là. Même si vous aviez porté des gants, comme Kick Taylor le suggérait, on aurait trouvé des résidus de poudre et des éclaboussures de sang sur vos vêtements ou vos bras. Mitch avait inclus toutes ces informations dans son rapport, mais Kick les a effacées.

Malgré elle, Robin laissa échapper un sanglot.

— Je… je ne pensais pas que quelqu'un se donnerait tant de mal pour m'aider, dit-elle en pleurant.

— Mitch a dû vous dire que nous étions amis, répondit

Damien Perry. Et j'ai comme l'impression que vous et lui êtes un peu plus que des amis.

Robin hocha la tête en rougissant.

— C'est vrai.

— Je suis content pour lui, répondit Damien en prenant ses mains dans les siennes. Alors, allez-vous venir avec moi à l'hôpital ? Susan m'a fait promettre de revenir avec vous. Venez. Je me suis déjà occupé de la paperasse. Nous n'avons qu'à récupérer vos affaires.

— Je n'avais que ma montre et mon alliance. Je me fiche de les récupérer.

Sur la route de l'hôpital, Robin ne cessa de questionner Damien sur l'état de santé de Mitch. Il lui répondait gentiment et patiemment, répétant les mêmes paroles rassurantes. Elle ne put s'empêcher de remarquer, cependant, qu'il conduisait sa Jaguar comme s'il était en pole position à un grand prix de Formule 1.

15

La salle d'attente du service de réanimation était bondée, la famille de Mitch en remplissant une bonne moitié. Le capitaine Hunford, deux inspecteurs de la police et Molly, l'épouse de Damien Perry, étaient également présents.

La mère de Mitch se précipita vers Robin.

— Oh ! ma pauvre ! Regardez ce qu'ils ont fait à votre visage ! Je suis tellement heureuse de vous voir ici. Il a demandé après vous.

— Est-il conscient ? demanda Robin. Comment va-t-il ?

— Il s'endort et il se réveille, répondit Patricia Winton. Le Dr Fleming a dit que l'opération s'était bien passée. Ils ont réussi à extraire la balle et ils pensent qu'il se remettra. Ses constantes vitales s'améliorent d'heure en heure, mais il a perdu beaucoup de sang.

— Je suis O positif. Je peux donner mon sang.

— Je ne pense pas que ce soit nécessaire. Damien, merci beaucoup d'être allé chercher Robin.

— Ce n'est rien, dit-il en souriant. Mitch s'en sortira, vous verrez. C'est un dur à cuire.

Susan vint vers elle et prit Robin par la main.

— Ma pauvre Robin, tu as vraiment une sale tête ! Viens avec moi, nous allons arranger ça, dit-elle en attrapant son sac à main.

Robin lança un regard interrogateur à Damien, qui lui donna la permission de partir avec Susan d'un simple signe de tête. Puis il invita tout le monde à descendre à la cafétéria pendant que lui attendrait d'éventuelles nouvelles de Mitch. Toute la famille accepta avec soulagement cette pause bien méritée et alla prendre l'ascenseur.

Susan entraîna aux toilettes Robin, qui fut horrifiée par son apparence en se découvrant dans le miroir. Son nez avait gonflé et des bleus encerclaient ses yeux. Ses narines étaient couvertes de sang séché, ainsi que le bas de ses cheveux et les coins de sa bouche.

— Lave-toi le visage et les mains, dit Susan tout en fouillant dans son sac à main. J'ai une brosse à cheveux et de la poudre. Ce n'est pas ta couleur, mais ça t'aidera à masquer tes yeux au beurre noir. Mets un peu de rouge à lèvres sur tes pommettes, tu ressembles à un cadavre.

— Merci, répondit Robin en se nettoyant la figure.

— Qui t'a fait ça ?

— Somers. J'ai l'impression d'avoir été passée au rouleau compresseur.

— Et ça se voit ! fit Susan avec sa franchise habituelle.

— Somers est mort. Je... je lui ai tiré dessus.

— Oh ! Robin... Je suis désolée que tu aies eu à traverser ça. Non, tu sais quoi ? Bien fait ! C'est tout ce qu'il méritait !

Robin se hâta de finir de se rendre présentable.

— Ce n'est pas beaucoup mieux, dit-elle en considérant son reflet.

Son chemisier était couvert de taches de sang. Susan s'empressa de retirer son T-shirt à manches longues pour le lui donner.

— Je ne gagnerai pas de concours de beauté, mais au moins je ne lui donnerai pas la peur de sa vie, conclut-elle. Merci beaucoup, Susan.

— C'est à ça que servent les sœurs.

Ses paroles la touchèrent tant que Robin la prit dans ses bras. Elle voulait une sœur, et elle voulait que ce soit Susan. Serait-ce vraiment possible un jour ?

Lorsqu'elles retournèrent dans la salle d'attente, Damien, qui feuilletait un magazine, se leva immédiatement.

— Pas de nouvelles, dit-il.

— Pensez-vous qu'on me laisserait voir Mitch ? s'enquit Robin.

— Je vais aller demander à Stevens, le policier qui monte la garde devant la chambre de Mitch.

Il revint quelques instants plus tard.

— Je suis désolé, Robin. Hunford lui a laissé des ordres stricts : seulement la famille et le personnel hospitalier.

C'était à prévoir, pensa-t-elle en regardant à regret la porte qui menait au service de soins intensifs.

Stevens laissait justement entrer un médecin dont le visage était en partie recouvert d'un masque de chirurgien.

— Damien, s'écria-t-elle alors, personne ne vérifie l'identité du personnel hospitalier ! Le policier vient de laisser entrer un homme sans même lui demander qui il était.

Damien s'élança, Robin sur ses talons, ignorant les protestations de Stevens. Les portes du service s'ouvrirent à la volée. Seuls deux lits étaient occupés. Des médecins et des infirmiers s'affairaient autour d'un patient qui venait probablement juste d'arriver. L'homme que Robin avait vu entrer se tenait à côté de Mitch, une seringue à la main, sur le point d'en injecter le contenu dans sa perfusion. Elle eut la brusque certitude que c'était Kick qui se cachait derrière le masque.

— Non ! hurla Robin. Kick, arrêtez !

Elle allait se jeter sur lui, mais Damien la retint par le bras, laissant à Kick la minute qui lui suffisait pour sortir son revolver et le placer contre la tempe de Mitch.

— N'avancez pas ou je le tue.

Le personnel qui s'occupait de l'autre patient avait accouru. Damien leur ordonna de ne pas bouger.

— Tu n'as nulle part où aller, Kick, dit-il. Lâche ton arme.

Kick laissa tomber la seringue sur le lit et retira le masque qui lui couvrait le visage. Son autre main maintenait l'arme contre la tempe de Mitch.

— Toi, cria-t-il à Robin. Viens ici !

Damien serrait le bras de Robin comme un étau.

— Un otage ne te servira à rien, Kick, dit-il d'une voix calme et posée. Lâche ton arme. Tuer Mitch n'y changera rien. Tout le monde sait déjà ce qu'il pourrait nous dire.

— Lâche-la, dit Kick.

Le désespoir dans sa voix glaça les sangs de Robin. Kick était coincé, il n'avait nulle part où aller. Si elle pouvait lui offrir une issue, au moins il ne tuerait pas Mitch.

Elle détendit ses épaules et ses bras, comme si elle avait abandonné la lutte, et Damien relâcha légèrement son emprise. Elle en profita pour bondir hors de sa portée.

— A moi ! cria Kick à l'instant où elle était libre.

Robin fit ce qu'il lui disait. Elle recula vers lui et sentit un bras puissant se refermer autour de son cou et le métal froid du canon de l'arme contre sa tempe.

Kick ne la tuerait pas tout de suite puisqu'elle était sa seule chance de sortir de l'hôpital. Mais, lorsqu'il n'aurait plus besoin d'elle, elle savait qu'il n'hésiterait pas une seconde.

Damien et Stevens bloquaient la porte, tous deux armés mais, bien sûr, il y avait bien trop de monde dans l'hôpital pour risquer une fusillade.

Robin jeta un regard à Mitch. Allongé dans le lit, il avait l'air si vulnérable… Mais ses yeux étaient ouverts. Presque imperceptiblement, son regard alla de sa main gauche à Robin. Avec deux doigts, il poussa la seringue vers elle. Elle l'attrapa dans sa main droite tout en émettant un grognement pour distraire Kick.

— Ne bouge pas, siffla-t-il dans son oreille.

— Vous m'étranglez, répondit-elle en haletant.

Il relâcha son étreinte et Robin prit une profonde inspiration.

— Je veux tout le monde au fond de la pièce, lança Kick d'une voix forte. Maintenant !

Le canon du pistolet était toujours pressé fermement contre sa tempe. Si elle tentait quoi que ce soit, il appuierait sur la détente par réflexe. Elle devait attendre qu'ils soient seuls, peut-être dans l'ascenseur. Elle positionna la seringue dans sa main, le pouce sur le piston, prête à frapper dès qu'elle en aurait la possibilité.

Lentement, quand le personnel et les policiers eurent reculé pour leur laisser le champ libre, Kick et Robin se dirigèrent vers la sortie.

— Si cette porte s'ouvre avant que nous ne soyons montés dans l'ascenseur, je la tuerai, dit Kick.

Une fois dans la salle d'attente, les portes de l'ascenseur s'ouvrirent et le capitaine Hunford apparut, deux tasses de café à la main. Il ouvrit de grands yeux en les voyant.

— Taylor ! s'écria-t-il.

— Allez rejoindre les autres dans l'unité de soins intensifs, lui dit Kick. Faites-le maintenant, capitaine, sinon je la tue sur-le-champ.

Hunford hocha la tête et s'exécuta. Kick s'enfonça dans la cabine de l'ascenseur, entraînant Robin avec lui.

— Appuie sur le rez-de-chaussée.

Elle obéit. Elle était seule désormais et devait agir vite.

— Je n'arrive pas à respirer, prétendit-elle.

Il desserra son emprise. C'était le moment ou jamais. Robin tomba à genoux et planta la seringue dans le haut de sa cuisse. De toutes ses forces, elle enfonça le piston.

Kick laissa tomber son arme de surprise, et s'effondra en hurlant de douleur. Robin attrapa le revolver, le serra contre sa poitrine et se roula en boule sur elle-même.

Les portes de l'ascenseur s'ouvrirent et il fut aussitôt envahi de policiers. Robin ferma les yeux aussi fort qu'elle le pouvait. Quelqu'un trébucha sur sa jambe et tomba sur elle, mais elle ne bougea pas. Le bruit était assourdissant.

Kick fut traîné hors de l'ascenseur. Il criait et se débattait. Robin, sous le choc, était incapable de bouger. Sa seule pensée était qu'elle avait l'arme et qu'elle ne devait pas la lâcher.

Mitch s'éveilla en sursaut, une douleur vive lui transperçant la poitrine.

— Où est Robin ? dit-il dans un grognement.

— Bois, ordonna Susan, penchée au-dessus de son lit.

Mitch prit le temps de boire un peu d'eau glacée, mais seulement parce que sa bouche était tellement sèche qu'il avait du mal à parler. Le simple fait d'aspirer dans la paille l'épuisa.

— Elle va bien, reprit Susan.

— Où est-elle ? Et Kick…

— Kick est hors d'état de nuire. Robin est en sécurité. Apparemment, elle a parlé à Damien du disque et du fichier en cyrillique. Le FBI est en train de l'interroger. Ils pensent que son mari était un espion.

— Elle est innocente, murmura-t-il.

— Je sais. Ne t'inquiète pas, Mitch. Tout ira bien.

— Elle est vivante…

— Elle est vivante, répéta sa sœur.

Il ne l'avait pas perdue, se répéta-t-il comme la morphine l'entraînait de nouveau dans un sommeil sans rêves.

Lorsqu'il s'éveilla encore, Robin n'était toujours pas là, mais Damien était assis près du lit.

— Où est-elle ? demanda Mitch.

— A New York, répondit son ami.

On pouvait compter sur Damien pour dire les choses telles qu'elles étaient.

— Deux agents sont partis avec elle pour examiner ce qui restait dans le coffre de son mari à la banque. Ce sera bien plus rapide comme ça plutôt que de demander à un juge de délivrer un mandat pour le faire ouvrir.

— Quel jour sommes-nous ?

— Mardi.

— Quelle semaine ?

Damien éclata de rire.

— La même semaine, Mitch. Tu n'es pas dans le coma, tu es juste sous médicaments. Ils ont réduit les doses d'anti-douleurs ce matin.

— Je l'avais remarqué, grommela-t-il. Dis-moi tout ce qui s'est passé.

Damien vint s'asseoir sur le lit.

— D'abord, Robin a refusé de coopérer tant que le chirurgien ne venait pas lui dire en personne que tu te rétablirais complètement. Elle a insisté pour te voir et elle a pu, mais tu étais dans les vapes. Nous avons dû nous y mettre à trois pour réussir à te calmer quand Kick Taylor a emmené Robin hors du service de soins intensifs. Tu t'en souviens ?

Non. La dernière chose dont il se souvenait était d'avoir poussé la seringue dans la main de Robin. La seule arme qu'il avait à lui offrir.

— Est-ce qu'elle s'en est servie ?

— De quoi ? De la seringue ? Oh, que oui ! Kick est mort. Un dixième de la dose qu'elle lui a injectée aurait suffi à le tuer.

Depuis qu'il l'avait rencontrée, Robin avait tué deux hommes. Au moins, elle était en sécurité désormais.

— Elle devait être contente de quitter Nashville…

Il leva les yeux vers Damien, qui l'observait d'un air inquiet. Il tenta de sourire mais n'y parvint pas.

— Connaissant Robin, elle doit se sentir responsable de tout ce qui est arrivé, ajouta-t-il.

Il ne pouvait pas lui en vouloir d'être rentrée chez elle pour essayer de mettre tout ça derrière elle.

— Ce n'est pas comme si nous avions beaucoup de choses en commun…

Il resta perdu dans ses pensées un moment. La tristesse le gagnait.

— Je dois y aller, dit Damien à regret. Tes parents sont dans la salle d'attente.

— D'accord. Merci pour tout.

Damien hésita avant d'ouvrir la porte.

— Mitch ? Elle n'avait vraiment pas le choix, elle était obligée d'aller à New York.

Certes. Mais Mitch lui non plus n'avait pas le choix. Il devait aller la chercher. C'était la première chose qu'il ferait quand il sortirait de l'hôpital.

Robin patientait à l'extérieur du bureau de l'agent spécial Nick Olivetti. Un jeune agent du FBI montait la garde. Ils n'avaient cessé de lui poser la même question, encore et encore : « Quel était le rapport entre votre mari et la Russie ? »

Robin n'en avait aucune idée, évidemment. James lui avait caché bien des choses au cours de leur mariage. Il se pouvait très bien qu'il ait été un espion à la solde des Russes, mais combien de fois devrait-elle leur répéter qu'elle ne savait rien de ses activités ?

La porte du bureau s'ouvrit et l'agent Olivetti lui fit signe d'entrer.

— Madame Andrews, nous avons encore quelques questions à vous poser.

Robin ne fit aucun effort pour dissimuler sa lassitude. Elle se laissa tomber sur une chaise et leva les mains.

— Ecoutez, je ne sais rien de plus que ce que je vous ai

déjà répété cent fois. Arrêtez-moi si vous le voulez, mais je vous ai dit tout ce que je savais sur James Andrews.

— Savez-vous lire le russe ?

— Pour la centième fois, non ! Je parle un peu français, quelques mots d'allemand et d'espagnol, mais c'est tout !

— Regardez, c'est ce qui était sur le disque que vous nous avez donné. Il y en avait également une copie, avec son testament, dans le coffre de votre mari. Cette enveloppe vous est adressée personnellement. Pourquoi vous laisserait-il un document en cyrillique si vous ne saviez pas le lire ?

Bonne question… Elle se leva et posa ses mains sur le bureau pour bien faire face à Olivetti. Cet homme ressemblait plus à un gangster des années 1930 qu'à un agent du FBI, avec ses cheveux gominés en arrière et ses petits yeux noirs et perçants. Après trois jours d'interrogatoire constant, elle en était venue à le haïr.

Si elle n'avait qu'une chose à retenir de sa petite aventure à Nashville, c'était que dans la vie il fallait savoir s'imposer. Elle en avait assez d'être ce que les autres voulaient qu'elle soit. C'en était fini de la gentille petite Robin. Elle avait affronté des tueurs sans scrupule et avait survécu. Si Olivetti voulait l'arrêter, qu'il le fasse !

— N'avez-vous jamais eu l'idée d'engager un traducteur ? répliqua-t-elle sèchement.

— Nous avons essayé de le faire traduire, madame Andrews. C'est en cyrillique, mais c'est également codé. Les mots n'ont aucun sens. Vous détenez la clé de ce document. Regardez-le ! dit-il en poussant la feuille de papier vers elle.

Robin se rassit avec un soupir de frustration et prit la feuille. Elle n'avait jamais vraiment pris le temps d'étudier le document de près. Elle ne voyait qu'une suite de caractères qui n'avaient aucun sens pour elle, des symboles étranges, les uns à la suite des autres. Elle n'aurait jamais su que c'était du cyrillique si quelqu'un ne le lui avait pas dit.

Soudain, elle eut une idée. Des caractères ! Mais, bien sûr, *une police de caractères* ! C'était peut-être la clé.

— Apportez-moi un ordinateur, dit-elle. Et le disque.

Olivetti l'entraîna au bout d'un long couloir dans un bureau équipé de plusieurs ordinateurs. Quelqu'un lui tendit le disque et elle le glissa dans le lecteur. Elle ouvrit le document, sélectionna le texte et changea la police.

— Mince !

— Vous voyez ? C'est toujours du charabia, dit Olivetti.

Robin considéra l'écran, puis la lettre que James lui avait laissée dans son testament. Les deux pages ne correspondaient pas.

Mais elle ne voulait pas laisser tomber maintenant. Elle ouvrit une page blanche dans un logiciel de traitement de texte, sélectionna l'alphabet en cyrillique et se mit à copier la première ligne de la lettre codée. шшСчпСрхупцч. Cela fait, elle saisit la ligne et modifia la police.

Les premières lettres étaient NIBORERECHAM, Ma chère Robin, chaque mot épelé à l'envers, tout en majuscules, sans espaces. Robin poussa un cri de joie.

— Ça y est ! C'est ça, il a inversé les mots et les a collés les uns aux autres. Il a modifié la police et ôté toutes les espaces et la ponctuation.

Olivetti secouait la tête d'un air ébahi.

— Mais… c'est beaucoup trop simple !

— James savait que je travaille avec des polices puisque je conçois des pages web, il s'est dit que ce serait la première chose que je tenterai de faire.

Elle se leva de la chaise et la lui proposa.

— Voilà, à vous ! Envoyez-moi la traduction quand vous aurez terminé. Adieu !

— Non, nous n'avons pas terminé, répliqua-t-il. S'il vous met en cause dans…

— C'est bon, j'ai compris, répondit Robin, dépitée. Il faut bien que je lise sa lettre, puisqu'il me l'a laissée.

Pendant l'heure qui suivit, Robin prit son mal en patience tandis que les agents s'agitaient autour d'elle. Elle n'était même plus curieuse de savoir ce que la lettre de James disait. Elle n'avait qu'une idée en tête : quitter ce satané bureau.

Mais que ferait-elle quand elle serait enfin libre ? Mitch voudrait-il qu'elle retourne à Nashville ? Elle pourrait essayer de rappeler sa famille, comme elle l'avait fait plusieurs fois par jour depuis qu'elle était arrivée à New York, pour avoir de ses nouvelles. Ils n'étaient pas en couple, après tout. Il avait admis une attirance, bien sûr. Ils avaient couché ensemble, mais ç'avait été à son initiative. En avait-il eu réellement envie ?

Elle ne pouvait être certaine de rien. Elle avait si peu d'expérience avec les hommes. Mais une petite voix au fond d'elle lui répétait : *Il a dit qu'il t'aimait. Il voulait même avoir un enfant avec toi. Il a risqué sa carrière pour toi. Il a pris une balle dans la poitrine pour toi. Que demander de plus ?*

Robin regarda la pluie tomber par la fenêtre. C'était déjà l'automne à New York et la chaleur de Nashville lui manquait. Mais ce n'était pas le soleil du Sud qu'elle voulait. C'était Mitch.

— Ça y est, lisez, dit Olivetti.

Robin prit la feuille qu'il lui tendait. Son regard croisa celui de l'agent qui le détourna rapidement en signe d'excuse.

— J'ai ajouté les espaces et la ponctuation, dit-il.

« Ma chère Robin,

» Dans le coffre se trouve un disque que tu devras donner aux autorités. Le code est très facile à déchiffrer. Je ne l'ai utilisé que pour décourager les personnes qui tomberaient sur ce document par mégarde. Le disque contient des informations détaillées qui détruiront une magouille très lucrative de fraude aux assurances.

» Tu n'as pas besoin d'en connaître les détails. Sache seulement que les autres personnes impliquées dans cette affaire sont sûrement coupables de ma mort, si je meurs d'autre chose que de causes naturelles. Je préviendrai ces individus que le disque est caché et que, si j'étais tué, il atterrirait dans les mains de la police. S'il te plaît, fais cela pour moi comme une dernière faveur à quelqu'un qui t'a aimée. Je te souhaite tout le bonheur du monde. Accepte s'il te plaît mes excuses pour le mal que je t'ai fait au cours de notre mariage. Si j'ai voulu que nous nous séparions, c'était pour te protéger. J. »

Robin laissa tomber la lettre et se retourna pour cacher son visage. Olivetti et l'autre agent se mirent à chuchoter.

Quelques instants plus tard, elle sentit une main se poser sur son épaule.

— Madame Andrews ? Robin. Vous êtes libre de partir. Je sais bien que vous êtes totalement étrangère à cette affaire. L'agent Johnson va vous reconduire à votre appartement.

Robin acquiesça. Elle se moquait de découvrir ce que contenait l'autre document. Elle savait au moins que James n'avait pas été un espion.

Il avait dû être au comble du désespoir pour lui demander d'apporter le disque à Nashville. Une fois que tous les autres hommes de la liste avaient été tués, il avait dû avoir très peur et savoir que Somers était sur le point de lui réserver le même sort. Aurait-il donné le disque à Somers si l'avion de Robin n'avait pas été retardé ? Peut-être pas. Elle aurait connu le même sort que lui. Elle y avait échappé de peu.

Personne n'avait parlé de l'oncle de James, il n'avait donc eu aucun rapport avec cette histoire. C'était James qui avait choisi seul de se lancer dans cette affaire avec Somers, peut-être pour prouver sa valeur à la famille Andreini.

Elle n'en avait pas parlé au FBI et n'en avait aucunement l'intention. Elle ne voulait pas rester une minute de plus à New York. En ce qui la concernait, toute cette histoire était terminée.

En fait, cela faisait des jours qu'elle avait pris la décision de quitter New York. Cela n'avait rien à voir avec l'enquête. Elle voulait être avec Mitch.

Robin s'apprêtait à quitter le bureau quand Olivetti lui demanda :

— Serez-vous disponible dans les jours qui viennent pour répondre à d'autres questions, au besoin ?

— Absolument pas. Je partirai dès que j'aurai fait mes valises.

— Où allez-vous ? Nous devons le savoir.

— A Nashville.

Mitch posa son verre de thé glacé sur la table basse et repoussa le plaid de ses jambes.

— Il fait plus de trente degrés et tu veux me couvrir ? Sérieusement, Susie, je suis assez grand pour m'occuper de moi tout seul. Rentre chez toi et vis ta vie !

Sa sœur le rendait fou. Elle passait ses journées à jouer la garde-malade. Mitch n'était pas un bon patient, l'inactivité lui tapait sur le système. Les infirmières de l'hôpital avaient dû déboucher le champagne lorsqu'il était enfin rentré chez lui.

— S'il te plaît, Sue, rentre chez toi... Laisse-moi souffrir en silence.

— Oh ! Mitchie est de mauvaise humeur ? fit-elle en prenant une voix d'enfant.

Elle savait très bien ce qui n'allait pas. Robin était partie depuis plus d'une semaine. Huit jours, pour être précis, et il n'était toujours pas en état d'aller la voir. Voilà ce qui n'allait pas.

Sa patience avait atteint sa limite.

— Susan, sors de chez moi.

Elle resta à distance et lui sourit gentiment.

— Dès que j'aurais fini mon service, frérot.

La sonnette de la porte d'entrée retentit.

— Tu vois, il suffisait de demander ! ajouta-t-elle gaiement.

Tous les gens qu'il connaissait étaient venus lui rendre visite ou avaient fait des tours de garde. Mitch en avait assez. S'il ne pouvait pas partir chercher Robin, il voulait au moins rester seul.

— Qui que ce soit, dis-leur que je ne veux voir personne, cria Mitch à sa sœur.

Il entendit Susan dévaler les marches et ouvrir la porte d'entrée, puis plus rien. C'était peut-être juste une livraison. Les pas remontèrent lentement l'escalier.

— Susie ?

Et si quelque chose clochait ?

— Susan est partie.

— Robin ? fit Mitch en ouvrant de grands yeux.

Il la vit apparaître dans l'ouverture de la porte. Il tenta de se redresser, mais elle courut vers lui pour l'en empêcher. Elle tomba à genoux devant lui.

— Il fallait que je revienne.

— Je n'étais pas sûr que tu le fasses, répondit-il en caressant ses cheveux. Tu ne m'as pas appelé.

— J'ai appelé ta famille tous les jours. Personne ne te l'a dit ?

— On m'a dit que tu avais demandé de mes nouvelles. Mais tu ne m'as pas appelé, moi. Pourquoi ?

— Je voulais te parler face à face. J'ai besoin de voir ton visage pour savoir ce que tu penses.

— Pourquoi les femmes se croient-elles capables de lire dans les pensées des hommes ? demanda-t-il, amusé.

— Crois-moi, c'est très facile de savoir ce que tu penses. Veux-tu que je reste ici avec toi, Mitch ?

Il prit ses mains dans les siennes.

— Qu'est-ce que tu crois ? Tu me fais tomber éperdument amoureux de toi et ensuite tu pars ? Crois-tu que j'allais te laisser t'en sortir aussi facilement ? Hors de question. J'allais venir à New York te chercher.

— Tu m'aimes vraiment ?

— Viens ici que je t'embrasse. Je te montrerai à quel point je t'aime.

— Non. J'en ai très envie, mais tu n'es pas en état pour l'instant. De plus, il nous reste des choses à régler.

— Ah… Des choses, oui. Nous pourrions les régler très vite si tu montais sur mes genoux, dit-il à voix basse. Robin, j'ai envie de toi. J'ai envie de t'embrasser, de sentir ton parfum, de goûter ta peau, de t'entendre gémir…

— Ah, oui ? fit-elle avec un sourire aguicheur.

— Oh, oui ! et tu le sais très bien.

Elle s'assit par terre, à ses pieds.

— Parlons d'abord, d'accord ?

Mitch allait mourir d'impatience de la prendre dans ses bras et de la sentir contre lui.

— Je t'aime, dit-il. Ça, c'est réglé. Je veux t'épouser, si tu veux bien de moi.

Robin écarquilla les yeux et Mitch comprit qu'elle ne s'attendait pas à cette proposition. Elle n'y avait peut-être même pas pensé. Elle détourna la tête et regarda par la fenêtre, les yeux dans le vague.

— Le mariage, c'est une étape importante, dit-elle.

— Tout à fait. Et si je ne l'ai jamais franchie avant, c'est parce que je t'attendais. Je t'ai attendue toute ma vie. Maintenant, tu es là. Quel est le problème ?

— Je ne sais pas, Mitch. Nous sommes si différents…

— Ah, tu joues l'avocat du diable, maintenant ? Très bien,

je vois que tu veux que je te convainque. Alors, écoute, je déménagerai à New York. Je suis sûr qu'ils auraient besoin d'un flic de plus là-bas, tu ne crois pas ?

— Tu le ferais ? s'étonna-t-elle.

— Absolument ! Je crois qu'Hunford en a marre de moi, de toute façon. Il dit que je n'obéis jamais à ses ordres.

— Et ta famille ? Tu serais prêt à tout quitter pour une femme que tu connais à peine ?

— Oh ! je te connais, Robin, répondit-il gravement. Et ma famille comprendra. Mes proches savent que je t'aime et que je ferais n'importe quoi pour être avec toi. Si tu ne veux pas te marier, ce n'est pas grave. Tout ce que je veux, c'est être à tes côtés.

Elle resta silencieuse pendant d'interminables secondes.

— Qu'y a-t-il, ma chérie ? Quelque chose te tracasse. Dis-moi ce que c'est.

— La confiance, répondit-elle à voix basse. L'amour, c'est important, bien sûr. C'est essentiel, même. Mais la confiance aussi. Je me suis fait tant de souci pour toi, Mitch. La trahison de Kick… J'ai peur que tu ne sois plus capable de faire confiance à quiconque après ce qui s'est passé. Je l'ai vu te tirer dessus, à bout portant. Cela t'a affecté, c'est normal. Arriveras-tu à refaire confiance de nouveau ? C'est l'une des choses que j'aime le plus en toi…

Elle l'aimait ! Mitch aurait sauté de joie s'il l'avait pu. Mais Robin avait vraiment l'air inquiète.

— Tu veux savoir si j'ai confiance en toi, c'est ça ? Robin, je te confierai ma vie les yeux fermés. Tu m'as déjà sauvé une fois, non ?

Elle poussa un soupir et ferma les yeux.

— Je ne veux pas que tu deviennes comme moi, Mitch. C'est horrible de vivre ainsi, sans confiance, sans personne…

— Tu ne me fais pas confiance ?

— Si, bien sûr, j'ai confiance en toi et je sais que tu ne me feras pas de mal, mais…

— Et mes parents ? Et Susan ? Tu as confiance en eux, non ?

— Evidemment, mais…

— Et Damien ?

— Oui.

— Mais personne d'autre ? Pas encore ?

Elle secoua la tête avec une tristesse qui lui fendit le cœur.

— Alors pourquoi déménager à New York ? s'exclama-t-il. Tous tes amis sont ici ! Si tu veux une plus grande maison, nous en trouverons une. Bien sûr, je ne suis pas aussi riche que toi, mais j'ai des économies…

Elle éclata de rire.

— Ah, je savais que tu étais intéressé par mon argent ! Mais nous devrons aller à New York, malheureusement.

Il hocha la tête et lui adressa un sourire aussi enthousiaste que possible.

— Comme tu veux.

— Pas pour y vivre, reprit-elle avec malice. Il y a un antiquaire dans le West Village. La dernière fois que j'y suis allée, j'ai repéré un joli petit berceau de bois…

— Quoi ? Ce n'est pas vrai !

— Si… si on peut faire confiance à ces petits tests…

Mitch se laissa glisser du canapé pour la prendre dans ses bras et l'embrasser jusqu'à manquer de souffle. Il lui semblait que son cœur allait éclater de bonheur. Il sentait son soulagement, sa joie, son amour sur lequel elle avait encore du mal à mettre des mots.

— Mitch ? murmura-t-elle.

— Oui, ma belle ?

Elle recula et plongea son regard brillant dans le sien.
— Tu es l'homme le plus riche que je connaisse.
— Je sais.
A cet instant, il avait tout ce qu'il désirait.

Le 1er mars

Black Rose n°244

Le combat d'une mère - Joanna Wayne

Les héritiers d'Oak Grove 2/3

La terreur. Alexia la sent s'emparer d'elle quand un inconnu l'agresse et lui vole sa voiture... à bord de laquelle se trouve Tommy, son fils de deux ans. Pourquoi la malchance s'acharne-t-elle sur elle ? Pourquoi, alors qu'elle fuit son ex-mari, faut-il qu'elle subisse cette nouvelle épreuve ? Elle n'a cependant pas le temps d'y réfléchir. Elle doit agir. Aussi monte-t-elle dans la première voiture qui passe - sous les yeux éberlués de son conducteur, auquel elle ordonne de foncer...

Séduisante protection - HelenKay Dimon

Beau, grand, ténébreux – l'inspecteur Jonas Porter a tout ce que Courtney aime trouver chez un homme... sauf qu'il porte l'insigne. Aussi, quand il lui propose de venir habiter chez lui afin de la protéger, elle refuse net : elle ne va certainement pas cohabiter avec un flic nuit et jour ! Certes, sans l'intervention de Jonas, les tueurs qui ont assassiné ses parents – et cherchent à l'éliminer à son tour – auront sa peau. Mais, peu importe, elle doit s'éloigner au plus vite de cet homme trop attachant... et terriblement sexy.

Black Rose n°245

Poursuivie dans la nuit - Susan Peterson

Se souvenir. Pour Tess, c'est une question de vie ou de mort. Car si elle est incapable de se rappeler quoi que ce soit - excepté son prénom -, en revanche elle est certaine d'une chose : quelqu'un cherche à la tuer. Qui ? Elle doit le découvrir, et vite - quitte pour cela à accepter l'aide que lui propose Ryan Donovan, le psychiatre qui l'a prise en charge après qu'elle a été retrouvée hagarde, errant nue à travers champs...

A l'épreuve du doute - Rachel Lee

Qui se cache derrière l'énigmatique Max McKenny ? Liza est déterminée à le savoir depuis qu'elle a fait la connaissance du séduisant professeur en criminologie. Car il lui ment. Sur ses activités, et aussi sur son identité... elle le sent. Mais alors qu'elle s'apprête à aller le trouver, quelle n'est pas sa surprise de le découvrir devant sa porte, furieux. En faisant des recherches sur lui, elle l'a mis en danger, lui explique-t-il, car il est en réalité agent gouvernemental recherché par de dangereux criminels...

Black Rose n°246

Le voile du danger - Elle James

Ses retrouvailles avec Tuck, cela fait si longtemps que Julia les imaginait ! Si longtemps qu'elle se demandait comment son amant d'un soir régirait en apprenant que leurs étreintes n'avaient pas été sans conséquences... Bien sûr, elle a toujours su que le moment des aveux viendrait, mais... face à Tuck, elle est plus troublée que jamais. En effet, la donne a changé : Jillian, sa sœur jumelle, a été assassinée, et Julia – qui détient des preuves compromettantes pour ses meurtriers – n'a d'autre choix que de trouver refuge chez Tuck. Tuck, qui ignore tout de l'existence de la petite Lily, sa fille de quatre mois...

Sous l'emprise du passé - Jenna Mills

En apercevant Camille au détour d'une ruelle, Jack reste sous le choc. Ainsi, son amour de jeunesse est bien de retour dans leur ville natale... plus belle et plus séduisante encore que dans son souvenir. Camille n'est pas revenue pour lui, Jack ne le sait que trop bien. En fait, et depuis toujours, elle cherche à faire la lumière sur le meurtre de son père, survenu quatorze ans plus tôt. Une enquête qu'il doit absolument la dissuader de mener. Car en plus de semer le chaos dans son cœur, la présence de Camille en ville risque de pousser le tueur dans ses retranchements, et d'exposer la jeune femme à un terrible danger...

BLACK ROSE

Black Rose n°247

Attraction interdite - Kara Lennox

Que vous le vouliez ou non, vous allez m'aider.
Claudia n'a pas laissé le choix à Billy Cantu, la nouvelle recrue de l'association d'aide aux victimes pour laquelle elle travaille. Evidemment, il n'est pas ravi d'avoir été chargé de cette affaire, elle le voit bien. Mais tant pis. Pour prouver l'innocence d'une femme qui vient d'être condamnée à la prison à vie – pour un meurtre qu'elle n'a pas commis –, Claudia est prête à tout. Et même à supporter les sarcasmes du beau Billy, pour qui elle ressent une attirance inexplicable...

Piégée par le mensonge - Mallory Kane

Sophie Brooks... Jamais Sean n'a rencontré femme plus mystérieuse. Elle prétend n'être qu'une simple graphiste sans histoires, mais tout dans son comportement indique qu'elle cache bien des secrets. En tant que détective privé renommé, Sean en mettrait sa main à couper. Et alors qu'il est contraint d'interroger Sophie à plusieurs reprises, puisqu'elle a été témoin de l'enlèvement sur lequel il enquête, il se jure de lui faire lever le voile sur les pans les plus intimes de son existence...

A paraître le 1er janvier

Best-Sellers n°543 • suspense

Le manoir du mystère - Heather Graham

Quand l'agent Angela Hawkins accepte de devenir la coéquipière du brillant et séduisant enquêteur Jackson Crow, elle est loin d'imaginer ce qui l'attend. Tout ce qu'elle sait, c'est que la femme d'un sénateur est morte en tombant du balcon de l'une des plus belles demeures historiques du quartier français de La Nouvelle-Orléans. Et que, pour presque tout le monde, elle s'est jetée dans le vide, désespérée par la mort récente de son fils. Mais à peine Angela commence-t-elle son enquête avec Jackson dans l'étrange demeure du sénateur que l'hypothèse du suicide lui semble exclue. Guidée par son intuition et par des visions inquiétantes où elle voit la jeune femme en danger, Angela est en effet rapidement persuadée que dans l'entourage du sénateur, chacun est moins innocent qu'il n'y paraît. Mais de là à tuer ? Et pour quel motif ? Décidés à dévoiler la sombre vérité, Angela et Jackson vont non seulement risquer leur vie… mais, aussi, leur âme.

Best-Sellers n°544 • suspense

Meurtre à Heron's Cove - Carla Neggers

Lorsqu' Emma Sharpe est appelée d'urgence au couvent de Heron's Cove, sur la côte du Maine, c'est en partie en qualité de détective spécialisée dans le trafic d'œuvres d'art au sein du FBI, et aussi en raison des années qu'elle a elle-même vécues ici. Mais elle n'a pas le temps d'en savoir plus, car quelques minutes à peine après son arrivée, la religieuse qui l'a contactée est retrouvée morte. Pour unique piste, Emma doit se contenter de la disparition mystérieuse d'un tableau représentant d'anciennes légendes. C'est alors qu'elle découvre, stupéfaite, que sa famille n'est pas étrangère à l'histoire de cette toile. Se pourrait-il qu'il y ait un lien entre ce vol, le meurtre et son propre passé ? Emma ne sait où donner de la tête. Heureusement, elle peut compter sur la précieuse collaboration de Colin Donovan, un agent secret du FBI solitaire et mystérieux. Même si elle conserve une certaine méfiance vis-à-vis de cet homme qui se moque des règles et semble n'en faire qu'à sa tête. Lancée dans une folle course contre la montre, elle s'immerge avec Colin dans un héritage fait de mensonges et de tromperies. Sans savoir qu'un tueur impitoyable les a déjà dans sa ligne de mire.

Best-Sellers n°545 • thriller

Dans l'ombre du bayou - Lisa Jackson

Lorsque Eve Renner accepte en pleine nuit le mystérieux rendez-vous fixé par Roy, son ami d'enfance, dans un cabanon du bayou, non loin de La Nouvelle-Orléans, elle n'imagine pas qu'elle met le pied dans un véritable guet-apens. Car elle découvre son ami poignardé, le chiffre 212 tracé sur un mur en lettres de sang. Pis encore : Cole, son fiancé, se trouve sur les lieux du crime et tente de la tuer elle aussi…Trois mois plus tard, Eve se remet difficilement de la trahison de Cole, qu'elle aime depuis toujours. Devenue amnésique, elle ne comprend pas ce qui a pu se passer lors de cette nuit de cauchemar. Jusqu'à ce qu'un mystérieux courrier l'incite à chercher dans ses souvenirs d'enfance. Et c'est là que se dissimule non seulement le secret du meurtre de Roy, mais aussi la clé d'autres mystères, plus troubles, plus dangereux encore…

Best-Sellers n°546 • thriller

Face au danger - Brenda Novak

Traumatisée par la violente agression dont elle a été victime trois ans auparavant, Skye Kellermann a mis du temps à surmonter ses angoisses. Ce n'est que depuis peu qu'elle reconstruit son existence autour de l'association d'aide aux victimes qu'elle a créé en Californie avec deux amies. Mais quand elle apprend que son agresseur est sur le point d'être libéré pour bonne conduite, bien avant la fin de sa peine, toutes ses peurs ressurgissent brutalement : comment oublier que c'est son propre témoignage qui a permis d'envoyer cet homme derrière les barreaux ? Lui n'a certainement pas oublié qu'il a tout perdu par sa faute. Le temps presse et Skye n'a qu'une solution : faire ce qu'il faut pour qu'il ne sorte pas de prison, en commençant par prouver son implication dans trois affaires de meurtres survenues à l'époque de son agression, et qui n'ont jamais été résolues... Heureusement, elle peut compter sur l'aide et le soutien inconditionnel de l'inspecteur David Willis, qui est venu la trouver. Car lui aussi en est convaincu : Burke n'en restera pas là.

Best-Sellers n°547 • roman

Le secret d'une femme - Emilie Richards

Lorsqu'elle arrive à Toms Brook, le village natal de sa mère, en Virginie, Elisa Martinez sait que ce qu'elle est venue chercher ici pourrait bien bouleverser sa vie à tout jamais. Aussi courageuse que farouche, elle a appris à cacher derrière une apparente réserve les lourds secrets de son passé. Un passé qui l'a toujours contrainte à fuir de ville en ville, à changer de nom, à taire tout ce qui pourrait la trahir. Pourtant, quand Sam Kincaid lui propose de travailler avec lui, elle sent qu'il lui sera difficile de ne pas ouvrir son cœur à cet homme séduisant et attentionné. Bientôt prise au piège de son attirance pour Sam, Elisa se retrouve déchirée entre la nécessité de protéger ses secrets et le désir de vivre cet amour qu'elle n'attendait plus – un amour qui pourrait bien être la promesse d'une vie nouvelle…

Best-Sellers n°548 • roman

Un si beau jour- Susan Mallery

Vivre enfin ses rêves. C'est le souhait le plus cher de Jenna lorsqu'elle retourne s'installer à Georgetown, dans sa famille, après un divorce douloureux et une vie professionnelle décevante. Aussi, sur un coup de tête, décide-t-elle de lancer un concept innovant : une boutique dans laquelle elle proposera à la fois des accessoires et des cours de cuisine. Une entreprise qui s'avère rapidement être un véritable succès. Mais à peine Jenna retrouve-t-elle sa sérénité et sa joie de vivre, qu'un couple de hippies, Serenity et Tom, débarque dans son magasin et se présente comme ses parents naturels. Bouleversée, Jenna s'insurge contre cette arrivée intempestive. D'autant plus que celle qui prétend être sa mère ne tarde pas à se mêler de sa vie privée. C'est ainsi qu'elle lui présente Ellington, un ostéopathe, certes séduisant, mais qu'elle n'a nullement l'intention de fréquenter ! Et pour couronner le tout, son ex-mari tente désormais de la reconquérir… Submergée par ses émotions, Jenna doute : peut-elle croire à une seconde chance d'être heureuse ?

Best-Sellers n°549 • historique

La rebelle irlandaise - Susan Wiggs

Irlande, 1658.

Lorsque John Wesley s'éveille sous un soleil brûlant, sur le pont d'un bateau voguant au beau milieu de la mer, il peine à croire qu'il est vivant. Autour de son cou, il sent encore la brûlure de la corde… Il aurait dû être exécuté pour trahison, alors pourquoi l'a-t-on épargné ? C'est alors qu'une voix s'élève au-dessus du vacarme des flots : Cromwell, l'homme qui a ordonné son exécution avant de lui offrir un sursis inespéré... Aussitôt, John comprend que son salut ne lui a pas été accordé sans conditions : s'il veut rester en vie et récupérer sa fille de trois ans que Cromwell retient en otage, il doit se rendre en Irlande et infiltrer un clan de rebelles pour livrer leur chef aux Anglais. Une mission simple en apparence, à condition de ne pas tomber sous le charme de la maîtresse des rebelles, la ravissante Catlin MacBride…

Best-Sellers n°550 • historique

Les amants ennemis - Brenda Joyce

Cornouailles, 1793

Fervente opposante à la monarchie, Julianne suit avec passion la tempête révolutionnaire qui s'est abattue sur la France. Et de son Angleterre natale, où les privilèges font loi, elle désespère de voir la société évoluer un jour. Aussi se réjouit-elle quand, au beau milieu de la nuit, un Français blessé débarque au manoir familial de Greystone et lui demande son aide. Julianne ne tient-elle pas là l'occasion rêvée d'apporter sa modeste contribution au mouvement qu'elle soutient ? Et puis, elle rêve d'en apprendre davantage sur le fascinant étranger qui l'a envoûtée dès le premier regard. Mais Julianne est loin de se douter que l'arrivée du mystérieux Français à Greystone ne doit rien au hasard…vivre sous son toit pendant trente jours…

Composé et édité par les
éditions HARLEQUIN
Achevé d'imprimer en France (Malesherbes)
par Maury-Imprimeur
en janvier 2013

Dépôt légal en février 2013
N° d'imprimeur : 178350